HEINRICH MANN

herausgegeben
von
Heinz Ludwig Arnold

EDITION TEXT + KRITIK

RICHARD BOORBERG VERLAG STUTTGART MÜNCHEN HAN

Sonderband aus der Reihe TEXT + KRITIK

Satz und Druck: Gebrüder Knöller KG, Stuttgart
Einband-Entwurf: Gert Bühl, Leonberg
Bindearbeit: Druckhaus Robert Kohlhammer, Leinfelden
on TEXT + KRITIK — Richard Boorberg Verlag, München 1971
ISBN 3 415 00110 5

»Heinrich Mann« — so rühmte sich und die DDR jüngst Walter Ulbricht — »ist unser!« Und: die DDR müsse Heinrich Manns »beispielhalten Übergang vom bürgerlichen zum sozialistischen Humanismus für unsere gesellschaftliche Praxis produktiv machen«. Denn: »Wir würden die Verfechter ... des deutschen Imperialismus ... sträflich unterschätzen, wenn wir uns nicht auch darauf vorbereiten, ihre mit Sicherheit zu erwartenden Versuche, Heinrich Mann für ihren Alleinvertretungsanspruch zu mißbrauchen und ihn im antikommunistischen Sinne zu verfälschen, offensiv zu zerschlagen.«

Mir will scheinen, als richte sich die Empfindlichkeit des DDR-Chefs auf ein Objekt, dem hier in der Bundesrepublik weit weniger Aufmerksamkeit geschenkt wird, als dieser wohl annimmt: Heinrich Mann, in der DDR zum nationalen Mythos verfälscht, muß hier in der Bundesrepublik leider als Verschollener gelten. Wer sich seiner erinnert, tut es oft nur auf dem Umweg über den Bruder Thomas, wer ihn gar gelesen hat, kennt möglicherweise nur »Die kleine Stadt« oder den »Henri Quatre«; die Universitäten mit ihren germanistischen Seminaren nehmen ihn nur ungern wahr, im Gegensatz zum Bruder Thomas: an dessen sprachlicher

Virtuosität lassen sich die Ewigkeitswerte deutscher Literatur und künstlerischer ›Gestaltung‹ eher exemplifizieren als an der politisch intendierten kritischen Prosa Heinrich Manns. Manche mögen ihn und seine politische Wirksamkeit auch wohl schon so einschätzen, wie sie sich Gutzkows, Herweghs oder Börnes erinnern: nämlich gar nicht oder doch nicht konkret und allenfalls wie eine ein für alle Mal vergangene historische Gestalt von ziemlich peripherer, ja ephemerer Statur.

Dabei steht, trotz manches Unkenntnis, ein großer Teil der zeitgenössischen Literatur eher in der Tradition Heinrichs als Thomas Manns: Hochhuth, der Dramatiker, Grass mit seinem aktiven politischen Engagement, Koeppen und Nossack mit ihrer Prosa (um nur ein paar Stichworte zu geben) — und gemeint ist nicht die ästhetische, die formale Tradition, sondern die Tradition der utopischen Gegenentwürfe zur Wirklichkeit, in denen sich progressive Hoffnung und schöpferische Kritik an den bestehenden, als durch den Menschen veränderbar erkannten Verhältnissen verbinden (auch darin wird deutlich, wie unangemessen Ulbrichts Empfindlichkeit, aber auch, wie charakteristisch die bundesrepublikanische Vergeßlichkeit ist).

An Geburts- und Sterbetagen mit sich rundenden Zahlen pflegt diese Vergeßlichkeit für einen Moment unterbrochen zu werden: Feuilletonisten und Kritiker erheben sich, um ihr Objekt in sterile Heiligkeit hinaufzusprechen, und das heißt nicht viel mehr und nicht viel weniger, als ihm Historizität und Wirkungslosigkeit zu attestieren. Wehrlos ist das Objekt all jenen ausgeliefert, die auf seiner Flamme ihre Süpplein kochen, hier wie dort. Die Flamme aber halten sie meist für erloschen, und so kalt und so schal schmeckt oft auch, was sie servieren. Und das schmerzt, schmerzt vor allem im Falle Heinrich Manns, wo, besonders in der Bundesrepublik, so vieles nachzuholen ist.

Aus diesem Grunde wurde dieses Buch konzipiert: dem notwendig Nachzuholenden einen ersten Ansatz zu liefern (der in diese Tage fallende 100. Geburtstag Heinrich Manns war nicht Anlaß, sondern zufälliger, aber gern benutzter Zeitpunkt der Publikation). Bleibt zu hoffen, daß der Ansatz über den Feiertag hinweg aufgenommen, fortentwickelt und vertieft wird, daß erkannt wird, in welchen traditionellen Zusammenhängen ein wesentlicher Teil der deutschen Gegenwartsliteratur steht und welches politisch bewußte Selbstverständnis ihr von dorther entspräche. Es ist an der Zeit, daß man sich auch hier des Vermächtnisses von Heinrich Mann bewußt wird.

Göttingen, im Februar 1971   Heinz Ludwig Arnold

Sehr verehrter Herr Paul Hatvani,

auf Ihr freundliches Schreiben vom 30. März antworte ich Ihnen gern das Folgende:

Schon als Kind in meiner Vaterstadt Lübeck fühlte ich mich einigermaßen fragwürdig und dem normalen Erwerbsleben, worin meine Vorfahren seit 100 Jahren ausgezeichnet hatten, stark entfremdet. Andererseits sah ich mich auch nicht als künftigen zartgespannten Dichter. Irgendes las ich damals, Lord Byron (zu eines Morgens berühmt eracht.) Dieses männliche Erlebnis brachte ich mir nicht zu, und hatte mir zu recht. Es hat einer fast 20 jährigen, ganz auf mich gestellten Arbeit bedurft, bevor mein Name über die Literaturblättchen hinausdrang, — und nicht einmal Diese hatten ihn gern genannt.

1891 tauchte ich in Berlin auf und war unter Jenen, die das Pflaster des alten Westens beherrschten. (Der neue Westen noch nicht.) Ich habe später in einigen anderen Städten längere Jahre gelebt, wie aber lange genug gelebt, um Berlin zu vergessen, das mich zu meiner bildsamsten Zeit in Besitz nahm und wo ich durch miterleben erfuhr, was geistige Bewegung ist. Die Bewegung war der Naturalismus. Als stummes, gedrückter Jüngling wohnte ich einer Sitzung des Vereins Freie Bühne bei. In den Vorstadt-Theatern, wo die Entscheidungskämpfe tobten, gehörte ich zu der dunklen Jugend, die, während sie mitkämpfte, sich freundlich grüßte, wer ob noch um die Welt steht. Ich habe mich, als ich endlich selbst produzierte, vom Naturalismus weit genug entfernt, verbunden bleibt ich ihn durch dankgemüthige Erinnerungen.

Die Produktion begann noch lange nicht. Vom Herbst 1893 bis zum Frühling 1898 saß ich tief in Italien, ich könnte sagen: Ich saß fest. Denn wohin mit einem unregelmäßigen Dasein, das weder Erwerb noch einen bestimmt umschriebenen Beruf hat, das einfach dahingeht, immer nur aufnimmt und nicht damit aufhängt? Ich habe damals das Land nachhaltig nicht als Besichtiger Fremder bereist. Äußerst wenig Geld und keine Garderobe, damit ist man genöthigt, zu leben wie die Einheimischen aus der großen Menge, in Schichten, die nicht einmal der Einheimische von Rang kennt. Ich lebte mit dem Volk, mit dem

Männer und mit den Frauen, in Rom und auf dem Land. Viel später ist daraus die „kleine Stadt" entstanden, und hätte anders nicht entstehen können. Auch in dem hierauf folgenden Jahrzehnt bin ich häufig für Monate nach Italien zurückgekehrt, um in guten Wohnungen oder Hotels meiner Arbeit obzuliegen. Meine innere Kenntnis der Menschen und Dinge stammt aus den Jugendtagen, als ich noch nicht schrieb.

Das Jahrzehnt von 1898 bis 1908 ist die Zeit meiner schaffensten Arbeit. Hierüber sprechen die Ergebnisse selbst, vom „Schlaraffenland" bis zur „kleinen Stadt". Ich verweilte abwechselnd in Florenz oder Venedig, in München und Berlin. Ich erlebte noch auf, feiner es leidenschaftlich, feiner es schmerzliche Dinge. Das Leben selbst aber, sein ganzer Ernst und sein ganze Strenge war einzig die Arbeit. Sie war einsam und unbedingt, keine Rücksicht, keine Hoffnung auf Erfolg reichte an sie hinan.

Nicht, daß ich heiter gefehlt hätte. Die Romane gingen weiter, unterbrochen freilich durch Versuche für das Theater. Im Jahr 1910 zeitigte der größte Schmerz, den das Leben mir bisher hat, mein erstes Theater-Stück, „Schauspielerin". Gedichtet, meine; aber das Theater ist nicht ganz die einsame, zeltabgewandte Arbeit, die ich vorher kannte. Es ist dies bei Weitem nicht. Ich danke ihm vielmehr einen Teil der Wirklichkeit, die jedes Leben braucht.

Den schönen Teil ist die Ehe, die ich 1914 einging. Ich gestehe ruhig, daß ich meine Arbeiten in einen völlig wirklichen Zusammenhang mit meinem Kinde bringe. Der Gedanke, noch 30 Jahr nach meinem Tode werde meine Arbeit Früchte tragen für mein Kind, erfüllt in meinen Augen ihren Wert. Dabei wächst mir die Menschelt zur Sympathie mit dem Sozialismus, ich widerspreche mir.

1914 vollendete ich auch den „Untertan", der 1912 begonnen, aber schon 1906 entworfen war. Die Romanreihe, die hiermit anfing, ist in meinem gesamten Werk nichts Alleinstehendes oder Neues. Vorläufig sind meine Romane Soziologie. Den menschlichen Verhältnissen der Gesellschaft. Die am liegen überall zu Grunde die Machtverhältnisse der Macht. Einfälle, fünftägen von mir zurückgeführt Idee ist eben die die Macht. ... daß niemand ab ausgehen haben würde, fühlte ich mir, je länger je ... jenen Niemand ab ausgehen Idee zurück. So ... ich abwechslungslos im Teatro Alfieri zu Florenz, die passte kam, ich kaufte eine Zeitung und las, aus Berlin berichtet, von einem Professor X, der im breiten Verein mit einer Chansonette auf die tragischen Abwege geraten war. Ein moment der unschätzbaren Empfängnis, und „Professor Unrat" lebte. Sein

Vorbild aus der Zeitung stellte ich später als Börsenredakteur heraus. Für mich aber war das Phänomen vom ersten Augenblick an die Gymnasialprofessor, der Mann der Ordnung und des festen Gehalts, der fallen, ... in Anarchie auflösen und den Tyrannen von jener Rückseite zeigen möchte... Ich hatte, wie immer ich las und fremde Zeitungen las, die Probleme des deutschen Kaiserreichs in mir. Romane, die meinesgleichen bei schreibt, sind die inneren Zeitgeschichte, die Geschichte, die noch Niemand sieht oder wahr haben will, bis Schicksalsschläge sie furchtbar bekräftigen.

Dies, geehrter Herr Hatvani, schreibe ich angeregt durch Ihren Brief, ob gleich nicht, dass Sie es, abgesehen von den blassen Tatsachen, brauchen müssen. Ich wünsche selbst nicht, dass Sie mich in Ihrem Buch direkt reden lassen. Jedenfalls aber wollte ich Sie darüber unterrichten, wie ich denke. Ich gäbe ab Ihnen schon für die Ehre, die Sie mir mit Ihrem Vorhaben erweisen. Nehmen Sie meinen Dank und die Versicherung meiner lebhaften Teilnahme. Ich wünsche Ihnen Glück zur Arbeit.

Ihr ergeben

Heinrich Mann

Im Schlaraffenland, entworfen Rom 1897, geschrieben München 1898, beendet Riva Januar 1900, erschien Herbst 1900

Die Göttinnen, entworfen auf Italienreisen in Mittelitalien, Frühling 1900 und am Gardasee, Sommer 1900. Geschrieben Florenz, Riva, München und im Gebirge, von Nov. 1900 bis Aug. 1902.

Die Jagd nach Liebe, entworfen San Vigilio (Gardasee) Jan. 1903. Geschrieben Florenz und München, Febr. 1903 bis Sept. 1903. Unterbrochen in Florenz durch Abfassung von „Pippo Spano" (dessen Abdruck die „Neue Rundschau" ablehnte).

Professor Unrat, Florenz (Ende 1903 bis Meran (Südtyrol) Aug. 1904

Schauspielerin (Novelle), Riva, Sept./Okt. 1904 (dann auf Way Hanbert u. G. Sand)

Stürmische Morgen (Novellen) 1905

Zwischen den Rassen, im Gebirge Sept. 1905 (der 1. Teil ist die Kindheitsgeschichte meiner Mutter) Dann Florenz, Berlin und München bis Februar 1907.

~~Variété Gei~~ 1907

Gretchen. — Der Tyrann   1907

Die kleine Stadt, München Nov. 1907; Rom, Jan./März 1908 Venedig, Riva und im Gebirge, Sommer 1908 beendet Meran, März 1909.

Erfolgsschätze bis März 1910

1910: Das Herz, Die Unschuldige, Auferstehung, Varieté, Geist u. That.
1911: Schauspielerin (Drama) Die Rückkehr vom Hades
1912 Die grosse Liebe. Der Untertan
1913 Der Untertan. Madame Legros.
1914 Der Untertan. Die Bote.
1915 „Zola" 1915/16 Brabach
1916/17 Die Armen 1916/19 Macht und Mensch
1917/18 Der Weg zur Macht
1918, noch unvollendet : Ihr dritte und letzte (2 bändige) Roman aus der Reihe Untertan und Armen.

Die mehr als 2 oder 3 Auflagen bis 1916. — Schlaraffenland, dank der Mitarbeit Organis des Verlagsdirektors Georg Heinrich Meyer vom Kurt Wolff Verlag 1916 50 Auflagen, der Untertan 1918 100 Aufl. — Bühnenerfolge Varieté seit 1910, Mad. Legros seit 1917. — Tilla Durieux reiste mit „Schauspieler", Ida Roland mit „Unschuldige" und Tyrann".

Sehr verehrter Herr Paul Hatvani,

auf Ihr freundliches Schreiben vom 30. März antworte ich Ihnen gern das Folgende:

Schon als Kind in meiner Vaterstadt Lübeck fühlte ich mich einigermaßen fragwürdig und dem normalen Erwerbsleben, worin meine Vorfahren sich seit 100 Jahren ausgezeichnet hatten, stark entfremdet. Andererseits sah ich mich auch nicht als künftigen wohlbestallten Dichter. Irgendwo las ich damals, Lord Byron sei eines Morgens berühmt erwacht. Dieses märchenhafte Erlebnis traute ich mir nicht zu, und hatte nur zu recht. Es hat einer fast 20jährigen, ganz auf mich selbst gestellten Arbeit bedurft, bevor mein Name über die Literaturblättchen hinausdrang, — und nicht einmal diese hatten ihn gern genannt.

1891 tauchte ich in Berlin auf und war unter denen, die das Pflaster des alten Westens beherrschten. (Der neue bestand noch nicht.) Ich habe später in einigen anderen Städten längere Jahre, nie aber lange genug gelebt, um Berlin zu vergessen, das mich zu meiner bildsamsten Zeit in Besitz nahm und wo ich durch Miterleben erfuhr, was geistige Bewegung ist. Die Bewegung war der Naturalismus. Als stummer, geduldeter Jüngling wohnte ich einer Sitzung des Vereines Freie Bühne bei. In den Vorstadttheatern, wo die Entscheidungskämpfe tobten, gehörte ich zu der dunklen Jugend, die, während sie mitkämpfte, sich heimlich prüfte, wie es wohl um sie selbst stehe. Ich habe mich, als ich endlich selbst producirte, vom Naturalismus weit genug entfernt, verbunden bleibe ich ihm durch uneigennützige Erinnerungen.

Die Production begann noch lange nicht. Vom Herbst 1893 bis zum Frühling 1898 saß ich tief in Italien, ich könnte sagen: ich saß fest. Denn wohin mit einem unregelmäßigen Dasein, das weder Erwerb noch einen bestimmt entschiedenen Beruf hat, das einfach dahingeht, immer nur aufnimmt und nichts damit anfängt? Ich habe damals das Land wahrhaftig nicht als distinguirter Fremder bereist. Äußerst wenig Geld und keine Garderobe, damit ist man genöthigt, zu leben wie ein Einheimischer aus der großen Menge, in Schichten, die nicht einmal der Einheimische von Rang kennt. Ich lebte mit dem Volk, mit den Männern und mit den Frauen, in Rom und auf dem Lande. Viel später ist daraus die »kleine Stadt« entstanden, und hätte anders nicht entstehen können. Auch in dem hierauf folgenden Jahrzehnt bin ich häufig für Monate nach Italien zurückgekehrt, um in guten Wohnungen oder Hotels meinen Arbeiten obzuliegen. Meine innere Kenntnis der Menschen und Dinge stammt aus den Jugendtagen, als ich noch nicht schrieb.

Das Jahrzehnt von 1898 bis 1908 ist die Zeit meiner schärfsten Arbeit. Hierüber sprechen die Ergebnisse selbst, vom »Schlaraffenland« bis zur »kleinen Stadt«. Ich verweilte abwechselnd in Florenz oder Venedig, in

München und Berlin. Ich erlebte wohl auch, seien es leidenschaftliche, seien es schmerzliche Dinge. Das Leben selbst aber, sein ganzer Ernst und seine ganze Strenge war einzig die Arbeit. Sie war einsam und unbedingt, keine Rücksicht, keine Hoffnung auf Erfolg reichte an sie heran.

Nicht, daß ich seither gefeiert hätte. Die Romane gingen weiter, unterbrochen freilich durch Versuche für das Theater. Im Jahr 1910 zeitigte der größte Schmerz, den das Leben mir beschert hat, mein erstes Theaterstück, »Schauspielerin«. Gefeiert, nein; aber das Theater ist nicht ganz die einsame, weltabgewandte Arbeit, die ich vorher kannte. Es ist dies bei Weitem nicht. Ich danke ihm vielmehr einen Theil der Wirklichkeit, die jedes Leben braucht.

Der schönere Theil ist die Ehe, die ich 1914 einging. Ich gestehe ruhig, daß ich meine Arbeiten in einen völlig weltlichen Zusammenhang mit meinem Kinde bringe. Der Gedanke, noch 30 Jahre nach meinem Tode werde meine Arbeit Frucht tragen für mein Kind, erhöht in meinen Augen ihren Werth. Dabei räth mir die Vernunft zur Sympathie mit dem Sozialismus, ich widerspreche mir.

1914 vollendete ich auch den »Untertan«, der 1912 begonnen, aber schon 1906 entworfen war. Die Romanreihe, die hiemit anfing, ist in meinem Gesamtwerk nichts Alleinstehendes oder Neues. Durchweg sind meine Romane soziologisch. Den menschlichen Verhältnissen, die sie darstellen, liegen überall zu Grunde die Machtverhältnisse der Gesellschaft. Die am häufigsten von mir durchgeführte Idee ist eben die der Macht. Einfälle, denen Niemand es angesehen haben würde, führten sich mir, je länger je deutlicher, auf jene Idee zurück. So saß ich ahnungslos im Teatro Alfieri zu Florenz, die Pause kam, ich kaufte eine Zeitung und las, aus Berlin berichtet, von einem Professor X, der im trauten Verein mit einer Chanteuse auf die traurigsten Abwege gerathen war. Ein Moment der selbstvergessenen Empfängnis, und »Professor Unrat« lebte. Sein Vorbild aus der Zeitung stellte sich später als Börsenredakteur heraus. Für mich aber war das Phänomen vom ersten Augenblick an ein Gymnasialprofessor, der Mann der Ordnung und des festen Befehls, der fallen, sich in Anarchie auflösen und den Tyrannen von seiner Kehrseite zeigen mußte... Ich hatte, wo immer ich saß und fremde Zeitungen las, das Problem des deutschen Kaiserreiches in mir. Romane, wie meinesgleichen sie schreibt, sind die innere Zeitgeschichte, die Geschichte, die noch Niemand sieht oder wahr haben will, bis Schicksalstage sie furchtbar bekräftigen.

Dies, geehrter Herr Hatvani, schreibe ich angeregt durch Ihren Brief; es heißt nicht, daß Sie es, abgesehen von den bloßen Tatsachen, benützen müssen. Ich wünsche selbst nicht, daß Sie mich in Ihrem Buch direkt reden lassen. Jedenfalls aber wollte ich Sie darüber unterrichten, wie ich denke; ich schulde es Ihnen schon für die Ehre, die Sie mir mit Ihrem Vorhaben erweisen. Nehmen Sie meinen Dank und die Versicherung meiner lebhaften Theilnahme. Ich wünsche Ihnen Glück zur Arbeit.

Ihnen ergeben
Heinrich Mann

Im Schlaraffenland, entworfen Rom 1897, geschrieben München 1898, beendet Riva Januar 1900, erschien Herbst 1900

Die Göttinnen, entworfen auf Studienreisen in Oberitalien, Frühling 1900 und am Ledrosee, Sommer 1900. Geschrieben Florenz, Riva, München und im Gebirge, von Nov. 1900 bis Aug. 1902.

Die Jagd nach Liebe, entworfen San Vigilio (Gardasee) Jan. 1903. Geschrieben Florenz und München, Febr. 1903 bis Sept. 1903. Unterbrochen in Florenz durch Abfassung von »Pippo Spano« (dessen Abdruck die »Neue Rundschau« ablehnte).

Professor Unrat, Florenz Ende 1903 bis Ulten (Südtyrol) Aug. 1904

Schauspielerin, (Novelle), Riva Sept./Okt. 1904 (dann auch Essay Flaubert u. G. Sand)

Stürmische Morgen, (Novellen) 1905

Zwischen den Rassen, im Gebirge Sept. 1905 (der 1. Theil ist die Kindheitsgeschichte meiner Mutter.) Dann Florenz, Berlin und München bis Februar 1907.

Gretchen. — *Der Tyrann* 1907

Die kleine Stadt, München Nov. 1907; Rom, Jan./März 1908 Venedig, Riva und im Gebirge, Sommer 1908 beendet Meran, März 1909.

Erholungspause bis März 1910

1910:   Das Herz, Die Unschuldige, Auferstehung, Varieté, Geist u. That.

1911:   Schauspielerin (Drama) die Rückkehr vom Hades

1912   Die große Liebe. Der Untertan

1913   Der Untertan. Madame Legros.

1914   Der Untertan. Die Tote.

1915   »Zola« 1915/16 Brabach

1916/17 Die Armen 1916/19 Macht und Mensch

1917/18 Der Weg zur Macht

1918   noch unvollendet: der dritte und letzte (2bändige) Roman der der Reihe Untertan und Armen.

Nie mehr als 2 oder 3 Auflagen bis 1916. — Schlaraffenland, dank dem Verkäufergenie des Verlagsdirektors Georg Heinrich Meyer vom Kurt Wolff Verlag 1916 50 Auflagen, der Untertan 1918 100 Aufl. — Bühnenerfolge Varieté seit 1910, Mad. Legros seit 1917, — Tilla Durieux reiste mit »Schauspielerin«, Ida Roland mit »Unschuldige« und »Tyrann«.

Am 27. März 1921, zum fünfzigsten Geburtstage Heinrich Manns, veröffentlichte eine wiener Tageszeitung einen kurzen Aufsatz von mir, in dem ich versuchte, die Verehrung der — damals — jungen Generation für den großen Dichter auszudrücken. Es war vor allem der Bruderstreit zwischen Heinrich und Thomas, die Kontroverse zwischen dem *Zivilisationsliteraten* und dem *Unpolitischen*, der die Jugend bewegte und in der es galt, Stellung zu nehmen; die wirre Zeit nach dem Kriegsende zwang zur Entscheidung, und es schien uns ein glückliches Zeichen, daß der Schöpfer der Kunstwerke, die nunmehr schon seit Jahren umstritten, uns ein ästhetisches und moralisches Vorbild waren, — die frühen Romane und Novellen Heinrich Manns —, auch der Mentor in der ›Neuen Zeit‹ zu sein schien. *Man hat nunmehr in Heinrich Mann,* so schrieb ich damals, *die große epische Kraft erkannt, die am Zwiespalt deutschen Wesens schöpferisch wird und darüber hinaus zu gehen noch den Mut hat* ... Wir fühlten, wie man es wohl heute nicht mehr deutlich genug fühlen kann, daß mit ihm ein Zeitalter zu Ende gegangen war und daß er gleichzeitig ein neues zu eröffnen im Begriffe stand. Wir erkannten plötzlich, daß es nun um politische Entscheidungen gehen mußte, aber auch, daß das epische Kunstwerk dieses Dichters uns den geistigen Rückhalt für diese Entscheidungen zu geben imstande war. Nicht mehr um den bürgerlichen Roman des 19. Jahrhunderts handelte es sich, sondern um Zeitkritik vereint mit den künstlerischen Prinzipien der miterlebten Gegenwart.

Mehrere Wochen nach dem Erscheinen meines Artikels erhielt ich aus München eine Postkarte von Heinrich Mann, worin er mir dankte, in so freundlichen Worten, daß ich mir erlauben konnte, auch auf eine schon früher erschienene Besprechung des Essaybandes »Macht und Mensch« hinzuweisen. Bald darauf kam Heinrich Mann nach Wien, und ich hatte Gelegenheit, ihn persönlich kennen zu lernen; damit war ein, wenn auch recht loser Kontakt hergestellt, der in den mehr oder weniger literarischen Kreisen, wo ich ein freundlich geduldeter Außenseiter war, als ›bedeutungsvoll‹ angesehen wurde.

Es war die hektische Nachkriegszeit, die Zeit der Inflationen, der des Geldes und der des Geistes —, die große Zeit des Planens und Projektemachens; man gründete Verlage, Zeitschriften, Bühnen mancher Art: ein kläglicher Bruchteil nur von all diesem kam zustande, und auch jene, denen es gelang, mit Manifest oder Proklamation das Licht der Welt zu erblicken, erlebten selten mehr als eine mühselige Jugendzeit. Es war ein Katz-und-Mausspiel der idealen Wünsche mit der rauhen Wirklichkeit. Man mußte sich das Enttäuschtsein abgewöhnen, und damit befaßten sich auch die jungen Dichter: sie füllten die Traumbibliotheken der ungeschriebenen Werke. Und so gab es schließlich eine Schattenliteratur, die im Zigarettenrauch über den Kaffeehaustischen schwebte, planlos und dazu verdammt, Plan zu bleiben. Es gab nur vereinzelt Überlebende, deren man sich noch heute entsinnen kann, (manchmal sogar mit Reue und ahnend, daß da manchem Unrecht geschehen war.)

Ich weiß auch heute nicht mehr, woher ich die Anregung bekam, über Heinrich Mann eine kurze Monographie zu schreiben; es handelte sich um einen Beitrag zu einer Reihe kleiner Abhandlungen, die sich mit den richtungsweisenden Schriftstellern der Zeit befassen sollten. Vorbild war die seinerzeit recht beliebte und weitverbreitete Sammlung »Die Literatur«, die im berliner Bard-Marquardt-Verlag von Georg Brandes ediiert wurde. Da sollte ich also über den Dichter der »Göttinnen«, des »Professor Unrat«, der »Kleinen Stadt«, über den Gestalter des »Pippo Spano« und der erregend-schönen Novellen schreiben, sollte aufzeigen, wie sehr etwa der Aufsatz über »Zola« zeitnahe an unser Gewissen rührte und wie damals auch schon die eben entstehende große Trilogie der »Armen«, des »Untertan« und des »Kopfes« uns klar zeigte, wie Vergangenheit, bewältigt oder unbewältigt, an unserem Schicksal teilhatte. Daß man gerade mich für diese Aufgabe geeignet fand, hatte ich wohl nur meiner überaus losen „Bekanntschaft" mit Heinrich Mann zu verdanken: hatte ich doch schon früher kleinere Arbeiten über ihn veröffentlicht, und überdies wußte man, daß ich, was wohl übertrieben war, mit ihm ›in Korrespondenz‹ stand.

Ich entschloß mich also, Heinrich Mann von diesem Projekt Mitteilung zu machen und ihn um seine Zustimmung zu bitten. Wenn ich mich recht erinnere, erwähnte ich auch, daß meine Arbeit eher eine Ergänzung als ein ›Konkurrenz-unternehmen‹ zur 1921 erschienenen Monographie Hermann Sinsheimers, »Heinrich Manns Werk« (Verlag der Weißen Bücher, München), sein will; sie würde sich vor allem dokumentarisch und weniger analytisch mit Werk und Leben des Dichters befassen, kritisch nur insofern, als dies zum Verständnis notwendig wäre. Zu meiner freudigen Überraschung erhielt ich fast postwendend seine Zustimmung, den hier zum ersten Male veröffentlichten Brief. Als aber der Brief bei mir eintraf, war von dem Verlag und seinen Projekten nichts mehr vorhanden; die ihn geplant hatten, waren in der Zwischenzeit aus meinem Gesichtskreis verschwunden, Umfragen blieben erfolglos und heute, ein Halbjahrhundert später, kann ich mich nicht einmal an die Namen jener Leute erinnern, die sich mit diesen Dingen befaßt hatten. Ich weiß nur, daß sich unter den mit mir Enttäuschten auch der längstverstorbene wiener Lyriker Alfred Grünewald befunden hat, möglicherweise auch Georg Kulka.

So mußte ich denn schweren Herzens Heinrich Mann mitteilen, daß wieder einmal ein Plan zunichte geworden war; ich bat ihn, es mir zu verzeihen, daß ich, übereifrig, ihn zur Abfassung dieses schönen und wertvollen Briefes veranlaßt hatte. Ich weiß noch, daß ich bald nachher eine Ansichtskarte, — aus Italien oder Frankreich —, erhielt, in der er mich tröstend auf bessere Gelegenheiten verwies, und er stellte mir anheim, die in seinem Schreiben gemachten Mitteilungen nach meinem Gutdünken zu verwenden. So mag also — fast 50 Jahre später —, der Brief eines großen an einen jungen unbekannten Schriftsteller der Nachwelt übergeben werden, einer Nachwelt, die nunmehr des Hundertjährigen gedenken kann.

Paul Hatvani

Alfred Kantorowicz

Heinrich Manns Vermächtnis

Heinrich Mann: am 27. März 1871 als ältester Sohn des Senators, Groß-
kaufmanns und Reeders Johann Thomas Heinrich Mann im »Buddenbrook« Haus zu Lübeck geboren, starb am 12. März 1950 im Exil in Los
Angeles, USA.

Sein literarischer Nachlaß — die noch unveröffentlichten Manuskripte,
Briefe, Notizen nicht eingerechnet — umfaßt: 20 Romane, 73 Novellen
und Kurzgeschichten, 6 Schauspiele, mehrere Einakter (auch ein bei-
läufiges Singspiel), das Fragment »Die traurige Geschichte von Friedrich
dem Großen«, den autobiographischen Band »Ein Zeitalter wird besichtigt«, eine beträchtliche Anzahl Essays von überzeitlicher Bedeutung (den
Höhepunkt des im Ersten Weltkrieg geschriebenen Zola Essay darunter)
und hunderte von wichtigen Aufsätzen, Ansprachen, Manifesten. *Unter
den deutschen Schriftstellern, die sich vorsetzten, unser Jahrhundert
nicht nur in ihren Büchern zu gestalten, sondern es durch sie zu verändern,
ist er der größte*, sagte beim 75. Geburtstag Heinrich Manns sein Freund
und Exil-Gefährte Lion Feuchtwanger.

Man kann die zeitliche und überzeitliche Bedeutung eines Lebens, das
von der Begründung des deutschen Kaiserreiches über zwei Weltkriege
hinweg bis zum Vollzug der Auflösung des Reiches und der Teilung
seiner Hauptstadt währte und eines in jahrzehntelanger Hingabe gewach-
senen schöpferischen Werkes, das die zu Hybris und Zusammenbruch
führende gesellschaftliche Schuld verdichtet hat, nicht auf einen jeder-
mann gefälligen Nenner bringen.

Er hat in manchen seiner Romane — »Der Untertan« ist zum Prototyp
dafür geworden —, in seinen politischen Essays, wie der überragenden
Streitschrift »Zola«, in Aufsätzen und Reden Kritik an der Herrschaftsform
des deutschen Kaiserreiches, an der verhängnisvollen Entwicklung der
Republik von Weimar und später selbstverständlich am Amoklauf des
Dritten Reiches geübt — weil er sich Deutschland verbunden wußte. Das
ist vorwegzunehmen, will man ihm gerecht werden. Schon im Zola Essay,
der zu Beginn des Ersten Weltkrieges (in äsopischer Sprache) den Sieg
der Demokratie vorankündigt, hat er bekannt: *Oh! sein Volk verachtet
niemand, es ist ewig, es hat Zeiten gehabt, für die wir ihm danken, und
es wird groß sein, wenn das kleine Geschlecht, dem wir durch Zufall
beiwohnen, lange vorbei ist. Aber dies kleine Geschlecht unserer zu-
fälligen Zeitgenossen stellt uns nun einmal die nächsten, erkennbarsten
Vertreter des menschlichen Geschlechts. An seine Geistesform sind wir
hundertfach gebunden. Seine Geistesform zu entwickeln und zu erhöhen,
sind wir hundertfach verbunden. Sie wollten ihn ausschließen! Die Unglücklichen, sie vermaßen sich, ihn zu einem Abtrünnigen zu stempeln —
und waren selbst bestimmt, seinen Stempel zu tragen. Wenn anders
seinem Volk eine Zukunft gehörte, bestimmte auch er sie. Mehr, als es
ihm mitgegeben hatte, sollte er diesem Volk hinterlassen . . .*

Das wurde 1915 veröffentlicht. Mehr als dreißig Jahre später, der verlorene Erste Weltkrieg, die verunglückte Republik und die 12 Jahre der Schreckensherrschaft waren vergangen, erzählte Thomas Mann in dem »Bericht über meinen Bruder« — der Anlaß war der 75. Geburtstag Heinrich Manns — die folgende aufschlußreiche Anekdote. Nach der Rückkehr von einem der Besuche Heinrich Manns im Hause Thomas' — die Brüder wohnten beide in Los Angeles, nicht weit voneinander entfernt — sagte Heinrich Mann zu Thomas Manns Tochter Erika, die ihn heimfuhr: *Mit Deinem Vater verstehe ich mich politisch jetzt wirklich recht gut. Etwas radikaler ist er als ich.*

Thomas Mann kommentiert: *Das klang unendlich komisch, aber was er meinte, war unser Verhältnis zu Deutschland, dem teuren, auf das er weniger zornig ist als ich, aus dem einfachen Grunde, weil er früher Bescheid wußte und keinen Enttäuschungen ausgesetzt war. Heute lehnt er es ab, in der deutschen Aufführung einen ganz und gar ›monströsen Einzelfall‹, eine ›unbedingte und zusammenhanglose Verschuldung‹ zu sehen — ich brauche seine Worte. Es ist alles bedingt und erklärlich, wenn nicht verzeihlich, und die Deutschen sind auch nur Menschen: ich glaube, die Behauptung, sie seien so ganz ausnehmend schlecht, würde ihm als eine Form des Nationalismus erscheinen.*

In dem nicht lange zuvor zum 70. Geburtstag von Thomas Mann zuerst veröffentlichten und in den autobiographischen Band »Ein Zeitalter wird besichtigt« aufgenommenen Artikel »Mein Bruder«, hat Heinrich Mann die Erklärung für seine Nachsicht gegeben. *Ich hatte mein zeitgenössisches Deutschland früh angezweifelt, zum berechtigten Unwillen meines Bruders ... Er hat Deutschland, wie es war, vormals (im Ersten Weltkrieg — A. K.) gehalten gegen die Wut der Welt und gegen eigene Bedenken. Sein Gewissen hatte einen schweren Weg, bis es gegen sein Land entschied ... Ihn mußte, mehr als die meisten, sein Deutschland enttäuschen. Was es seither aus sich gemacht hat — oder wie es erlaubt hat, daß man es zeige — Feind der Vernunft, des Gedankens, des Menschen: ein Anathem, das traf ihn persönlich, je später es ihn traf. Er fühlte sich verraten ....*

Ein Überraschter in seinem Zorn muß wohl achtgeben, damit er nicht mit wenigen Bösewichtern, oder mit einem gerade lebenden Geschlecht von Boshaften, die Nation verwirft. Wenn wir nunmehr besprechen, was dieses Zeitalter tut, seine ganze schöne Bescherung, — wir reden selten und knapp: aber eher bin ich es, der in dem unglücklichen Lande unseres Ursprungs keinen monströsen Einzelfall erblickt.

In der Tat, er hatte frühzeitig Bescheid gewußt, doch das meinte nicht: von Jugend an. Der Lübecker Senatorensohn begann nicht als Kritiker der bürgerlichen Gesellschaft. In den 90er Jahren hatte er als zeitweiliger Herausgeber, Redakteur und Mitarbeiter der rechtsstehenden Zeitschrift »Das Zwanzigste Jahrhundert — Blätter für deutsche Art und Wohlfahrt« seine konservative Periode. Auch der kleine, schon 1894 erschienene Roman »In einer Familie« und die Novellenbände »Das Wunderbare« (1897) und »Ein Verbrechen und andere Geschichten« (1898) gehören für Heinrich Mann zur Vorzeit, von der er sich distanziert hat.

Mir schrieb er in einer autobiographischen Mitteilung vom 3. März 1943: *Mit 20 konnte ich gar nichts. Gegen 30 lernte ich an meinem »Schlaraffenland« (Berlin der 90er Jahre) die Technik des Romans.* Den in München lebenden Karl Lemke, der damals an einer Biographie Heinrich Manns arbeitete und einen Brief aus der ›Vorzeit‹ aufgefunden hatte, mahnt er am 1. August 1948 von Los Angeles aus: *Bitte schonen Sie mich Gedemütigten, und entwürdigen Sie Ihr Buch nicht mit meiner traurigen Albernheit, begangen im achtundzwanzigsten Jahr. ... Geschrieben hatte ich noch immer nichts, konnte das »Schlaraffenland« damals nicht beenden und lebte einer jugendlichen Verzweiflung, die in Nihilismus überging ...* Er fordert, ihm die Vorhaltung *verschollener* Verfehlungen zu ersparen.

Wir respektieren diesen Wunsch. (Die Forschung, seit langem auf die geistige Wegsuche der Frühzeit hingewiesen, hat sich in einigen Dissertationen und Studien sowie in dem Standardwerk des Franzosen André Banuls »Heinrich Mann — Le poète et la politique« dieses Gebiets angenommen.) Der 1900 erschienene Roman »Im Schlaraffenland«, von dem an Heinrich Mann sein literarisches Werk zählt, ist eine heute noch lebendige Satire auf Figuren der Gründerzeit des vorigen Jahrhunderts, Börseaner, Spekulanten, Bankiers mit ihrem Tross von Schmarotzern, Lakaien, Emporkömmlingen, männlichen und weiblichen Prostituierten. Der Untertitel des Romans lautet ironisch: »Ein Roman unter feinen Leuten«. Der Typ Geschäftemacher, der die alten konservativen Handelshäuser verdrängt, gibt sich fortschrittlich. Nicht ohne Vorbedacht ist der Bankier und Großschieber Türkheimer, der Held der Welt des Schlaraffenlandes, Besitzer einer sich liberal nennenden Zeitung.

Der Chefredakteur dieses Blattes, dem der Name Bediener gegeben worden ist, erklärt dem Günstling der Frau Türkheimer, dem jungen Provinzler Andreas Zumsee, den Begriffsinhalt des zu praktizierenden Liberalismus: *Daß wir im politischen Teil .... auch für den niederträchtigsten Fabrikdirektor voll und ganz eintreten, versteht sich von selbst ... Aber im Feuilleton nehmen wir Stellung für die Unterdrückten, wegen unseres überlegenen sozialen Gerechtigkeitssinnes, wissen Sie wohl. Wir betrachten uns nämlich als ein Organ der deutschen Geisteskultur. Im Unterhaltungteil der Presse und auf der Bühne darf pseudo-revolutionäre Literatur des Beifalls der gesellschaftlich tonangebenden Millionärsgattinnen gewiß sein. Der Erfolg des Schauerdramas »Rache« (in dem man nicht nur eine Parodie auf Gerhart Hauptmanns »Die Weber« sehen soll) zeigt den geistigen Pegel in Loge und Parkett.*

Wie hier hat sich Heinrich Mann später oftmals der Technik bedient, die Handlung um ein theatralisches Ereignis zu gruppieren. Im »Schlaraffenland« entlarvt sich die Gesellschaft durch ihre Reaktion auf die blutrünstigen Vorgänge des grobschlächtigen Stücks. Die gleiche Folge hat die schamlose Schaustellung im dritten Band der »Göttinnen«. Im »Professor Unrat« wird die Varieté-Vorführung des Vorstadtlokals »Der Blaue Engel«, wo die Tingel-Tangel-Sängerin Fröhlich sich darbietet, zum Mittelpunkt des tragigrotesken Geschehens. In »Die kleine Stadt«, dem Meisterwerk der ersten Periode, gruppieren sich alle Schichten der Bevölkerung um die auf fast hundert Seiten dargestellte Aufführung der Oper »Die Arme Tonietta«, Die Selbstentblößung Diederich Hesslings während der Lohengrin Aufführung ist eine der köstlichen parodistischen Szenen des »Untertan«. In Werken der Reifezeit wie »Eugenie oder die Bürgerzeit« verknüpfen sich die Fäden des Geschehens gleichfalls bei der Privatvorführung im Hause des Konsuls West und in dem späten dialogisierten Roman »Lidice« bei der kabarettistischen Veranstaltung in der besetzten Tschechoslowakei.

Das handlungsbindende Mittel kommt der dramatischen Qualität der Erzählweise Heinrich Manns entgegen. Er bevorzugt die direkte Rede. Seine Figuren charakterisieren sich selber in Gesprächen oder gedanklichen Monologen. In einigen seiner Novellen wie »Der Tyrann« und »Die Unschuldige«, die mit unwesentlichen Änderungen als Einakter aufgeführt wurden, aber auch in weiten Partien seiner Romane ist die Formgrenze zwischen erzählender Prosa und dramatischer Handlung fast aufgehoben. Aussagen in direkter Rede lesen sich streckenweise wie Regieanmerkungen zur Bühnenhandlung oder Anweisung für die Schauspieler.

In den Jahren nach 1900 folgen zunächst die italienischen Romane und Novellen, die Heinrich Mann im ersten Jahrzehnt unseres Jahrhunderts die Bezeichnung eines Neo-Renaissance Dichters eintrugen. Die Trilogie »Die Göttinnen oder die drei Romane der Herzogin von Assy« ist an Umfang und Anspruch bedeutend. Violante, die Letzte ihres Stammes, durchläuft während ihres abenteuerlichen Lebens die Stadien von der keuschen, herben, mädchenhaften Diana über die nach Macht, Geist und Kunstgenuß strebende Minerva zur triebhaften Venus. Der Fabulierer und Menschengestalter Heinrich Mann zeigt seine Kraft. Die Einflüsse Nietzsches sind in diesen Romanen wie auch in einigen Novellen aus dieser Zeit besonders spürbar. Der überreizte Ästhetizismus, der die Masse, das Volk verachtet und die höchste Steigerung in der sich bindungslos auslebenden »freien, schönen und genießenden« Einzelpersönlichkeit sieht, die nach Lust und Launen mit Menschenleben, ja mit dem Leben ganzer Völker spielt, ist ein Ausfluß solcher Einwirkungen. So ein Geschöpf ausschweifender Phantasie — *jenseits von Gut und Böse* — ist seine Herzogin. *Bin ich nicht die Tochter von Starken, in deren Lebensläufen sich die Körper von Besiegten häufen? Wie viele mußten wohl untergehen oder verkümmern, damit das Leben eines Assy frei, ungehemmt, groß und schön werde?* Ihr fehlt der Begriff des Lasters. *Alles ist ihr recht, was hohes Lebensgefühl schafft.*

Als Heinrich Mann diese Sätze niederschrieb, waren ihm Nietzsches Werke zur Hand. Der Band, der die Bücher »Jenseits von Gut und Böse« (Leipzig 1891) und »Zur Genealogie der Moral« (Leipzig 1892) enthält, ist von ihm durchgearbeitet, mit vielen Unterstreichungen, Randbemerkungen, Kommentaren und Hinweisen auf die ihm wichtigsten Problemkomplexe versehen. (Es würde den Rahmen dieser Studie sprengen, wollte ich Belege, die im Nachwort zu meiner Ausgabe im Aufbau Verlag, 1957, angegeben sind, in extenso zitieren.) In seinem Nietzsche Essay, der 1939 — also fast vier Jahrzehnte später — in der von Thomas Mann herausgegebenen Zeitschrift »Maß und Wert« erschien, hat Heinrich

Mann sich kritisch, beziehungsweise selbstkritisch mit dem dominierenden Einfluß Nietzsches auf sein Jugendwerk auseinandergesetzt. *Damals schien es uns selbst zu rechtfertigen, wir verstanden es nach den Neigungen unseres Geistes, mit eingeschlossen seine Ausschweifungen* ...

Dennoch: auch der jugendliche Heinrich Mann ahnte bereits die Substanzlosigkeit solcher geistigen Ausschweifungen. Er läßt seine Herzogin denken: *Wie einfach! Ich gab Geld, und dafür verschaffte man mir das Gefühl, in lauter Kämpfen, Unternehmungen und Gefahren zu stehen. In Wahrheit stand ich mit meinem Traum ganz allein.* Ein erkennbarer Beweggrund für die Übersteigerung individualistischen Lebensgefühls waren die antibürgerlichen Affekte eines geistigen Menschen in der Stickluft selbstgefälliger Bourgeoisie. Der Abscheu vor Spießertum und Muckertum verband Heinrich Mann schon um die Jahrhundertwende mit vielen der Besten seiner Zeitgenossen — eines seiner Vorbilder war Frank Wedekind, an dessen Werk und Person ihn eine haftende und nachhaltige Beziehung band; in Nachrufen, Reden, Aufsätzen und Erinnerungen hat er Wedekinds Genie Tribut gezollt, und der tragische Held des Romans »Der Kopf«, der die Trilogie des Kaiserreiches abschließt, der unabhängige Intellektuelle Terra trägt unverkennbar Züge Frank Wedekinds. So haben auch manche Figuren im Gewimmel der »Göttinnen« das Gepräge Wedekind'scher Geschöpfe: die unglückliche, sexuell hörige Dichterin Contessa Blà zum Beispiel, deren grausiges Geschick sich in »Diana« erfüllt oder der Besitzer neapolitanischer Freudenhäuser Don Saverio Cucuru, der aus der Herzogin die teuerste Kurtisane des Zeitalters machen will — auch hier begnügen wir uns mit zwei zu vervielfachenden Beispielen. In seinem Erinnerungsband »Ein Zeitalter wird besichtigt« heißt es im Kapitel »Die Gefährten«: *Wedekind, um sieben Jahre älter als ich, hat die erste Generation seiner Leser schlechthin berauscht.*

Die Empörung gegen die scheinheilige ›Moral‹ des Bürgertums war verknüpft mit der Vereinsamung des schöpferischen Künstlers in der Gesellschaft. Der Zwiespalt zwischen Kunst und Leben, dem Künstler und der Gesellschaft ist in der deutschen Literatur der Jahrhundertwende oft verdichtet worden. Er findet sich in Rilkes Weltscheu wie im Amoklauf Arnold Kramers (in Gerhart Hauptmanns Drama); in der melancholischen Selbstschau des jungen Hofmannsthal wie im herausfordernd elitären Anspruch Stefan Georges. Er ist erkennbar im Verlöschen des Hanno Buddenbrook, wie im Untergang des Hans Giebenrath in Hermann Hesses Erzählung »Unterm Rad«. Hervorragende literarische Zeugnisse dieses Konflikts sind auch die Novellen der Brüder aus dem ersten Jahrzehnt unseres Jahrhundert: Thomas Manns uns heute noch bezaubernder Tonio Kröger, der ins Künstlerisch-Schöpferische sublimierte Bürger, dem die *Wonnen der Gewöhnlichkeit* verschlossen bleiben und seine — wenngleich sehr unterschiedlich dargestellte — Entsprechung: der vor dem Leben versagende Literat Mario Malvolto aus Heinrich Manns meisterlicher Novelle: »Pippo Spano«, dieser schmalbrüstige Neurotiker, der seiner Umwelt die Wiederkehr eines Renaissancemenschen vorzuspielen liebt und in seinem Inneren von *schwarzen Ängsten* vor jeder Frau, jedem großen Kunstwerk, jedem gesunden Mann gepeinigt ist, ein *steckengebliebener Komödiant*, der an seiner Seele sparen muß. Er fühlt den *melancholischen Stoltz auf ein Werk, das nicht die Kraft schuf, sondern nur der Wille zu ihr; auf ein Leben ohne wahre Stärke, das nur sehnsüchtiger Drang in die Höhe reckt, wie eine Niobe ihre Arme.*

In einem frühen Brief vom 13. Februar 1901 hatte Thomas Mann dem Bruder geklagt: *Ach, die Literatur ist der Tod! Ich werde niemals begreifen, wie man von ihr beherrscht sein kann, ohne sie bitterlich zu hassen! ... Mir graut vor dem Tage, und er ist ja nicht fern, wo ich wieder allein mit ihr eingeschlossen sein werde, und ich fürchte, daß die egoistische Verödung und Verkünstelung dann rasche Fortschritte machen wird ...* Die menschliche *Verödung* des besessenen Künstlers ist das Thema von Heinrich Manns Novelle »Die Branzilla« (Entstehungsjahr 1906). Sie ist Sängerin. Sie opfert das Leben anderer und ihr eigenes Leben, um zu singen. *Ich habe alle Leidenschaften und ich mache Kunst daraus.* Das *Leben* begegnet ihr in Gestalt des jungen Tenors, der so gerne lacht, Frauen umarmt und — ihr unbegreiflich — doch ein Künstler ist. Er denkt, während er singt, an Frauen, die er hatte, und an solche, die er haben wird, bisweilen auch *nur an die Kneipe.* Sie vermag nichts gegen ihn. Sie muß zugeben, daß *er das Leben hat und die Kunst obendrein.* Von der eisigen und einsamen Höhe ihrer Kunst blickt sie, eine junge Frau noch, auf das *Leben,* dem sie nicht gewachsen ist. *Ich bin nicht groß genug, dich zu verachten: ich beneide dich nur. Ich sehne mich aus meiner Heiligkeit nach deinem gemeinen Wandel, nach deiner Gutherzigkeit und Niedrigkeit, nach deinem Schmutz, nach deinem gewöhnlichen Schmutz ...* Die *Kunst* wird hier als These gesetzt, der das *Leben* als Antithese gegenübersteht. Zur Synthese kommt es nicht. Am Ende ihrer Tage erkennt die große Künstlerin, daß ihre Askese eine Verirrung war. Da ist es zu spät. Das Leben hat sich ihr entzogen.

In diesen Jahren zwischen 1903 und 1909 entsanden neben anderen Novellen — darunter der meisterlichen Satire »Gretchen« (einem Skizzenblatt zum »Untertan«) —, essayistischen Arbeiten wie »Gustav Flaubert und George Sand« die Romane »Die Jagd nach Liebe« (1903), »Professor Unrat« (1905) »Zwischen den Rassen« (1907) — und als Krönung dieser ersten Periode seines schöpferischen Werks, das er selber vom »Schlaraffenland« an zählt, der Roman »Die Kleine Stadt«. Während »Professor Unrat« in seiner Verfilmung als »Der Blaue Engel« zu Weltruhm gekommen ist, blieb »Die Jagd nach Liebe«, eilig in wenigen Monaten vollendet, im Schatten: eine Erzählung von schwächlichen Nachkommen, mit deren versiegender Lebenskraft ihr einst tüchtiges Geschlecht verlischt. Aus dem Untergang der Lebensuntauglichen zieht der Emporkömmling seinen Nutzen, ein Mann mit rücksichtslosen Ellenbogen, der alles vom Leben genommen und genossen hat, was ihm in seinem ungeistigen und gefühlsarmen Bereich des Eroberns wert schien: Geld und Weiber.

»Professor Unrat« dringt mehr in die Tiefe. Der durch die Vorstadt-Tingeltangel-›Künstlerin‹ Fröhlich aus den Fugen geratende Gymnasialprofessor Raat, der den naheliegenden Spitznamen ›Unrat‹ nicht los wird, ist die Synthese verschiedener Lehrer, die den Brüdern Heinrich und Thomas Mann die Schule vergällt haben. (Wir finden seinesgleichen auch in den letzten Kapiteln der »Buddenbrooks« als tyrannische Quälgeister des kränkelnden, musischen, wehrlosen Hanno.) Heinrich Mann legt am Beispiel des zuletzt Amok laufenden Wüterichs die Untiefen (auch Unberechenbarkeiten) des Spießers frei. *Der Menschenhaß wird ihm zur zehrenden Qual ... Der Tyrann, von Panik erfaßt, ruft den Pöbel in den Palast, führt ihn zum Mordbrennen an, verkündet die Anarchie!* Was hier makabre Groteske ist, wurde 40 Jahre später beim Untergang der Tyrannen des Nazistaates millionenfach vergrößerte Wirklichkeit. Heinrich Mann hatte eine Vorahnung von der äußersten Enthemmung tollwütig gemachter Kleinbürger.

Der Roman »Zwischen den Rassen«, 1907 von Heinrich Mann veröffentlicht, ist seine letzte Station auf dem Wege vom Individualismus zur Demokratie, ein Atemholen vor dem Anstieg zur Höhe des Meisterwerkes »Die kleine Stadt«. Man spürt die Wegsuche, die Hinwendung zur Welt der Humanität und sozialen Gerechtigkeit, vielfach noch untermischt mit abschiednehmender Rückschau von den Abenteuern des Herzens, den Konflikten des Geistes der Jugendjahre. Viele der Jugendeindrücke sind in dies Werk verwoben: die Kindheit in Lübeck, die landesüblichen Bräuche Bayerns, wohin seine Mutter und seine Geschwister nach dem frühen Tod des Vaters, 1891, übersiedelt waren, und der mehrjährige Aufenthalt in Italien, der ihn als Künstler geformt hat. In einer frühen autobiographischen Notiz schrieb er: *Ich fand nach Italien — und da war mir's, als hätte ich nach Hause gefunden. Welch ein Jubel! ... Die ersten vier Wochen in Rom ging ich umher im ununterbrochenen Zustand dessen, den der erste Liebesblick trifft ...* Jahrzehnte später vertraute er mir in dem so oft zitierten autobiographischen Lebensabriß an, daß er in dem hemmungslosen Draufgänger Conte Pardi unwissentlich die Vorgestalt des Faschisten konterfeit hatte (ebenso wie im Untertanen die Vorgestalt des Nazi). Auch in dem Band »Ein Zeitalter wird besichtigt«, nimmt Heinrich Mann Bezug auf die frühe Darstellung faschistischer Wesenszüge.

Der nach allem heute befremdlich klingende Titel: »Zwischen den Rassen« umschreibt hier den — am Ende nicht überzeugend gelösten — Konflikt zwischen dem ›lateinischen‹ (romanischen) ganz Sinnen-bezogenen Mann und dem deutschen ›Träumer‹ — abermals eine Variation der Thematik Kunst und Leben. Das ›Elixier‹, das den Träumer Arnold zur Tat befähigt, ist der mächtige Antrieb der Liebe, die seine Verklemmtheit durchbricht, seine Verkünstelung löst, ihn zum erfolgreichen Rivalen des Tatmenschen Pardi macht. Es soll der Sieg eines sein, der Liebe empfindet, über einen, der nur den Genuß kennt, doch das happy end bleibt künstlerisch fragwürdig.

Heinrich Manns im Jahre 1907 begonnener und 1909 vollendeter Roman »Die kleine Stadt« beschließt und krönt seine erste Schaffensperiode. Er hat mehrfach auf den Einschnitt hingewiesen. In einer Vorbemerkung zu dem 1910 geschriebenen Essay »Voltaire-Goethe« sagt er: *Meine Erzieher waren französische Bücher, Krankheit, das Leben in Italien und zwei Frauen. Jetzt bin ich 39 Jahre alt und sehe hinter mir den Weg, der durch sechs Romane hindurch, von der Behauptung des Individualismus zur Verehrung der Demokratie geführt hat. In meiner ›Herzogin von Assy‹ habe ich einen Tempel errichtet für drei Göttinnen, für die drei-*

*einige, freie, schöne und genießende Persönlichkeit. Meine »Kleine Stadt«
aber habe ich dem Volke erbaut, dem Menschentum.*

Die kleine Stadt ist das *sabinische Bergnest* Palestrina (der Geburtsort
des Musikers), wo Heinrich und Thomas Mann 1895 gemeinsam einen
Sommer verbrachten; man findet das Erlebnis der Natur und der Gesellschaft ein halbes Jahrhundert später in Thomas Manns »Doktor Faustus« wieder als den Zufluchtsort des deutschen Tonsetzers Adrian Lever-
kühn, dem dort in seiner Fieberphantasie der Teufel erscheint.

In Heinrich Manns Roman handeln alle Schichten der Bevölkerung der
südlichen Kleinstadt, die durch das außerordentliche Ereignis des Opern-
gastspiels einer Komödiantentruppe in Gärung gerät. *Unsere Ankunft,*
sagt der jugendliche Held und Liebhaber Nello Gennari, *hat belebend ge-
wirkt auf die Einwohner dieser Stadt; auf einmal ist ihnen der Mut gekommen, ihre Laster in Freiheit zu setzen.* Ein farbenprächtiges Gewimmel menschlicher Eitelkeiten und Leidenschaften hebt an. Niedertracht
und Großherzigkeit, Heuchelei und Stolz, zehrender Ehrgeiz und dienstbare Selbstlosigkeit, Liebe und Haß, oftmals im Gefühl des Einzelnen ver-
mengt, entzünden sich und lösen die Spannungen, die im schläfrigen All-
tag gebunden waren, explosiv aus. Fanatismus und Toleranz, Aberglaube
und Aufklärung, Dunkelmännerei und Humanismus prallen aufeinander
und widerspiegeln gesellschaftliche Strömungen, die vom Liberalismus
des 19. Jahrhunderts zur Demokratie strebten — ein Prozeß, der dann
gewaltsam durch den Faschismus unterbrochen wurde.

Diese geschichtliche Bewegung, die sich in Wirklichkeit Jahrzehnte
hinzog, ist nicht in epischer Breite erzählend dargestellt, sondern in dramatischer Zusammenfassung wie in einem Brennspiegel eingefangen.
In einem von der Zeitschrift »Die Zukunft« am 19. Februar 1910 veröffentlichten Brief an die Kritikerin Lucia Dora Frost, hat Heinrich Mann über
die sich daraus ergebenden gestalterischen Probleme Rechenschaft gegeben. *Meine Schwierigkeit war,* schrieb er, *daß ich einen Vorgang von
hundert Jahren in wenige Tage zu drängen hatte...* Rudolf Leonhard
(der in der Bundesrepublik zu Unrecht fast völlig vergessene Dramatiker,
Erzähler, Kritiker der Expressionisten-Generation) hat in seinem für den
Kurt-Wolff-Almanach des Jahres 1917 geschriebenen bahnbrechenden
Essay »Das Werk Heinrich Manns«, der den Romanen und Erzählungen
der ersten Schaffensperiode des Dichters Massenleserschaft gewinnen
half, »Die kleine Stadt« bezeichnet als eine *comédie humaine auf engem
Raume... Die ganze Stadt ist Held dieses Buches; der zum Zwerge ver-
sunkene Uralte und der Baron, der Caféhauswirt und der Priester, der
Advokat und die Hühnerlucia, Nello Gennari und Alba, und sie alle,
jeder umhüllt von seiner Musik.* Auch Thomas Mann hielt es damals für
Heinrichs Bestes und rühmte es in der Öffentlichkeit (in seinem 1910 geschriebenen Aufsatz über seinen eigenen Roman »Königliche Hoheit«)
als *geistige Wendung zum Demokratischen...*

Die Hinwendung zur Demokratie, die für Heinrich Mann Anteilnahme
an den öffentlichen Angelegenheiten implizierte, zeigte sich auch in der
zunehmenden, sein weiteres Lebenswerk begleitenden Anzahl seiner
Reden, Manifeste; und schließlich demonstriert Mann sie zeitweilig als

überparteilicher Fürsprecher der deutschen Exilierten. Er selber setzt in seinem Erinnerungsband »Ein Zeitalter wird besichtigt« den Beginn seiner gesellschaftskritischen Essays erst für das Jahr 1910 fest, wiewohl eine Anzahl vorwiegend literaturkritischer Arbeiten von ihm schon aus den 90er Jahren des vorigen und dem ersten Jahrzehnt dieses Jahrhunderts nachzuweisen sind. Er bezeichnet seine Essays — *jeder ein Ausbruch des gequälten Gewissens* — als Bekenntnisse. *Nun sparte ich meine Bekenntnisse lange auf* — *ich meine die wörtlichen, insofern sie den Bekenner preisgeben und seine Widersacher unmißverständlich treffen. Schnell, sogar vorzeitig kam ich mit Romanen, die Wahrheiten abhandeln, nicht erörtern. Ich war ein Gestalter; Zweifel blieben mir hinsichtlich meines Rechtes zu reden. Die innere Nötigung, seine Gedanken zu äußern, fehlt einem Autor, dessen Geschöpfe sie schon verkörpert haben. Die Not der Zeit hat mich dennoch reden lassen.*

In seinem Zola-Essay, von dessen zeitlicher und überzeitlicher Bedeutung zu sprechen sein wird, gestand er, daß er in seinen Anfängen *das politische Handwerk verachtet* habe wie *nur je ein Literat.* Zu Beginn seiner Reifezeit jedoch erkannte er: *Literatur und Politik hatten denselben Gegenstand, dasselbe Ziel und mußten einander durchdringen, um nicht beide zu entarten. Geist ist Tat, die für den Menschen geschieht* — *und so sei der Politiker Geist, und der Geistige handle!*

»Geist und Tat« war der Aufsatz überschrieben, der sich im ersten Essaybande Heinrich Manns »Macht und Mensch« (1919) an erster Stelle findet. Die Arbeit war bereits im Jahre 1910 geschrieben worden (veröffentlicht in der Zeitschrift »Pan«). Ihn betrachtet Heinrich Mann als den eigentlichen Beginn seines essayistischen Schaffens. Der Titel wurde später (1931) für einen anderen Essayband übernommen. Er ist seit 1910 das Leitmotiv der literarischen wie der öffentlichen Wirksamkeit Heinrich Manns: ein Fanfarenstoß, der die deutschen Intellektuellen in ihren Elfenbeintürmen aufschrecken will, sie aufruft zur ›Ratio militans«, der Tat, zu der ihr Geist sie verpflichtet, zur Teilnahme an den sozialen Kämpfen ihres Jahrhunderts, zur Mitsprache über die Geschicke ihres Volkes. *Die Zeit verlangt und ihre Ehre will, daß sie endlich, endlich auch in diesem Lande dem Geist die Erfüllung seiner Forderungen sichern, daß sie Agitatoren werden, sich dem Volk verbünden gegen die Macht, daß sie die ganze Kraft des Wortes seinem Kampf schenken, der auch der Kampf des Geistes ist.*

Der Begriff ›Agitatoren‹ hat in den vergangenen Jahrzehnten einen fragwürdigen Beiklang bekommen; es muß klargestellt werden, daß die Vorbilder, auf die Heinrich Mann sich beruft, die großen Schriftsteller Frankreichs sind, *die, von Rousseau bis Zola, der bestehenden Macht entgegentraten.* Allerdings, sie hatten es leichter, sie hatten ein Volk hinter sich, die Franzosen der Revolution von 1789. In Deutschland hätten sie es schwerer. *Niemand hat es gesehen, daß hier, wo soviel gedacht ward, die Kraft der Nation je gesammelt worden wäre, um Erkenntnisse zur Tat zu machen.* Doch ist, so Heinrich Mann, an der deutschen Misere, nämlich der Entfremdung zwischen den im *Luftreich des Traums* spekulierenden deutschen Dichtern und Denkern und den in Unkenntnis und

Abhängigkeit gehaltenen Massen nicht das Volk der hauptschuldige Teil. Heinrich Manns Essay wird zur Anklage gegen den Typ des volksverachtenden deutschen Geistigen. Gefordert wird die Überbrückung der verhängnisvollen Kluft zwischen dem Volk und den Intellektuellen, die Synthese von Geist und Tat, von Macht und Menschlichkeit: *Der Geist soll herrschen, dadurch, daß das Volk herrscht.*

Das war 1910 das Bekenntnis des im deutschen Kaiserreich isolierten bürgerlichen Gesellschaftskritikers. In den folgenden vier Jahrzehnten bis zu seinem Tode im Exil schrieb er — alles in allem — rund 700 Essays, Artikel, Aufrufe, Erklärungen, Kritiken, (gedruckte) Reden, die seinem Gesamtwerk unlösbar einverwoben sind. Einige dieser Arbeiten gehören zum unverlierbaren Bestand der deutschen Literatur. Leicht gemacht hat er sich diesen Teil seiner Aufgabe nicht. An unvermuteter Stelle, der freundschaftlichen Erinnerung an den Gefährten der mittleren Jahre, den österreichischen Dramatiker und Erzähler Arthur Schnitzler, finden wir das Geständnis: *Für meinen besonderen Teil erinnerte ich mich erstens, wie schwer mir einige, im Grund bescheidene Essays wurden, und dann, wie unbescheiden sie wirkten. Nie vorher hatte ich so langsam geschrieben, unter beständigem Kampf um das Wort ... Wenn sonst nichts, verriet mir der Widerstand der Sprache, daß ich mich an meinem Schicksal maß ...*

Als er 1910 mit »Geist und Tat« die Reihe seiner gesellschaftskritischen Essays eröffnete, war er bereits bei der Vorarbeit an dem Roman, der ihn weltberühmt gemacht hat und mit dem sein Name am häufigsten identifiziert wird: »Der Untertan«. In »Ein Zeitalter wird besichtigt« gibt Heinrich Mann Aufschluß: *Den Roman des bürgerlichen Deutschen unter der Regierung Wilhelms II. dokumentierte ich seit 1906 ... Ich brauchte sechs Jahre immer stärkerer Erlebnisse, dann war ich reif für den »Untertan«, meinen Roman des Bürgertums im Zeitalter Wilhelms des Zweiten ... Beendet habe ich die Handschrift 1914, zwei Monate vor Ausbruch des Krieges — der in dem Buch nahe und unausweichlich erscheint. Auch die deutsche Niederlage.*

Im »Untertan« hat Heinrich Mann mehr vorausgesehen, als den ersten Versuch der Welteroberung und die unvermeidliche Niederlage. Er hat in der Figur seines ›Helden‹ Diederich Heßling schon die *Vorgestalt des Nazi* enthüllt, der den zweiten Welteroberungsversuch unternehmen würde.

Er hat darüber hinaus Probleme antizipiert, die — soweit sie nicht verdrängt wurden — erst nach dem Zweiten Weltkrieg ins Bewußtsein gelangten: das Problem der Kollektivschuld zum Beispiel. Es ist schon auf den ersten Seiten des Werkes, in dem man bei jeder neuen Lektüre neue Entdeckungen macht, aufgeworfen. Der junge Diederich Heßling, ein Schulknabe noch, zeigt sich schon als der, der er dereinst vollentfaltet sein wird. Gemeinhin übervorsichtig, stets bereit, sich vor Stärkeren zu ducken, und bestrebt, nicht aufzufallen, tritt er zum erstenmal hervor bei der Demütigung des einzigen jüdischen Mitschülers. *Was Diederich stark machte, war der Beifall ringsum ... wie wohl man sich fühlte bei geteilter Verantwortlichkeit und einem Schuldbewußtsein, das kollektiv war !*

Erst Jahrzehnte später, als man von Dachau und Auschwitz erfuhr, wird verständlich geworden sein, was in dieser Szene vorgeahnt ward; im Jahre 1912 muß es schwer gewesen sein, zu begreifen, was mit diesem Kollektivschuldbewußtsein gemeint war. So geht vieles in diesem prophetischen Buch weit über die Alltäglichkeit im Wilhelminischen Kaiserreich hinaus. Diederich Heßlings wohllüstiges Erschauern, als ein unbewaffneter Arbeiter von einem Soldaten erschossen wird, ist als Einzelfall vorstellbar; zur Norm aber wurde auch das erst in der Blütezeit der Gestapo. In der Gesellschaft von 1912 wird man es für übertrieben gehalten haben, jemanden dadurch zu charakterisieren, daß man ihn nach einem solchen Mord *schnaufend vor innerer Bewegung ausrufen ließ: »Für mich hat der Vorgang etwas direkt Großartiges, sozusagen Majestätisches. Daß da einer, der frech wird, einfach abgeschossen werden kann, ohne Urteil, auf der Straße! Bedenken Sie: mitten in unserem bürgerlichen Stumpfsinn kommt so was — Heroisches vor! Da sieht man doch, was Macht heißt!«*

Bei dem von der Untertanenclique provozierten Majestätsbeleidigungsprozeß charakterisiert der Bürger alten Schlages, der skeptische Liberale Buck das, was die Untertanengesellschaft vom Spießer vergangener Zeit unterscheidet, das, was so unmenschlich an ihr ist und sich zur Weltbedrohung auswächst: *das Prahlerische des Auftretens, die Kampfstimmung einer vorgeblichen Persönlichkeit, das Wirkenwollen um jeden Preis, wäre er auch von anderen zu bezahlen. Die Andersdenkenden sollen Feinde der Nation heißen und wären sie zwei Drittel der Nation . . .*

Hier nähert sich Heinrich Mann über die antizipierten Schreckenszeiten des Nationalsozialismus hinaus den in unsere Zeit hineinreichenden Widersprüchen. Kein wachsamer und kritischer Marxist konnte nach den Erfahrungen der noch nachwirkenden Stalin-Ära (und den persönlichen Erlebnissen mit den kleinen Stalins) ohne tiefes Erschrecken den nachfolgenden Satz im Plädoyer des Liberalen Buck lesen: *Dann kann es geschehen, daß über das Land sich ein neuer Typus verbreitet, der in Härte und Unterdrückung nicht den traurigen Durchgang zu menschlicheren Zuständen sieht, sondern den Sinn des Lebens selbst . . .* Die Formel für die Funktionärs-Diktatur im »Untertan« zu entdecken bestätigt die Überzeitlichkeit großer Literatur.

Natürlich konnte der Roman im Ersten Weltkrieg nicht veröffentlicht werden. Der Vorabdruck in der Zeitschrift »Zeit im Bild« wurde abgebrochen. Ein auf zehn Exemplare beschränkter Privatdruck wurde 1916 inmitten des Krieges von Heinrich Manns Verleger Kurt Wolff einigen Persönlichkeiten des politischen und geistigen Lebens, darunter Karl Kraus und Mechtild Lichnowsky, unterderhand zugänglich gemacht. Unmittelbar nach dem Ende des Ersten Weltkrieges erreichte das Buch in wenigen Wochen Massenauflagen und ist seither mit sich immer wieder erneuernder Wirkung in hunderttausenden von Exemplaren in vielen Sprachen über die ganze Welt verbreitet worden.

Heinrich Manns Antwort auf den Krieg und die Kriegsbegeisterung fast aller seiner Kollegen war sein in der Isolierung geschriebener Zola-Essay, der einen geistigen und literarischen Höhepunkt seines Schaffens darstellt. Er wurde im November 1915 in der Zeitschrift »Die Weißen Blätter« zuerst veröffentlicht und später in die Essay-Bände »Macht und Mensch« (1919) und — bei Weglassung einiger als persönliche Angriffe zu deutender Absätze — in »Geist und Tat« (1931), sowie in Band XI, der von mir edierten Ausgabe im Aufbau-Verlag (1954) übernommen.

Mit gutem Grund wird dieser Essay aus der Reihe der Arbeiten Heinrich Manns über französische Schriftsteller von Choderlos de Laclos bis Anatole France herausgehoben. Er besteht für sich: als politische Kampfschrift im Gewande eines begeisterten Portraits des eminenten französischen Gesellschaftskritikers und Vorkämpfers für die Menschenrechte.

Ein Schlüssel-Essay; unschwer aufzuschließen für nachdenkliche Leser des Wilhelminischen Kaiserreiches im Ersten Weltkrieg. *Niemand im Grunde glaubt an das Kaiserreich, für das man doch siegen soll. Man glaubt zuerst noch an seine Macht, man hält es für fast unüberwindlich. Aber was ist Macht, wenn sie nicht Recht ist, das tiefste Recht, wurzelnd in dem Bewußtsein erfüllter Pflicht, erkämpfter Ideale, erhöhten Menschentums. Ein Reich, das einzig auf Gewalt bestanden hat und nicht auf Freiheit, Gerechtigkeit und Wahrheit, ein Reich, in dem nur befohlen und gehorcht, verdient und ausgebeutet, des Menschen aber nie geachtet ward, kann nicht siegen, und zöge es aus mit übermenschlicher Macht.* Das war unmißverständlich, auch wenn der Autor, umstellt von den Zensurbehörden und Paragraphen, der den Herrschenden dienstwilligen Justiz vorgab, vom Kaiserreich des Louis Bonaparte zu sprechen. Sein Urteil lautete: *Ihr seid besiegt, schon vor der Niederlage.* Die Geschichte hat den Urteilsspruch nur noch zu bestätigen; sie setzte ihn im November 1918 in Kraft, drei Jahre nach seiner Verkündung.

Die autobiographische Qualität der essayistischen Mitteilung ist gerade im Zola-Essay ganz ungemein. Auf beinahe jeder Seite finden sich die Bekenntnisse des Dichters Heinrich Mann, Aufschlüsse über seine Hoffnungen und Befürchtungen, seine Entwicklung, sein Weltbild, Sinn und Motiv seiner Arbeit. *Der Roman soll nicht nur schildern, er soll bessern. — Da das Werk Sendung und Pflicht war, war es Kampf. — Er erkennt Vergeistigung nur an, wo Versittlichung erreicht ward. Er wäre nicht, der er ist, wenn er Geist sagte, ohne Kampf für ihn zu meinen. Er ist gewillt, Vernunft und Menschlichkeit auf den Thron der Welt zu setzen, und ist so beschaffen, daß sie ihm schon jetzt als die wahren Mächte erscheinen, als jene, die, Zwischenfällen zum Trotz, zuletzt doch jedesmal allein aufrecht bleiben. — Sprang er in die Politik ein, dann mußte schwerer Sinn und Ideenkampf werden, was zu lange das Getriebe der Mittelmäßigkeiten gewesen war.*

Er wußte, ihm würden die Kriegsbegeisterten ›Verrat‹ nachschreien. Er nahm das Unausbleibliche vorweg. *Sehe ich aus wie ein Verkaufter, Lügner oder Verräter?,* fragt sein Zola die lärmenden Widersacher. *Sie wollten ihn ausschließen! Die Unglücklichen, sie vermaßen sich, ihn zu einem Abtrünnigen zu stempeln.* Er selber war es, der sich mit tieferer Einsicht ausschloß vom Treiben der Hurrahpatrioten. *Ich ein Abtrünniger? Ob ich das Vaterland liebe oder nicht: ich bin es selbst. Daß ich mich jetzt ausschließe, verbannt bin und schweige, ist ein großes Zeichen und mein*

Land selbst richtet es sich auf. Nicht ohne den Widerstand seiner besten Kräfte überläßt es sich diesem verwickelten Rückfall in untermenschliche Zustände, der ihm heute bereitet wird.

Die es anging, Freunde wie Gegner, verstanden das alarmierende Bekenntnis zur Demokratie im Zola-Essay nur zu gut. Thomas Mann, der bis zu Kriegsbeginn und später wiederum mit dem älteren Bruder persönlich und geistig verbunden war, fühlte sich durch einige Sätze, die er auf sich bezogen glaubte, bitter gekränkt. Der weltanschauliche Konflikt der Brüder ist für die Erkenntnis der geistigen Lage im deutschen Bürgertum während des Ersten Weltkrieges ganz allgemein und für die Biographie der beiden weltbedeutenden deutschen Schriftsteller im besonderen zu aufschlußreich, um ihn mit taktvollem Schweigen zu übergehen. Der Zola-Essay und die Antwort, die Thomas Mann darauf mit seinen »Betrachtungen eines Unpolitischen« gab, sind nicht nur literaturgeschichtliche, sondern schlechthin geschichtliche Dokumente dieser geistigen Auseinandersetzung im deutschen Bürgertum — jenseits aller beiläufigen Mißverständnisse und Zwistigkeiten scheinbar persönlicher Art.

Es würde den Rahmen sprengen, hier im einzelnen auf den Konflikt einzugehen, dessen literarische Dokumentationen der »Zola-Essay« und die »Betrachtungen eines Unpolitischen« sind. Die Erwähnung ist unumgänglich, weil der geistige Streit, dem schon zu Beginn der zwanziger Jahre die Versöhnung folgte, nicht nur im privaten Leben der Brüder, sondern auch im Bewußtsein der Öffentlichkeit Bedeutung gewonnen hat. Die Bitterkeit des Gefühls, mit der Erkenntnis der wirklichen Zusammenhänge dieses Krieges und der Voraussicht seines Endes allein zu stehen, macht die Schärfe mancher polemisch zugespitzter Stellen des Zola-Essay begreiflich. Mit Zorn und Schmerz nahm Heinrich Mann, wie er es im Zola-Essay ausdrückte, damals die Trennung von denen hin, die er *trotz allem für seinesgleichen* gehalten hatte. *Dulden und Hinfristen war nicht länger erlaubt, die äußersten Prüfungen waren angebrochen und verpflichteten die Geister, streng und endgültig gesondert hinzutreten, die einen zu den Siegern des Tages, die anderen zu den Kämpfern für die ewigen Dinge.*

In den späteren, von ihm überarbeiteten Ausgaben des Zola-Essays hat Heinrich Mann einige dieser Stellen ausgelassen, die als persönliche Angriffe gedeutet werden konnten. Hingegen hat er auch in diesen Ausgaben jene *ins Weite gerichteten,* allgemein-bezüglichen, zornigen Abrechnungen mit den gesinnungslosen, jedweder Macht dienstbaren Literaten bestehen lassen. *Ihre Gesinnung verlangt nicht, daß sie Verbannung und Schweigen ertragen. Im Gegenteil, ziehen sie Nutzen daraus, daß wir anderen schweigen und verbannt sind; man hört nur sie, es ist ihr günstigster Augenblick.*

Thomas Mann hat sich in seiner — wir gebrauchen seine Worte — *Reizbarkeit, Dünnhäutigkeit und Wahrnehmungsnervosität,* aus der er als Künstler Nutzen gezogen hat, durch solche Anklagen des Zola-Essays betroffen gefühlt. Die polemischen Abschnitte des Zola Essays, die er auf sich bezogen glaubte, sind als ein auslösendes Element zu werten — wenn anders, wäre unverständlich, daß er sich zu einer *Galeeren-Fron* von zwei Jahren entschlossen haben sollte, nur um eine überreizte Antwort an den Bruder zu formulieren. Die »Betrachtungen« waren vielmehr Selbstverständigung — und als solche von ungemeiner, in vielen Partien dokumentarischer Zeugniskraft. *Was ist denn dieses lange Selbstgespräch und Schreibwerk anders, als ein Rückblick auf das, was ich war, was ich eine Weile mit Recht und Ehren war, und was ich, ohne mich alt zu fühlen, offenbar länger werde sein können? Nein, unwissend wie der letzte über die Bedeutung der Stunde bin ich wohl kaum, da ich ja sogar weiß, daß alt und für immer von gestern sein wird, wem es nicht gelingt, mit der neuen Zeit zu einem leidlichen Frieden zu kommen...* Gerade solche Bekenntnisse erhellen, worauf Georg Lukásc in seiner Thomas-Mann-Studie »Auf der Suche nach dem Bürger« zuerst aufmerksam gemacht hat, daß man dies ›Rückzugsgefecht‹ dialektisch zugleich als einen ›Vormarsch zur Demokratie‹ erkennen muß.

Daher währte der weltanschauliche Zwist der Brüder, auf den sich die Verächter Heinrich Manns heute noch in deutschen Literaturgeschichten berufen, nicht lange. Schon im Jahre 1922 fand am Krankenlager Heinrich Manns die Aussöhnung statt und seither sah man die Brüder bei der Verteidigung der Demokratie gegen die deutschvölkische Reaktion und nationalsozialistische Tollwut in der Öffentlichkeit stets Seite an Seite, bis 1933 in Deutschland, danach im Exil in Frankreich, der Schweiz und USA, wo sie von 1941 an in jedem Begriff nachbarlich in Los Angeles lebten.

Das ist vorgegriffen, um im Stichwort die kurze Befristung der so oft zitierten politischen Meinungsverschiedenheiten zu umreißen, die in den bedeutenden Werken der Brüder: »Zola-Essay« und »Betrachtungen eines Unpolitischen« literarische Dauerhaftigkeit gewonnen haben.

Im Ersten Weltkrieg schrieb Heinrich Mann nach dem Zola-Essay und einigen publizistischen Arbeiten, wie z. B. den Nachruf auf seinen bewunderten Freund Wedekind, den Roman »Die Armen«, der mit dem »Untertan« und dem 1925 veröffentlichten Roman »Der Kopf« die Trilogie des Kaiserreiches bildet. Gegen Ende des Krieges erkannte Deutschland in ihm einen seiner großen Schriftsteller und geistigen Berater. Plötzlich, 1917, verkaufte der Kurt Wolff Verlag im Laufe weniger Monate von den sechs Romanen der *ersten Periode* (ab 1900) eine dreiviertel Million Exemplare. Bis dahin hatten alle zusammen nur wenige tausend Leser gefunden. In seiner autobiographischen Mitteilung vom 3. März 1943 schrieb mir Heinrich Mann dazu: *Stofflich, stilistisch, besonders in meiner Anschauung der Zeitgenossen griff ich um einiges vor. Daher war von 1900 bis 1916 mein Erfolg immer nur ›literarisch‹.* In diesem Zusammenhang gehört auch die erfolgreiche Uraufführung des bereits 1913 geschriebenen Dramas »Madame Legros« (das einzige Stück, das Heinrich Mann *so ernst nahm,* wie seine Romane). All diese Werke: die Romane (den im Dezember 1918 erscheinenden »Untertan« bereits eingeschlossen), die großen Essays, das Schauspiel, sowie das menschliche und geistige Vorbild, als das Heinrich Mann in den Kriegszeiten erkennbar geworden war, beeinflußten das Denken und das politische Gewissen von Millionen Deutschen in den ersten Jahren der Weimarer Republik.

In den zwanziger Jahren folgten außer der bereits erwähnten Vollendung der Trilogie des Kaiserreichs »Der Kopf«, die Romane »Mutter Marie« (1917), »Eugénie oder die Bürgerzeit« (1928), »Die große Sache« (1930), eine Anzahl Novellen, von denen zumindest »Kobes« (1925) und »Liliane und Paul« (1926) zu nennen sind. Sein letztes Werk auf deutschem Boden war der 1932 veröffentlichte Roman »Ein ernstes Leben«, der Wesenszüge seiner Gefährtin und späteren Frau Nelly Kröger verdichtet.

Die Titel der Essaybände jener Zeit »Macht und Mensch« (1919), »Diktatur der Vernunft« (1923), »Sieben Jahre« (1929), »Geist und Tat« (1931) sind bereits genannt worden. Die Artikelsammlung »Das öffentliche Leben« folgte 1932. Der letzte in Deutschland geschriebene Essay »Das Bekenntnis zum Übernationalen« (1933) wurde in die erste Sammlung seiner Artikel, Aufrufe, Kommentare im Exil übernommen. Diese 1933 in Amsterdam veröffentlichte Sammlung hat den Titel: »Der Haß«. An dieser Stelle wird eine Klarstellung imperativ. Wir sind bislang nicht auf die Beschimpfungen, Verleumdungen, öffentliche Denunziationen Heinrich Manns eingegangen, die sich in vorgeblich literaturwissenschaftlichen Werken der Bundesrepublik finden. In solchen hier und heute verbreiteten Literaturgeschichten, die in den Germanistischen Instituten zur Belehrung der Studenten (zumeist künftiger Deutschlehrer) ausliegen, wird er geschmäht als ein Literat, der *die Werte des Volkes und der Nation vertauscht hat mit den Schlagworten einer nebulösen Humanität*, dem *nicht Kunst, sondern der Haß die Feder führt*, dessen Prosa *schief und krumm und blutstockig von vorn bis hinten* ist, dessen *fixe Idee der Glaube an den Geist* war; es gibt zahlreiche ähnlich unbekümmert aus Goebbels' Zeiten übernommene Charakterisierungen.

Das Beispiel, das Richtigstellung unausweichlich macht, ist Hohoffs Neuzubereitung des alten Soergel: »Dichtungen und Dichter der Zeit«. Wir lesen in dieser an Universitäten, Hochschulen (wer weiß, vielleicht auch Volkshochschulen) verbreiteten Literaturgeschichte: ... *Nicht Kunst, sondern Haß führt H. Mann die Feder, und Eindrücke aus der früheren sexualpathologischen Periode bringen den berühmtesten Roman »Der Untertan« aus den Fugen* ... Später wird das Motiv vom Haß erneut angeschlagen. Da heißt es dann: ... *Heinrich Mann bekam erst 1933, nach der Machtübernahme der Nationalsozialisten wieder Boden unter die Füße: hier war ein Gegenstand für politischen Haß, und so nannte er seine erste ›Streitschrift‹ dann auch »Der Haß«.*

Wie sinnig und wie stimmig, einem bei Gefahr für Leib und Leben aus dem Lande Gejagten nachzusagen, er hätte erst nach der Machtübernahme der Nationalsozialisten *wieder Boden unter die Füße* bekommen. Aber von der Noblesse, der Fairness, der Ritterlichkeit, die solchen abendländischen Herrennaturen eignet, zu schweigen: seht doch den Kenner! Er weiß nicht einmal, daß Heinrich Manns 1933 im Querido Verlag, Amsterdam, erschienenes Buch »Der Haß« eine Streitschrift g e g e n den Haß ist, den er als etwas Unvornehmes, man ist versucht zu sagen, als etwas *Undeutsches* empfand. Das Buch trägt die Widmung *Meinem Vaterland*, und der Titelaufsatz »Der Haß«, der sich inmitten des Bandes findet, ermahnt alle Deutschen, sich nicht vom Haß, vom blinden Haß, den Hitler und die Seinen Tag für Tag predigten, verführen zu lassen.

Er nennt den Haß unwürdig der Intelligenz, er lehnt es ab, sich auf die Ebene des Hasses zu begeben. Kurzum: Herr Hohoff hat einfach die Vorzeichen verändert, — sollen wir sagen in gutem Glauben, weil er Heinrich Manns Streitschrift g e g e n den Haß nie gelesen hat. Übrigens auch wohl kaum oder nur ganz oberflächlich, was Heinrich Mann sonst noch nach 1933 schrieb. (Man muß sich der amerikanischen, französischen und italienischen Forschung zuwenden, wenn man sich ein gerechtes und fundiertes Urteil über Werk und Leben Heinrich Manns bilden will; neben den Studien von Ulrich Weisstein und Lea Ritter Santini ist vor allem das bereits erwähnte umfassende Standardwerk von André Banuls »Heinrich Mann — le poète et la politique« zu nennen.)

In den siebzehn Jahren seines Exils lebte Heinrich Mann die Einheit von Geist und Tat vor. Gleich zu Beginn formulierte er das heute noch — wo auch immer — gültige Leitmotiv für das Verhalten von Schriftstellern unter dem Zwang widergeistiger Gewalthaber: *Lieber gleichgeschaltet als ausgeschaltet, damit kann ein Bankier zur Not noch durchkommen, ein Schriftsteller nicht. Ihn schließt gerade sein Verzicht auf innere Ehrenhaftigkeit von seinem Beruf aus. Wer das Unehrenhafte einer solchen Lage nicht empfindet, kommt für die Literatur überhaupt nicht in Betracht. Wer es aber empfindet und dennoch hinnimmt, wird persönlich uninteressant und bringt bestimmt nur Unwirksames hervor ... Literatur kann es nur geben, wo der Geist selbst eine Macht ist, statt daß er abdankt und sich beugt unter geistwidrige Gewalten.*

Es war beinahe selbstverständlich, daß die deutschen Schriftsteller, als sie sich im Exil zusammenschlossen, ihn baten, ihr Präsident zu sein, wie er zuvor Präsident der Sektion für Dichtung in der Preußischen Akademie gewesen war. In vielen geistigen Geschäften bemühten sie ihn. Er hat die Bibliothek der verbrannten Bücher, die sogenannte Deutsche Freiheitsbibliothek in Paris, mitbegründet und er ist zum repräsentativsten deutschen Sprecher auf dem großen internationalen Schriftstellerkongreß zur Verteidigung der Kultur geworden, der 1935 unter Teilnahme weltbedeutender Schriftsteller aus vielen Ländern in Paris stattfand. Als Heinrich Mann auf der Tribüne des großen Saales der Mutualité in Paris erschien, erhoben sich die 5000 oder 6000 Anwesenden, ohne daß jemand ein Zeichen gegeben hätte. Sie erhoben sich schweigend zu Ehren des großen deutschen Exilierten Heinrich Mann. In ihm ehrten sie das Deutschland, das der Welt unverlierbare Werte der Kultur und Gesittung überantwortet hat.

In den siebzehn Jahren des Exils schrieb er zahlreiche Beiträge zum *Ideenkampf der Zeit, deren jeden wir mit einer ob seiner moralischen Klarheit und Gewißheit fast heiteren Ergriffenheit lasen* (Thomas Mann zum 65. Geburtstag des Bruders). Eine Anzahl dieser Beiträge ist in den Bänden »Der Sinn dieser Emigration« (1934), »Es kommt der Tag« (1936), »Mut« (1939) gesammelt worden. Viele verstreute Aufsätze, Manuskripte und Stenogramme von Reden, die zahlreichen in französischer Sprache geschriebenen Leitartikel für die altangesehene liberale Zeitung »Dépêche de Toulouse« sind noch unveröffentlicht. Wieviele davon in die auf 25 Bände berechnete Gesamtausgabe der Ostberliner Akademie der Künste aufgenommen werden, liegt im Ermessen der beauftragten und kontrollierten Herausgeber.

Das schöpferische Werk, das er abseits von den Exilzentren, in einer kleinen Wohnung in Nizza schuf, litt unter dieser Anteilnahme am geistigen Kampf der Exilierten nicht. Die Romane von der Jugend und der Vollendung des Königs Henri IV. von Frankreich sind als sein Hauptwerk zu betrachten. Über die Entstehungsgeschichte ist in dem Erinnerungsband »Ein Zeitalter wird besichtigt« nachzulesen. Die Anregung zu diesem Stoff kam ihm 1925 bei einem Besuch im Schloß von Pau am Fuß der Pyrenäen, dem Geburtsort Henris. Das mächtige Werk ist keine Geschichtsschreibung sondern Dichtung; in Heinrich Manns Worten: *weder verklärte Historie noch freundliche Fabel: nur ein wahres Gleichnis.*

Ein Gleichnis unserer Zeit im Spiegel der Glaubenskriege des 16. und 17. Jahrhunderts. Henri, der Einiger seines zwiegespaltenen, zerrissenen Landes, hat erkannt, so lehrt die gleichnishafte Dichtung: *daß die Religionskriege* (lies: ideologischen Kämpfe) *weder ihren Ursprung im Glauben hatten, noch die Menschen frömmer machten. Den Einen waren sie Vorwand ihres Ehrgeizes, den Anderen die Gelegenheit, sich zu bereichern.*

König Henri hatte sich gegen beide Seiten zu wehren, zu reiten und zuzuschlagen, um der Einheit willen, um der Verwirklichung der wahren Freiheit willen, die er in der ›Humanität‹ — es ist die Begriffsprägung seines Zeitalters — erstrebte. *Es ist geboten*, heißt es leitmotivisch im »Henri Quatre«: *daß Humanisten streitbar sind und zurückschlagen, so oft feindliche Gewalten die Bestimmung des Menschen aufhalten.* Sein Kampf galt nicht der einen oder der anderen Seite; er wechselte, wie man weiß, mehrfach die Seiten, um des beharrlich verfolgten Zieles willen, menschlichere Zustände herbeizuführen, Versöhnung, Frieden. Der Feind, der sich dem entgegenstellte, stand nicht hier oder dort, er stand hier und dort zugleich. *Es sind keine Protestanten, Katholiken, Spanier oder Franzosen, es eine Gattung Mensch: die will die düstere Gewalt, die Erdenschwere, und Ausschweifungen liebt sie im Grauen und in der unreinen Verzückung.* In der Tat, welch ein Gleichnis! Heinrich Mann war in seiner Altersweisheit gefeit gegen Einseitigkeit. Skepsis hatte ihn milde gemacht. Oftmals hat er bekundet, daß Michel de Montaigne, Zeitgenosse und geistiger Berater seines Königs Henri, auch einer seiner geistigen Ahnen war. Montaignes *Que sais-je*, so mahnte er, schließt ein: *Duldsamkeit und guten Willen. Bedauern der robusten Unwissenheit, die nicht fragt, nicht zweifelt. Hilfsbereitschaft für die Demütigen.* Auch sein, Heinrich Manns Glaubenssatz war zuletzt: *Nihil est tam populare quam bonitas. Die Gewalt ist stark. Stärker ist die Güte.*

Nach dem Abschluß des zweiten Bandes im Jahre 1938 wurde die Zeit für den Europäer Heinrich Mann, der Frankreich als seine zweite Heimat betrachtete, knapp. Außer der Sammlung seiner Kampfschriften unter dem Titel »Mut«, einer Einführung in die kurzlebige Buchreihe »10. Mai« (Tag der Bücherverbrennungen in Hitlerdeutschland) und einer Lobrede auf die bedrohte tschechoslowakische Republik ist vor allem der relativierende Nietzsche-Essay zu nennen, der noch vor Kriegsausbruch in der von Thomas Mann herausgegebenen Zeitschrift »Maß und Wert« in Zürich erschien.

Mit Beginn des Krieges kam er in Frankreich nicht mehr zu Wort. Sein hohes Alter ersparte ihm die Internierung in einem französischen Lager. Nach dem militärischen Zusammenbruch Frankreichs wurde ihm und seiner Frau, gemeinsam mit Feuchtwangers, Werfel und Golo Mann von amerikanischen Helfern die Flucht über die Pyrenäen-Grenze durch Spanien nach Lissabon ermöglicht, von wo aus sie in die USA reisen konnten. Er hat den leidvollen Abschied von Europa in seinem Erinnerungsband »Ein Zeitalter wird besichtigt« dargestellt. Erst nachdem er Frankreich verlassen mußte, war er in der Fremde. In einem Brief autobiographischen Inhalts schrieb er mir 1943: *Mir hat Frankreich mein Leben lang Gutes gegeben. Ich liebe es als geschichtliche Erscheinung bis in seine vorletzten Tage.*

Das Alterswerk beginnt in Amerika. Er lebte von 1941 bis zu seinem Tode am 12. März 1950 in materieller Bedrängnis und durch persönliche Schicksalsschläge — die Krankheit und den Freitod seiner Frau Nelly — belastet, in Los Angeles, Californien. In diesem Jahrzehnt der Abgeschiedenheit entstanden neben vielen rückschauenden und wegweisenden Aufsätzen, Betrachtungen, Notizen fünf Bücher: sein bilanzziehendes, autobiographisch durchwirktes geistiges Vermächtnis »Ein Zeitalter wird besichtigt«; der dialogisierte Roman »Lidice«; das gleichfalls dialogisierte Fragment »Die traurige Geschichte von Friedrich dem Großen«; und die beiden in epische Form gefaßten Romane »Der Atem« und »Empfang bei der Welt«; ein Epitaph auf das 19. Jahrhundert.

Allen Arbeiten gemeinsam ist die Bezogenheit auf die alte Heimat: Europa. Der gute Europäer Heinrich Mann konnte sich als Siebzigjähriger in der neuen Welt, die ihm Asyl gewährte, ohne sonst viel von seiner Bedeutung zu wissen, nicht mehr einleben. Er kapselte sich ab mit seinen Enttäuschungen und Hoffnungen, seinen Erinnerungen und seinen Visionen vom menschlicheren Leben der Zukunft.

Im Insgesamt des Spätwerks klingt der Grundakkord noch einmal auf: streitbarer Humanismus. Wer ihn für einen Umstürzler, einen Zersetzer, einen Verneiner hält, hat ihn mißkannt, seine Romane, Erzählungen, Schauspiele, Streitschriften mißverstanden. Sein Moralismus ist im Bildungsbürgertum des 19. Jahrhunderts beheimatet, nicht zuletzt konservativ bestimmt, wenn man Konservatismus als Bewahrung geistiger Werte, Maßhalten, Solidität recht versteht. Im Reiche Bismarcks sah er — es sind seine Worte —: *eine konservative Wohltat dieses Erdteils*. Mit Wilhelm II. und seinen »Untertanen« begann der Niedergang, der Nationalismus, der in das Unheil des Nationalsozialismus einmündete. Die deutsche Gefahr und deutsche Gefährdung sah er in der Maßlosigkeit, der *Überspannung der Kräfte*, die sich ihm zufolge von Friedrich II. von Preußen, den er dennoch ›den Großen‹ nennt, herleitete.

Der Gesellschaftskritiker Heinrich Mann suchte inmitten der Auflösungserscheinungen das Wertbeständige. Deshalb hielt er, zuweilen mit dem Kunstmittel der Satire, der Gesellschaft den Spiegel vor. Vornehm und gütig war er immer. In seinem Alterswerk ist er milde und nachsichtig. Auch Deutschland und den Deutschen gegenüber. Er erblickte in dem *unglücklichen Lande unseres Ursprungs keinen monströsen Einzelfall.* Heimzukehren zögerte er einige Jahre ebenso wie nahezu ausnahmslos alle exilierten deutschen Schriftsteller. Im Westen des Landes rief ihn niemand. Aus der damaligen Ostzone kamen einige unverbindliche Einladungen. Am 22. August 1946 schrieb er mir dazu: *Drei- oder viermal bin ich aufgefordert hinzukommen ...*

Ich sagte, vielleicht nicht deutlich genug, daß noch niemand mir eine Aufgabe gestellt, ein Amt und eine Existenz angeboten habe.

Mag sein, man will mich nur umherzeigen und verkünden, daß wieder einer zurückgekehrt ist. Aber eine Lebensweise des Auftretens, Sprechens und verwandte Pflichten kann ich mir nicht mehr zumuten. Nicht nur das Alter, nicht mehr überwindliche Erlebnisse haben mich scheu gemacht angesichts der Öffentlichkeit, besonders wenn sie mein tägliches Geschäft wäre ...

Als er dann einige Jahre später trotz mancherlei Bedenken zusagte, die ihm angebotene Präsidentschaft der Deutschen Akademie der Künste in Ostberlin anzunehmen und in einem Brief an Arnold Zweig vom 28. Februar 1950 seine bevorstehende Abreise mitteilte, kam ihm der Tod zuvor.

Ein Jahr nach seinem Tode, als anläßlich seines 80. Geburtstages die Deutsche Akademie der Künste in Ostberlin eine Gedenkausstellung eröffnete, schrieb Thomas Mann mir in meiner Eigenschaft als Leiter des Heinrich Mann Archivs: *... Sie können dazu beitragen, im deutschen Volk — und zwar im ganzen deutschen Volk — die Erkenntnis zu verbreiten, welchen Schatz es an dem kühnen Lebenswerk dieses vornehmeinsamen und dabei der Demokratie leidenschaftlich ergebenen Geistes besitzt, eines Geistes voll stolzen Schönheitsdranges und gesellschaftlicher Vision, die in allem Glanz seines Künstlertums nichts wollte als dienen, bessern, helfen, den Weg des Guten weisen. Spät wird ihm Dank dafür, denn die Verbindung des Dichters mit dem politischen Moralisten war den Deutschen zu fremd, als daß sein kritisches Genie über ihr Schicksal etwas vermocht hätte, und noch heute, fürchte ich, wissen wenige von ihnen, daß dieser Tote einer ihrer größten Schriftsteller war ...*

Heinz Ludwig Arnold

Die Brüder

Selten hat es in der deutschen Literatur zwei Schriftsteller gegeben, die in der Gemeinsamkeit ihrer Herkunft, der gegensätzlichen und der übereinstimmenden Parallelität ihrer Entwicklung und in der politischen Bedeutung ihrer literarischen Artikulation so sehr die Möglichkeiten deutscher Selbstverständigung im Umbruch vom 19. ins 20. Jahrhundert darstellen wie die Brüder Heinrich und Thomas Mann. Und weniger noch das Gemeinsame, das sie verband, als vielmehr das Gegensätzliche, das sie unterschied und zeitweise sogar trennte, charakterisiert ihr beider schließlich ausgebildetes Selbstverständnis als symptomatisch und als repräsentativ für Deutschland und die Deutschen: politisch, moralisch und literarisch. In der ganz frühen und in der späten Phase ihrer Entwicklung finden sich da die Übereinstimmungen; in der mittleren Phase, der entschiedensten ihrer Entwicklung, in den späten 20er, den 30er und 40er Jahren ihres Lebens, gehen beide ihre eigenen Wege, nicht jedoch ohne daß der eine des anderen Tun beobachtet, es aufnimmt und, wo nicht in direkter Korrespondenz, so doch durch die eigene Produktion darauf reagiert. Die Bindung beider Brüder aneinander ist, ob in Zustimmung oder Ablehnung, unzertrennlich; in der Zeit, da sie keine Briefe mehr wechseln, zwischen dem Herbst 1914 und dem Januar 1922, wird eine noch bemerkenswertere Korrespondenz geführt: sie ist politisch *und* literarisch bedeutsam, sie findet statt in Büchern, deren Erkenntnisse und Urteile jeder der Brüder auf den anderen abgestellt hat, ohne ihn direkt anzusprechen. Doch die Sprache, die Heinrich und Thomas Mann hier führen, auch sie und nicht nur die Interpretationen, Ideen und Philosopheme, die sie transportiert, vor allem die Sprache mit ihren ästhetischen und ideologischen Voraussetzungen ist es, in der die Repräsentanz dieser Gegensätzlichkeit für den Stand des politischen, moralischen und literarischen Denkens und Redens in Deutschland offenbar wird.

Das den Brüdern Mann eigentümlich Gemeinsame also ist, so paradox das klingen mag, ihr Gegensätzliches; ähnlich stark banden Gegensätze nur zwei andere deutsche Autoren aneinander: den objektiven ›Realisten‹ Goethe an den ›objektiven‹ Idealisten Schiller; vergleichbar weder im Rang noch in der politischen Konstellation steht, wenn auch nicht in der gesamten ästhetischen Konzeption, so doch in deren Motivationen, Impulsen und philosophisch-pädagogischen Absichten Thomas Mann auf der Seite Goethes, Heinrich auf jener Schillers. Aber Schillers pädagogischer Idealismus war nicht in Deutschland fruchtbar geworden; Frankreich hatte ihn fortentwickelt, hatte ihn mit der Lebendigkeit seines romanischen »esprit« versetzt, mit seiner Voltaire'schen Tradition gemischt, hatte die Literatur mit der Gesellschaft versöhnt: noch bei Balzac, intensiv bei George Sand, schließlich in Emile Zola, der Literatur und Gesellschaft am entschiedensten zusammenfügte, bis zu seiner, Zolas aktueller Anklage der französischen Gesellschaft. Dort in Frankreich, lagen die Quellen, aus denen sich Heinrich Mann bildete.

Thomas hingegen hat noch 1939 in seiner »Lotte in Weimar« formuliert: *Politiker und Patrioten sind schlechte Dichter, auch die Freiheit ist kein poetisches Thema.* Jahre zuvor, gegen Ende der Weimarer Republik, hatte er noch gesagt: *Wie heute alles liegt, sage ich, ist es für den geistigen, den Kulturmenschen, eine falsche und lebenswidrige Haltung, auf die soziale, die politisch-gesellschaftliche Sphäre hochmütig herabzublicken. Das Politische und Gesellschaftliche ist ein Bereich des Humanen.*

Hier, wohlgemerkt, spricht Thomas Mann nicht über Literatur. Aber kann man daran zweifeln, daß auch dieser *Bereich des Humanen* vor allem im Werk Thomas Manns ständig präsent ist? So sehr wie das gesamte Werk Thomas Manns von seiner autobiographischen Repräsentanz gekennzeichnet ist, so sehr ist es das des Bruders von prospektiven, ja utopischen, im Grunde aber immer gesellschaftlich oder politisch relevanten Projektionen. Gerade wegen der unbedingten autobiographischen Bindung der literarischen Reflexion Thomas Manns konnte sein Bruder 1927 von ihm schreiben: *Was ich an meinem Bruder Thomas bewundere: daß er seine ungeheure Popularität nicht mit Konzessionen erkauft hat. Er ist von seiner angeborenen geistigen Haltung niemals auch nur um einen Millimeter abgewichen.*

Frühe und späte Gemeinsamkeiten — sie sind, vor allem später, eher politischer als literarischer, eher herzlicher als geistiger, und doch auch wieder eher geistiger als ästhetischer Natur. Daß beide ihre Werke später gegenseitig hochschätzen, jeder nach seiner Art, mag auch damit zu begründen sein, daß jeder des anderen Art als eine eigentümliche und in der Literatur notwendige begriffen hat; vor allem Thomas, dessen autobiographische Fixation der Toleranz mehr Widerstand bot als die der Ästhetik Heinrichs eingeborene Freiheitlichkeit, mußte sich mit der Geschichte Deutschlands und seiner Literatur in Zustimmung und Widerspruch verändern, um in einem der letzten Briefe an Heinrich dessen 1949 erschienenen Roman »Der Atem« so zu preisen: *Das Buch ist seit einigen Tagen bei uns ... Unnütz zu sagen, daß es etwas Einziges und Unvergleichliches darstellt in moderner Literatur oder besser: den modernen Literaturen, über die es sich, nicht mehr national, erhebt, sodaß man erfährt: Über den Sprachen ist die Sprache. Man hat da, in äußerster Weitgetriebenheit einer persönlichen Linie, einen Greisen-Avantgardismus, den man von bestimmten großen Fällen her (Parsifal, Goethe, auch Falstaff) kennt, der aber doch hier und so als ganz neues Vorkommnis wirkt. Dazu pflegen Avantgardisten heute reaktionär zu sein, und Du machst die Ausnahme (Lukács würde vielleicht sagen: ähnlich wie ich als Traditionalist eine Ausnahme mache). Übrigens fehlt es ja auch bei Dir nicht an Tradition ...* Nun ist Tradition ein weiträumiger, vielfach besetzbarer Begriff: literarisch-ästhetisch, politisch-moralisch, aber auch schlicht biographisch. Und in allen drei Bereichen gibt es nur zeitweise Gemeinsamkeiten bei den Brüdern Mann.

Die biographische Tradition stimmt nur dort überein, wo es um die Herkunft geht; sie ist eigentümlich deutsch, bleibt bei beiden in den Anfängen großbürgerlich und durchaus auch bei Heinrich noch national — bis hinein in die Mitte der 90er Jahre, da Heinrich die Redaktion der nationalisti-

schen und antisemitischen Zeitschrift »Das Zwanzigste Jahrhundert« als
Herausgeber übernimmt und auch der Bruder Thomas ihn dort mit Beiträgen, meist Rezensionen, beliefert. Man kann beider Arbeiten dort getrost
vergessen — nicht um etwas zu verschweigen, sondern um, und das meint
auch Heinrich Manns 1894 erschienenen ersten Roman »In einer Familie«,
die tatsächlichen Anfänge der Suche beider nach Selbstverständigung
nicht einer falschen Bewertung zu überantworten.

Aus dieser Zeit allerdings mag für beide die Kenntnis des französischen
Monarchisten Paul Bourget stammen, der, in Frankreich äußerst einfluß-
reich, in der Nachfolge Hippolyte Taines literarischen Psychologismus
vertrat und einer der großen Gegner Zolas war. Vor allem Heinrich übernahm unbesehen die Thesen Bourgets — sein erster Roman und die verschiedensten journalistischen Arbeiten der dilettantischen Frühzeit be-
zeugen dies. Aber auch Thomas Manns erste Novelle »Gefallen« aus dem
Jahre 1894 vollzieht diesen Dilettantismus Bourget'scher Prägung; bei
ihm wird der Dilettantismus in dieser und nachfolgenden Novellen und
Erzählungen jedoch bereits literarische Figur. Die Adaptionsfähigkeit
Thomas Manns wird schon dort sichtbar, ohne Ironie allerdings, eher
moralisch gesättigt und aufs äußerste überzeugt.

Als für Heinrich Mann Mitte 1896 die Arbeit am »Zwanzigsten Jahrhundert« beendet ist, schließt sich ihm auch Thomas an. Beide Brüder
reisen im selben Jahr nach Italien; Thomas zum ersten, Heinrich zum
wiederholten Male. Rom und schließlich Palestrina sind die Stationen,
auf denen sie gemeinsam fast zwei Jahre verbringen. Mit Eifer lesen sie
Nietzsche; er löst ihnen Bourget ab. Fern von der Gesellschaft in Deutschland entwickeln beide einen Ästhetizismus, der über die nietzscheanische
Fundamentierung hinaus bei Heinrich Mann Erweiterungen in den Franzosen Maupassant, Flaubert, Anatole France und schließlich Balzac findet,
bei Thomas Mann von der Lektüre Schopenhauers und später Tolstois
beeinflußt wird. Wo die Brüder sich über die Gesellschaft äußern, geschieht dies weniger spezifisch kritisch als psychologisierend und typi-
sierend, in jedem Falle eher witzelnd-überheblich. Aber die Richtung,
in der sie sich traditionell zu binden anschicken, ist bestimmt: Thomas
Mann beginnt 1897 an den »Buddenbrooks«, die vier Jahre später erschienen; Heinrich schreibt und publiziert den Roman »Im Schlaraffenland«, dazu Novellen und Geschichten; und er konzipiert den Roman
»Die Göttinnen«. Was für Thomas Mann schon der Eintritt in die bürgerliche Literatur der Zeit bedeutet, verharrt bei Heinrich bis zum Beginn
des neuen Jahrhunderts noch in purem Ästhetizismus intellektuell aristo-
kratischer Prägung. Doch schon war auch die Richtung bestimmt, in der
sich die Brüder voneinander zu entfernen begannen.

Dies auch, was ihr bürgerliches Leben anging: Thomas beginnt sich
mehr und mehr bürgerlich zu etablieren; zeitweise ist er Lektor beim
»Simplizissimus«, im Umgang hält er sich zurück, seine ganze Arbeit wirft
er auf die »Buddenbrooks«. Heinrich hingegen lebt noch bis 1914 ohne
entschieden bürgerliche Gebundenheit, ohne feste Wohnung, er besitzt
ganz und gar keine *gesättigte Existenz*, wie er schon Jahre zuvor geschrieben hatte:

Ich führe das kosmopolitische Leben so gut wie es bei so beschränkten Mitteln wie die meinen sind, angeht. Ich pflege die verschiedenen Kultursprachen, lebe das Leben der verschiedenen Länder, genieße überall die eigenthümliche Kunst; das genügt jedoch nicht. Ich bin an kleine, bürgerliche Pensionen gefesselt, jeder Ausgang ist für mich ein Entschluß, zu dem ich meinen Leichtsinn zu Hilfe rufen muß. Mein Gesichtspunkt ist kein freier, über den Interessen und unrealisierbaren Wünschen stehender, es ist der der mehr oder weniger leeren Tasche, der durch alle Einbildungskraft und den möglichsten Dilettantismus niemals so weit corrigiert werden kann, daß er zu denselben Resultaten gelangt wie derjenige einer gesättigten Existenz . . .

Beide Brüder betreten das neue, das 20. Jahrhundert gereifter, doch noch nicht gereift. Aber sie betreten es schon getrennt; erst äußerlich, dann in zunehmendem Maße auch innerlich: beide gewinnen an literarischer und persönlicher Statur; das aber bedingt, daß beide sich auch voneinander absetzen müssen. Heinrich Mann, auf den nun die Schulung durch die französische Literatur zu wirken beginnt, legt seinen Ästhetizismus bald ab. 1922 wird er über diese Zeit schreiben: *Das Jahrzehnt von 1898 bis 1908 ist die Zeit meiner schärfsten Arbeit;* und jene Zeit, in der er schließlich sein Selbstverständnis gefunden hat. Auch in diesem Sinne muß diese spätere Äußerung verstanden werden. Auf eine kurze Formel gebracht, die Heinrich Mann 1905 von George Sand übernimmt, heißt der Grundsatz dieses Selbstverständnisses: *Die Kunst hat dem Leben zu dienen.*

Das bedeutet für das Verhältnis der beiden zumindest in ihrer literarischen und ästhetischen Orientierung die grundsätzliche Trennung. Denn *Leben* wird von Heinrich schon nachdrücklich politisch akzentuiert, als Wirklichkeit, die im idealen Gegenentwurf der Literatur übersteigert, aktiviert, verändert werden soll. Für Thomas, der das mit den »Buddenbrooks« demonstriert hat, stellt Leben als Wirklichkeit das Material seiner literarischen Verarbeitung dar; in Heinrichs prospektiver Definition vermutet er, nicht zu Unrecht, aber negativ qualifizierend, einen kunstfeindlichen, politischen Kritizismus. Und da Leben und Literatur, von Heinrich kategorisch so in Beziehung zueinander gesetzt, von ihm auch miteinander realisiert werden, nehmen konsequent auch die ›biographischen‹ Spannungen zu. Wie sehr Thomas in seinem eigenen, noch keineswegs durchgesetzten literarisch-ästhetischen Selbstverständnis sich von dem Bruder unterscheidet, demonstriert sein Brief an Heinrich vom Februar 1901:

Geht es Dir gut? Mir sehr verschieden. Wenn der Frühling kommt, werde ich einen innerlich unerhört bewegten Winter hinter mir haben. Depressionen wirklich arger Art mit vollkommen ernst gemeinten Selbstabschaffungsplänen haben mit einem unbeschreiblichen, reinen und unverhofften Herzensglück gewechselt, mit Erlebnissen die sich nicht erzählen lassen, und deren Andeutung natürlich wie Renommage wirkt. Sie haben mir aber Eines bewiesen, diese sehr unlitterarischen, sehr schlichten und lebendigen Erlebnisse: nämlich, daß es in mir doch noch etwas Ehrliches, Warmes und Gutes gibt und nicht bloß ›Ironie‹, daß in mir doch noch nicht Alles von der verfluchten Litteratur verödet, verkünstelt und zerfressen ist. Ach, die Litteratur ist der Tod! Ich werde niemals begreifen, wie man von ihr beherrscht sein kann, o h n e sie bitterlich zu hassen! Das Letzte und Beste, was sie mich zu lehren vermag, ist dies: den Tod als eine Möglichkeit aufzufassen, zu ihrem Gegenteil, zum L e b e n zu gelangen. Mir graut vor dem Tage, und er ist ja nicht fern, wo ich wieder allein mit ihr eingeschlossen sein werde, und ich fürchte, daß die egoistische Verödung und Verkünstelung dann rasche Fortschritte machen wird...

Das Jahrzehnt meiner schärfsten Arbeit, wie es Heinrich genannt hatte, ist gleichzeitig jenes, in dem bereits in nuce, was das Biographische, ganz entschieden aber in dem, was die literarische Verständigung angeht, die innerliche Trennung vollzogen wird. Nachdem die »Buddenbrooks« und zwei Jahre später neben anderen Novellen auch »Tonio Kröger« erschienen waren, begann die literarische Kritik den weiträumigen und zum Teil sensibel ironisierten Realismus Thomas Manns abzulehnen, und selbst Heinrich hielt sich nicht zurück: *Nachdem wir zwei dicke Bände lang hanseatische Kaufleute gewesen waren, brachten wir es endlich bis zu Künstlertum.*

Heinrich Mann lehnte damit, nun mit eigenen ästhetischen Kategorien versehen, den Egozentrismus des Bruders ab, dessen unpolitisches Wesen, dessen Wirklichkeitsfanatismus er für unfruchtbar hielt. Thomas Mann wiederum war befremdet von der Politisierung der Kunst, die der Bruder seiner Meinung nach betrieb: *Viel merkwürdiger, seltsam interessant, für mich immer noch ein bißchen unwahrscheinlich ist die Entwicklung Deiner Weltanschauung zum Liberalismus hin, die sich auch in dieser Arbeit ausspricht. Seltsam, wie gesagt, und interessant! Du mußt Dich wohl ganz ungeahnt jung und stark damit fühlen? Wirklich, ich würde Deinen Liberalismus als eine Art bewußt eroberte Jugendlichkeit auffassen, wenn er nicht, wahrscheinlicher, ganz einfach ›Reife des Mannes‹ bedeutete. Reife des Mannes? Ob ich's auch soweit bringen werde? Fürs Erste verstehe ich wenig von ›Freiheit‹. Sie ist für mich ein rein moralischgeistiger Begriff, gleichbedeutend mit ›Ehrlichkeit‹. (Einige Kritiker nennen es bei mir ›Herzenskälte‹.) Aber für politische Freiheit habe ich gar kein Interesse. Die gewaltige russische Literatur ist doch unter einem ungeheuren Druck entstanden? Wäre vielleicht ohne diesen Druck garnicht entstanden? Was mindestens bewiese, daß der Kampf für die ›Freiheit‹ besser ist, als die Freiheit selbst. Was ist überhaupt ›Freiheit‹? Schon weil für den Begriff so viel Blut geflossen ist, hat er für mich etwas unheimlich U n freies, etwas direkt Mittelalterliches... Aber ich kann da wohl garnicht mitreden.*

Heinrich schweigt dazu. Das war 1904. Zuvor war Heinrichs Roman »Die Jagd nach Liebe« erschienen, an dem der ältere Bruder nur sechs Monate geschrieben hatte; er behandelte, wie auch die Novelle »Pippo Spano«, weniger gelungen allerdings, Beispiele des Versagens Einzelner: psychologisch, unpolitisch, gesellschaftsfern. Beide Produkte setzen Schlußpunkte unter die Entwicklung zur literarischen Reife Heinrich Manns; sie bleiben weiterhin unerheblich. Interessant daran mag allein der aus ihnen entstehende Hinweis auf die auch unterschiedlichen Arbeitsweisen der Brüder sein: Heinrich hat den Zug zum genialisch-schnellen Wurf; Thomas schreibt skrupulös und langwierig, wenig von Stimmungen beeinflußt, zumindest läßt er seine Stimmungen nicht direkt auf seine Produktion wirken. 1905 schreibt er dem Bruder Heinrich: *Es scheint zu strömen bei Dir. Du scheinst Dich ganz gefunden zu haben und solche Irrungen und inneren Niederlagen überhaupt nicht zu kennen . . . Du weißt, ich glaube, daß Du Dich ins andere Extrem verloren hast, indem Du nachgerade nichts weiter mehr, als nur Künstler bist, — während ein Dichter, Gott helfe mir, m e h r zu sein hat, als bloß ein Künstler.*

In der Tat, zu diesem Zeitpunkt, in jenem Jahr, da Heinrichs Roman »Professor Unrat oder Das Ende eines Tyrannen« erschienen war, hatte Heinrich sein politisch literarisches Credo, so wenig er es auch theoretisch explizierte, gefunden; im 1905 zweiteilig publizierten Essay »Flaubert und George Sand« klingt es zuweilen an: *Er prüft ihr Stück nicht als Kunstwerk. Das Erleichternde ist, daß ihm dies nicht in den Sinn kommt, oder erst später; daß die Macht ihrer Menschlichkeit die fixe Idee der Kunst für Augenblicke aus seinem Bewußtsein zu drängen vermag. Die Kunst, die ihm Absehen und Enthaltung vom Leben ist, kalte Herrschaft über das Leben, unerbittlich gegen die Menschheit, deren letzter Richter sie ist, und gegen den Künstler, den sie erschöpft: hier zeigt sie sich verbündet mit dem Leben, gütig gegen alle, leicht für den, der sie übt.*

Das ist deutlich; deutlich nicht nur als spezifisch politische Hinwendung zu George Sands Satz: *Die Kunst hat dem Leben zu dienen,* sondern deutlich auch als Abwendung von der künstlerischen, der literarisch ästhetischen Haltung des Bruders. Die eigene Produktion bringt den Nachweis: vorerst der »Professor Unrat«, zahlreiche Novellen, der Roman »Zwischen den Rassen«, die Arbeit am »Untertan« und schließlich, 1909, der, wie Heinrich Mann ihn sieht, ›demokratische‹ Roman »Die kleine Stadt«. 1910 spricht Heinrich sein Credo dann noch deutlicher aus: in den Essays »Geist und Tat« und »Voltaire — Goethe«. In der Tat, die literarische Produktion bei Heinrich *strömte.*

Und der Bruder Thomas? 1905 hatte er Katja Pringsheim geheiratet und damit, nicht nur in den Augen seines Bruders, die bürgerliche Etablierung endgültig vollzogen. Nicht weil er heiratete, sondern weil er *diese* Verbindung einging, die Thomas an ein großbürgerliches Haus band, das ihm neben der psychologischen Sicherheit auch scheinbar die materielle Unabhängigkeit bescherte. Aber Unabhängigkeit? Die bürgerliche Bindung war einigermaßen fest; sie trug Verpflichtungen ein, Rücksichtnahmen — eine von ihnen ließ ihn die Novelle »Wälsungenblut« unterdrücken. Und was er schrieb: das renaissancehafte Stück »Fiorenza« und den idyllisch-aristokratischen Roman »Königliche Hoheit« konnten ihn nur umso mehr von den Intentionen des Bruders abrücken. Die öffentliche Kritik auch war dem Bruder geneigter als ihm: der stand für eine programmatische Literatur, die das öffentliche Interesse fand, weil sie öffentlicher gemeint war; Thomas hingegen, nach den »Buddenbrooks«, produzierte eher ›Kammerstücke‹; das mag er gefühlt haben, als er Ende 1905 an Heinrich schrieb: *Ich bin nun dreißig. Es ist Zeit, auf ein Meisterstück zu sinnen.*

Die Zeit für dieses Meisterstück, mit dem er sich dann endgültig fand und seinen ästhetischen Anschauungen, in Ansätzen immer wieder theoretisch formuliert, zur unangefochtenen Legitimation verhalf, ließ noch 19 Jahre auf sich warten: »Der Zauberberg« erschien 1924. Da auch hatte er wieder zu einer Gemeinsamkeit mit dem Bruder gefunden, in einer Art ›modus vivendi‹ allerdings, die von gegenseitigem Respekt und brüderlicher Zuneigung bestimmt war, nicht etwa von künstlerischer Übereinstimmung.

Vorher aber fand die große Auseinandersetzung statt, die, vor allem auf seiten Thomas Manns, ihre psychologische Vorbereitung hatte in den Jahren 1905 bis zu Heinrichs Zola-Essay im Jahre 1915, der die schwelende Krise mit einem Schlage auslöste. Um Heinrich ist der Erfolg, der sich zwar nicht unbedingt in Auflagenzahlen, aber doch in der Reputation, die er genießt, ausdrückt. Thomas hingegen spürt durchaus die bürgerliche Bindung, in der er steht; er wirkt in seinen Briefen an Heinrich, in denen er dessen Arbeiten durchaus lobt, oft skrupulös, empfindlich-hypochondrisch, uneins mit sich selbst: ... *ich muß anerkennen, daß ich menschlich-gesellschaftlich nicht mehr frei bin ... Ein Gefühl von Unfreiheit, das in hypochondrischen Stunden sehr erdrückend wird, werde ich freilich seither nicht los, und Du nennst mich gewiß einen feigen Bürger. Aber Du hast leicht reden. Du bist absolut. Ich dagegen habe geruht, mir eine Verfassung zu geben. (17. 1. 1906)*

Noch einmal scheint Thomas einer von ihm geglaubten ästhetischen Konzeption Heinrichs aus vollem Herzen zustimmen zu können, als er dessen Roman »Zwischen den Rassen« gelesen hat — doch hört man aus seiner Äußerung gegenüber Heinrich im Sommer 1907 in den zustimmenden Sätzen mehr und mehr die eigene Überzeugung heraus, die nach objektiver Darstellung drängt und sich nicht an utopisch-genialischen Würfen voller Subjektivität, voller Tendenz, voller politischer Brisanz zu entzünden vermag: *Du hast nie soviel Hingabe g e z e i g t , und bei aller Strenge seiner Schönheit hat dies Buch dadurch etwas Weiches, Menschliches, Hingegebenes, das mich ganze Abschnitte lang in einer unwiderstehlichen Rührung festgehalten hat. Aber der eigentliche Grund seiner besonderen Wirkung liegt doch wohl tiefer. Sie beruht, meine ich, darin, daß dies Buch das gerechteste, erfahrenste, mildeste, f r e i e s t e Deiner Werke ist. Hier ist keine Tendenz, keine Beschränktheit, keine Verherrlichung und Verhöhnung, kein Trumpfen auf irgend etwas und keine Verachtung, keine Parteinahme in geistigen, moralischen, aesthetischen Dingen — sondern Allseitigkeit, Erkenntnis und Kunst.*

Ausgerechnet dieses Buch aber ist für Heinrich kein Dokument hoher Künstlerschaft, sondern das ausgesprochene Ergebnis inneren Zwiespaltes; zwar ist es für Heinrich die Sammlung von Lebenserfahrung und literarisch-philosophischen Eindrücken, aber ebenso bezeugt es noch einmal vor dem zwei Jahre später erschienenen ›demokratischen‹ Roman »Die kleine Stadt« den zehrenden Einfluß des früheren Ästhetizismus: eben noch nicht demokratisch, sondern individualistisch und beliebig sind seine Figuren, sein Pathos ist nicht durch politische Erkenntnisse gezügelt, sein junges, immerhin schon vorhandenes demokratisches Bewußtsein nicht genau genug pointiert. Ästhetik und Thematik passen nicht zueinander, kurz: »Zwischen den Rassen« ist ein durch und durch mißlungenes Buch.

Anders der Roman »Die kleine Stadt«, der auf italienische Notizen aus den frühen Jahren zurückgeht und nun auch im ästhetisch gelungenen Zugriff das Thema der Demokratie und demokratisch-humaner Weltanschauung realisiert. Der frühe Ästhetizismus, noch in »Zwischen den Rassen« wirksam, ist überwunden: die Suche nach einer neuen Ästhetik nicht mehr nur subjektiv-idealistischen, sondern nun objektiv-idealistischen Schreibens muß mit »Die kleine Stadt« als abgeschlossen gesehen werden. Wie mißlungen und wie gelungen alle anderen Stücke, Novellen, Romane, die nach »Die kleine Stadt« entstanden sind, zu bewerten sein werden, ist gleichgültig für die Feststellung, daß Heinrich Mann mit diesem Roman seine literarische Form gefunden hat: eine Ästhetik, die die Wirklichkeit prospektiv und idealistisch, in jedem Falle bewußt weltanschaulich bestimmt vermittelt; sie hat ihre Vorbilder bei Balzac und bei Emile Zola. Kritik an der Wirklichkeit wird geübt durch den Entwurf der Idealität. Das muß den Widerspruch Thomas Manns provozieren, der in Ablehnung tendenziösen Schreibens und im Sinne seiner ironisch-realistischen Ästhetik formulierte: *Der Dichter stützt sich — statt frei zu ›erfinden‹ — auf irgend etwas Gegebenes, am liebsten auf die Wirklichkeit.*

So daß auch seine Ablehnung der »Kleinen Stadt« verständlich wird — die er gleichwohl richtig einzuschätzen und in ihrer Wirkungsmöglichkeit zu qualifizieren weiß: *Das Ganze liest sich wie ein hohes Lied der Demokratie, und man gewinnt den Eindruck, daß eigentlich nur in einer Demokratie große Männer möglich sind. Das ist nicht wahr, aber unter dem Eindruck Deiner Dichtung glaubt man es. Auch an die ›Gerechtigkeit des Volkes‹ ist man unter diesem Eindruck zu glauben geneigt, obgleich sie wohl noch weniger wahr ist, — es sei denn, daß man für ›Volk‹ ›Zeit‹ oder ›Geschichte‹ setzt. Ich zweifle zum Beispiel, ob das ›Volk‹ diesem Buch bei seinem Erscheinen gerecht werden wird; aber ich glaube bestimmt, daß sich eines Tages viele Blicke darauf richten werden. Übrigens wer weiß. Vielleicht kommt es schon jetzt zur Zeit. Es enthält viel in hohem und vorgeschrittenem Sinne Zeitgemäßes.*

Thomas Mann sollte recht behalten: das Buch des Bruders wurde in dem, was es so konzis als Neues bot, nicht erkannt. Aber auch Heinrich vermutete, als er René Schickele von einem neuen Plan Mitteilung machte, dergleichen: *Was wir können, ist: unser Ideal aufstellen, es so glänzend, rein und unerschütterlich aufstellen, daß die Besseren erschrecken und Sehnsucht bekommen. Ich arbeite längst daran. Mein Roman »Die kleine Stadt« ist politisch zu verstehen, als das Hohe Lied der Demokratie; aber natürlich merkt kein Mensch es. Seitdem trage ich die Sätze zu einem Essai über Frankreich zusammen.*

Der Essay über Frankreich — »Voltaire — Goethe« — entstand im folgenden Jahr, 1910. Er markierte, zusammen mit dem ebenfalls 1910 entstandenen politisch-literarischen Aufsatz »Geist und Tat«, deutlich wie nie zuvor ausgesprochen, aber in Romanen literarisch realisiert, den für das Kaiserreich geradezu revolutionierenden Standpunkt, zu dem Heinrich Mann als Schriftsteller gelangt war. Beide Aufsätze konfrontieren deutsche Erfahrungen mit Erkenntnissen, die Heinrich Mann aus seiner Beschäftigung mit Frankreich, seiner Philosophie und seiner Literatur, geschöpft hatte. Eine Kurzformel des Aufsatzes »Geist und Tat« für dieses deutsch-französische Verhältnis lautet:

Die Geistesführer Frankreichs, von Rousseau bis Zola, hatten es leicht, sie hatten Soldaten. — In Deutschland hätten sie es schwerer. Sie hätten es mit einem Volk zu tun, das leben will, nichts weiter wie. Niemand hat gesehen, daß hier, wo so viel gedacht ward, die Kraft der Nation je gesammelt worden wäre, um Erkenntnisse zur Tat zu machen.

Daß solche Formeln, von dieser Warte gesprochen, im Deutschland des Jahres 1910 nicht zur Explosion führten, charakterisiert die politisch-literarische Tradition der Deutschen ebenso wie ihren Hang zur politischen Abstinenz. In »Voltaire — Goethe« gewinnt die Charakteristik eine personale Kontur, die dem Bruder Thomas aufgehen mußte: Goethe ist für Heinrich die Verkörperung dessen, was das deutsche Volk in seiner apolitischen Lethargie verharren läßt — die Keime zum großen Zola-Essay mit seinen spezifisch auf Thomas gerichteten Passagen sind darin schon angelegt:

Goethe haßt, was unharmonisch ist, was durch Einseitigkeit des Geistes, der Leidenschaft, durch unversöhnlichen Sturm und Düsterkeit das Gleichgewicht der Natur stört. Er haßt das Nur-Menschliche, haßt die Revolte des Menschen gegen die Natur, das Dämonische und das Radikale. Er, die Natur selbst, ihre Allseitigkeit und Gelassenheit selbst, läßt jene Kranken von sich abprallen; sie sind gerichtet von ihm, von der Natur; sie gehen unter. Befriedigt in seiner Liebe zu den Gesetzen der Natur, sieht er die Französische Revolution und Heinrich von Kleist untergehen ... Goethe hat zur Menschheit die hohe, ferne Liebe eines Gottes zu seiner Schöpfung; Voltaire kämpft für sie im Staub ... Goethe wendet sich ab und verachtet ... Seine ›innere Freiheit‹ ist in Wahrheit die Beschönigung eines Lebens, das vielem hat entsagen und vieles hat verbergen müssen ... Goethe inzwischen sieht aus der gespensterhaften Höhe, wo die deutschen Genien einander vielleicht verstehen, unbewegt auf sein unbewegtes Land hinab. Sein Werk, der Gedanke an ihn, sein Name haben in Deutschland nichts verändert, keine Unmenschlichkeit ausgemerzt, keinen Zoll Weges Bahn gebrochen in eine bessere Zeit.

Das ist deutlich. Es ist die Ablehnung all dessen, was Thomas in sein Lob des Romans »Zwischen den Rassen« gelegt hatte: *Hier ist keine Tendenz, keine Beschränktheit, keine Verherrlichung und Verhöhnung, kein Trumpfen auf irgend etwas und keine Verachtung, keine Parteinahme in geistigen, moralischen, aesthetischen Dingen — sondern Allseitigkeit, Erkenntnis und Kunst.*

Nichts aber lag Heinrich Mann ferner als eben dies. Hier liegen die Wurzeln aller frühen und späten, der grundsätzlichen Gegensätze zwischen den Brüdern. Und wie vorab gegen den goetheanisch nachempfundenen und übernommenen Satz gerichtet, den Thomas 1939 in »Lotte in Weimar« schrieb: ... *auch die Freiheit ist kein poetisches Thema* — ruft

Heinrich schon 1910 aus: *Denn Freiheit: das ist die Gesamtheit aller Ziele des Geistes aller menschlichen Ideale. Freiheit ist Bewegung, Loslösung von der Scholle und Erhebung über das Tier: Fortschritt und Menschlichkeit. Frei sein heißt, gerecht und wahr sein; heißt, es bis zu dem Grade sein, daß man Ungleichheit nicht mehr erträgt. Ja, Freiheit ist Gleichheit. Ungleichheit macht unfrei auch den, zu dessen Nutzen sie besteht. Wer die Macht übt, ist ihr Knecht nicht weniger, als wer sie duldet. Der Tyrann (wer wäre nicht Tyrann!) leidet unter der Menschheit, wie sie unter ihm; er erniedrigt sich in denen, die er erniedrigt. Nur Flucht ins Menschentum kann ihn retten. Rette er sich, auf die Gefahr hin, unterzugehn! Denn Freiheit ist der Wille zu dem als gut Erkannten, auch wenn das Schlechte das Erhaltende wäre. Freiheit ist die Liebe zum Leben, den Tod mit einbegriffen. Freiheit ist der Mänadentanz der Vernunft. Freiheit ist der absolute Mensch.*

Steckt nicht noch in Thomas Manns Sätzen aus seiner 1949 gehaltenen »Ansprache im Goethejahr« eine Ablehnung dieser von Heinrich Mann bereits 1910 eingenommenen Haltung?: *Zum Bußprediger fehlt mir alles und alles zum Propheten, der sich im Besitze der Wahrheit weiß, die Zukunft kennt, dem Leben predigend den Weg vorschreibt. Nichts eignet mir von dieser Anmaßung ...*

Liegt nicht eben darin die Kritik Heinrichs am Bruder beschlossen, daß er die Enthaltsamkeit vom politisch-literarischen Zugriff als die größere Anmaßung zeigt? Gewiß, 1910 und in den folgenden Jahren war die Ablehnung Heinrichs durch Thomas nicht allein mit diesen grundsätzlichen künstlerisch-literarischen Maximen zu erklären gewesen; damals nahm Thomas zur kaiserlichen Monarchie und vor allem auch zu diesem *großen, grundanständigen, ja feierlichen Volkskrieg Deutschlands*, wie er in einem Brief an Heinrich den Ersten Weltkrieg nannte, durchaus auf gleicher ideologischer Stufe wie sie, positiv Stellung. Aber es war, trotz aller verherrlichenden Worte, keine politisch gemeinte, wohl aber ideologisch und reaktionär gesättigte Haltung. Das hat Heinrich frühzeitig erkannt.

Schon 1910 hat er dagegen polemisiert: sein Vorwurf trifft die literarische Gesellschaft Deutschlands, aber er trifft ebenso den Bruder Thomas; man könnte glauben, direkt gesprochene Entgegnungen Heinrichs auf Briefpassagen des Bruders an ihn daraus zu vernehmen: *Vom tragischen Ehrgeiz bis zu elender Eitelkeit, von der albernen Sucht, besonders zu sein, bis zum panischen Schrecken der Vereinsamung und dem Ekel am Nihilismus: die abtrünnigen Literaten haben viele Entschuldigungen. Sie haben vor allem eine in der ungeheuerlich angewachsenen Entfernung, die, nach so langer Unwirksamkeit, die deutschen Geister vom Volk trennt. Aber was taten sie, um sie zu verringern? Sie haben das Leben des Volkes nur als Symbol genommen für die eigenen hohen Erlebnisse. Sie haben der Welt eine Statistenrolle zugeteilt, ihre schöne Leidenschaft nie in die Kämpfe dort unten eingemischt, haben die Demokratie nicht gekannt und haben sie verachtet.*

So massiv dies geschrieben und gemeint war — Thomas reagierte nicht darauf. In seinen Briefen an Heinrich geht er zwar einmal kurz auf den

Aufsatz »Geist und That« ein, eine dezidierte Meinung dazu aber fehlt. Überhaupt werden die Briefe von Thomas an Heinrich nun weniger substantiell; Thomas hatte zwar schon immer kühler und distanzierter als Heinrich geschrieben, aber nun nehmen die Förmlichkeiten zu, selbst dort, wo es um Familienangelegenheiten geht. Der große Bruch bereitet sich langsam, aber sichtbar vor: die Unterschiede zwischen den Brüdern sind in allen Bereichen angewachsen ins Sichtbare. Heinrich genießt, vor allem auch nach der Publikation seiner beiden politisch-literarischen Essays, eine immer breitere Publizität; jährlich fast werden neue Stücke von ihm uraufgeführt. Thomas hingegen veröffentlicht in dieser Zeit lediglich 1912 die Erzählung »Der Tod in Venedig«; seine künstlerische und menschliche Krisis ist nicht zu übersehen: seine Sensibilität kann, obgleich nichts darüber bekannt ist, an den impliziten Vorwürfen Heinrichs nicht vorübergegangen sein; auch der Freitod der Schwester Carla, die Heinrich näher stand als Thomas, wirkt nach; schließlich kommen 1913 Sorgen um die Gesundheit der Gattin Katja hinzu und zu allem Überfluß materielle Unsicherheiten. Als Heinrich am »Untertan« arbeitet, erreicht ihn ein Brief des Bruders, der bei aller hypochondrischen Sensibilität doch zu den bedrückendsten Dokumenten dieser Krisis gehört:

Wie geht es Dir und dem »Unterthanen«? Ich bin oft recht gemütskrank und zerquält. Der Sorgen sind zu viele: die bürgerlich-menschlichen und die geistigen, um mich und meine Arbeit ... Wenn nur die Arbeitskraft und -Lust entsprechend wäre. Aber das Innere: die immer drohende Erschöpfung, Skrupel, Müdigkeit, Zweifel, eine Wundheit und Schwäche, daß mich jeder Angriff bis auf den Grund erschüttert; dazu die Unfähigkeit, mich geistig und politisch eigentlich zu orientieren, wie Du es gekonnt hast; eine wachsende Sympathie mit dem Tode, mir tief eingeboren: mein ganzes Interesse galt immer dem Verfall, und das ist es wohl eigentlich, was mich hindert, mich für Fortschritt zu interessieren. Aber was ist das für ein Geschwätz. Es ist schlimm, wenn die ganze Misere der Zeit und des Vaterlandes auf einem liegt, ohne daß man die Kräfte hat, sie zu gestalten. Aber das gehört wohl eben zur Misere der Zeit und des Vaterlandes. Oder wird sie im »Unterthan« gestaltet sein? Ich freue mich mehr auf Deine Werke, als auf meine. Du bist seelisch besser dran, und das ist eben doch das Entscheidende. Ich bin ausgedient, glaube ich, und hätte wahrscheinlich nie Schriftsteller werden dürfen. »Buddenbrooks« waren ein Bürgerbuch und sind nichts mehr fürs 20. Jahrhundert. »Tonio Kröger« war bloß larmoyant, »Königliche Hoheit« eitel, der »Tod in Venedig« halb gebildet und falsch. Das sind so die letzten Erkenntnisse und der Trost fürs Sterbestündlein. Daß ich Dir so schreibe, ist natürlich eine krasse Taktlosigkeit, denn was sollst Du antworten. Aber es ist nun mal geschrieben. Herzlichen Gruß und entschuldige mich.

Heinrich beantwortet diesen Ausbruch der Krisis mit einem *klugen, zarten Brief*, wie Thomas schreibt. Seinen Inhalt kennen wir nicht.

Aber fast auf den Tag ein Jahr später, als der Weltkrieg ausgebrochen ist, bricht Heinrich die Korrespondenz mit Thomas ab, nachdem dieser ihm in wieder gewonnener Festigkeit den Krieg als *großen, grundanständigen, ja feierlichen Volkskrieg* erklärt hatte. Es scheint, als habe Thomas die Festigkeit erlangt mit dem Übergehen einer selbstkritischen

Analyse, zu der die Krisis ihn hätte bewegen können. Seine drei ›Kriegsschriften‹ überwinden die Krisis schließlich mit einem bitteren Rückfall
in die mystifizierende Reaktion, die auch auf das Mittel der persönlichen
Diffamierung des Bruders nicht verzichtet. Aber es ist auch ein Rückfall,
der inzwischen historisch geworden ist und den später, schon zu Beginn
der zwanziger Jahre, auch beide Brüder als historisch und erledigt anzusehen gewillt waren; man kann ihn Thomas Mann nicht mehr nachrechnen.
Denn er hatte ebenso gesinnungsbedingte und bornierte wie psychologisch deduzierbare, im Zusammenhang mit der persönlichen Krise Thomas
Manns verständnisheischende Gründe. Schnitte man die Gegensätzlichkeit der Brüder auf diese heftigste aller Auseinandersetzungen zurück,
hätte man nicht nur einen lediglich spezifischen Ausschnitt verabsolutiert,
sondern auch nur die oberflächlichen Symptome einer tieferen Gegensätzlichkeit wahrgenommen. Richtig immerhin ist, daß sich in beiden Positionen, die die Brüder zwischen 1914 und 1919 so extrem innehatten, jene
beiden Möglichkeiten deutscher Selbstverständigung, von denen eingangs
die Rede war, ebenso extrem offenbarten.

Die Dokumente dieser letzten großen Auseinandersetzung liegen vor:
Thomas Manns »Gedanken im Kriege« von 1914 und seine Schrift »Friedrich und die große Koalition« mit dem Untertitel »Ein Abriß für den Tag
und die Stunde« von 1915, Heinrichs Entgegnung, der 1915 geschriebene
und publizierte Zola-Essay, Thomas Manns »Betrachtungen eines Unpolitischen« von 1918 und schließlich drei Briefe der Jahre 1917—1918; ein
Versuch Heinrichs zur brüderlichen Versöhnung, die von Thomas strikt
zurückgewiesen wurde, und schließlich ein nicht abgeschickter Brief Heinrichs, der scharf die Unsicherheit des Bruders und die Grundlagen seiner
Krise analysiert. Aus alledem wird für die Bestimmung der beiden Brüder
deutlich, daß alle drei Kriegsschriften von Thomas die Souveränität der
Urteile Heinrichs nicht erreichen. Und jener berühmt gewordene zweite
Satz des Zola-Essays, der auf Thomas gemünzt war und den dieser als
eine geglaubte Ungeheuerlichkeit auf sich bezogen hat: *Sache derer, die
früh vertrocknen sollen, ist es, schon zu Anfang ihrer zwanziger Jahre
bewußt und weltgerecht hinzutreten* — dieser Satz trifft zumindest auf
den Thomas dieser Jahre und mehr auch noch auf den Autor der beiden
kleineren, früheren Kriegsschriften als auf den der »Betrachtungen eines
Unpolitischen« zu. Doch war nicht in der Selbstgerechtigkeit des Bruders
Thomas viel verharschte Selbstunsicherheit? Thomas hat, als der Bruder
ihm zur Versöhnung die Hand bot, sie zurückgestoßen und Heinrich der
Selbstgerechtigkeit geziehen. In seinem nicht abgeschickten Brief geht
Heinrich auf diesen Vorwurf ein und schließt daran eine Analyse an,
die Thomas' Krisis genau erkennt, zu der Thomas ihm selbst in einem
der letzten Briefe mehr noch als mit seinen Kriegsschriften Anlaß gegeben
hatte: *Selbstgerechtigkeit? O nein — sondern weit eher das Gemein-
schaftsgefühl mit denen, die auch, gleich mir, wissen, wie viel wir alle, die
Kunst und Geistesart unserer Generation, es verschuldet haben, daß die
Katastrophe kommen konnte. Selbstprüfung, Kampf erleben noch einige
neben Dir, wenn schon bescheidener; aber dann auch Reue u. neue That-
kraft: nicht nur eine ›Behauptung‹, die so große Umstände nicht verlohnt,
nicht nur das ›Leiden‹ um seiner selbst willen, diese wüthende Leidenschaft für das eigene Ich. Dieser Leidenschaft verdankst Du einige enge,*

*aber geschlossene Hervorbringungen. Du verdankst ihr zudem die völlige
Respektlosigkeit vor allem Dir nicht Angemessenen, eine ›Verachtung‹,
die locker sitzt wie bei keinem, kurz, die Unfähigkeit, den wirklichen
Ernst eines fremden Lebens je zu erfassen. Um Dich her sind belanglose
Statisten, die ›Volk‹ vorstellen, wie in Deinem Hohenlied von der
»K(öni)gl(ichen) Hoheit«. Statisten hätten Schicksal, gar Ethos? — Dein
eigenes Ethos, wer sagt Dir, daß ich es verkannt hätte? Ich habe immer
um es gewußt, habe es geachtet als subjektives Erlebnis u. Dich, stand
es im Kunstwerk gestaltet, nicht lange behelligt mit meinem Verdacht
gegen seinen Werth für die Menschen. Vermesse aber auch ich mich eines
sittlichen Willens, wie erscheint er dir? Unter dem Bild eines komödian-
tischen Prahlhansen u. glänzenden Machers. Du Armer!*

Das war zu Beginn des Jahres 1918. Vier Jahre später, als Heinrich im
Krankenhaus lag, versöhnten sich die Brüder, anfangs, um einen *modus
vivendi menschlich anständiger Art* zu erreichen, wie Thomas es formulierte; später, in der Höhe der zwanziger Jahre, in durchaus republikanischer Absicht und dann, nach 1933, in der französischen bzw. schweize-
rischen und schließlich amerikanischen Emigration, um ihre Freundschaft
zurückzugewinnen.

Über die in den drei Kriegsschriften von Thomas und Heinrichs Zola-
Essay kumulierende Auseinandersetzung ist sehr viel geschrieben worden; es ist verständlich, denn dort liegt eine Menge Stoff ausgebrei-
tet. Doch geht alles, was dort von beiden formuliert wurde, außer in
seiner Härte, vor allem bei Thomas, nicht über das hinaus, was bis
dahin vorlag bzw. inzwischen an Briefmaterial zugänglich geworden ist.
Und wenn Thomas Mann 1922 in seiner Rede »Von deutscher Republik«
sagt: *Keine Metamorphose des Geistes ist uns besser vertraut als die,
an deren Anfang die Sympathie mit dem Tode, an deren Ende der Entschluß zum Lebensdienste steht* — so benennt er damit Motive seiner
Lebens- und Geistauffassung, die vor allem seine Zeit bis 1914 bestimmt
haben. Die Produkte der vier folgenden Jahre sind nur ein, allerdings
für ihn nicht untypischer, Auswuchs. Die Gegensätzlichkeit zu Heinrich,
die beide bis zum Kriege stärker aneinander band als später, da sie,
gleichwohl fortbestehend, von tolerantem Respekt und gegenseitiger
Wertschätzung abgelöst wurde, — diese Gegensätzlichkeit beginnt
auch für Thomas bereits wenig nach der Veröffentlichung der »Betrachtungen« objektivierbare Züge der Repräsentanz anzunehmen, wie ein
im April 1919 an einen Kritiker der »Betrachtungen« gerichteter Brief
schließen läßt: *Sie werten ab zwischen meinem Bruder und mir, stellen
den Einen über den Anderen. Das ist Ihr gutes Recht, das Recht des Kri-
tikers. Aber der Wunsch und die Meinung des Buches ist dies nicht, und
der Gegensatz selbst scheint mir zu wichtig und symbolisch, als daß mir
die Stellung der Wert- und Rangfrage eigentlich willkommen sein könnte.
Ich glaube, ehrlich gesprochen, nicht an meinen überlegenen Rang und
Wert, ich glaube nur an Unterschiede des Temperaments, des Gemüts,
der Moralität, des Welterlebnisses, die zu einer im Goethe'schen Sinne
›bedeutenden‹ Feindschaft und repräsentativen Gegensätzlichkeit geführt haben — auf der Grundlage sehr stark empfundener Brüderlichkeit.
Bei mir überwiegt das nordisch-protestantische Element, bei meinem*

Bruder das romanisch-katholische. Bei mir ist also mehr Gewissen, bei ihm mehr aktivistischer Wille. Ich bin ethischer Individualist, er Sozialist — und wie sich der Gegensatz weiter umschreiben und benennen ließe, der sich im Geistigen, Künstlerischen, Politischen, kurz in jeder Beziehung offenbart.

Man wird später zahlreiche Begriffe finden, um die Gegensätzlichkeit faßbar zu machen: man wird den ›ästhetischen Subjektivismus‹ bei Thomas dem ›politischen Objektivismus‹ Heinrichs konfrontieren; man wird vor allem auch vom Pathos bei Heinrich und der Ironie bei Thomas sprechen: beides Begriffe, für die beider Ausgangspunkt Friedrich Nietzsche war, der auf ihre Weltanschauung und Ästhetik eingewirkt hat. Es sind Begriffe, die das Verhältnis der Schriftsteller zur Realität bestimmen. Nicht zwar für sein Werk, wohl aber für sein eigenes späteres politisches Verhalten in der Weimarer Republik und in der Emigration hat Thomas Mann zumindest das humanitäre Pathos von seinem Bruder übernommen. In seiner Ästhetik blieb er Ironiker, der die Realien nicht mit prospektiven Entwürfen konfrontierte wie der Pathetiker Heinrich, sondern konstatierend-kritisch verarbeitete. Schon in den »Buddenbrooks« und in »Tonio Kröger« und dann, 1924, im »Zauberberg« endgültig hat Thomas dieses Verfahren appliziert. Kritiker warfen ihm dieses Verfahren vor, weil sie in ihm opportunistische Gefahren vermuteten. Der Vorwurf trifft nicht. Er wäre allenfalls gegen die stets gegenwärtige autobiographische Repräsentanz seines Werkes zu richten und darin nur gegen das spezifisch autobiographische Element. Doch gerade dort ist Thomas nichts weniger als opportunistisch, ist er sich stets treu geblieben — wer sein Zögern, sich politisch-literarischen Richtungen anzuschließen, das er zeitlebens bewahrt hat, mit Opportunismus verwechselt, wird dem ›ethischen Gewissen‹ Thomas Manns nicht gerecht. Heinrich hat das früh erkannt; aber er hat früh auch die Gefährdung eines solchen Zwangs zur Objektivität erkannt, dem Thomas ausgeliefert war und den er schließlich nach mancherlei Krisen und Fährnissen überwand. Mit Erscheinen des »Zauberbergs«, als die Versöhnung der Brüder schon einige Jahre alt war und Thomas ein halbes Jahrhundert gelebt hatte, war auch Thomas zu seinem Selbstverständnis gelangt. Was der Bruder Heinrich ihm, zwei Jahre bevor Thomas mit dem Nobelpreis geehrt wurde, zusprach, läßt durch die Objektivität des Urteils die klare und ehrliche Vernunft Heinrichs und ebenso Thomas' unbedingte Suche nach einer Selbstverständigung erkennen:

Was ich an meinem Bruder Thomas bewundere: daß er seine ungeheure Popularität nicht mit Konzessionen erkauft hat. Er ist von seiner angeborenen geistigen Haltung niemals auch nur um einen Millimeter abgewichen.

Thomas ist heute populärer als Heinrich; manches von dem, was Heinrich schrieb, ist vergessen, es ist in seiner überholten zeitlichen Fixierung uninteressant geworden. Die gegensätzliche Bindung der beiden Brüder aber bleibt beispielhaft.

Karl Riha

»Dem Bürger fliegt vom spitzen Kopf der Hut«

Zur Struktur des satirischen Romans
bei Heinrich Mann

*Da er Raat hieß, nannte ihn die ganze Stadt Unrat. Nichts konnte ein-
facher und natürlicher sein* [1]: das sind die ersten beiden Sätze in Heinrich
Manns »Professor Unrat«. Der Schluß des Romans greift auf sie zurück.
»*Ne Fuhre Unrat!*«, quäkt ein Bierkutscher bei der Verhaftung des Helden
und reckt hinterm Lederschurz den bleichen Schlingelkopf heraus. *Unrat,
heißt es jetzt, warf sich herum, nach dem Wort, das nun kein Siegeskranz
mehr war, sondern wieder ein nachfliegendes Stück Dreck.* [2] Daß Unrat
wieder Unrat ist, ist die entscheidende Modifikation: damit das Ende des
Romans auf den Anfang zurückfallen kann, mußte der Anfang in Frage
gestellt, kompliziert werden.

Wie mit der Handlung des Romans verhält es sich mit seinem eigentlichen Thema, das der Untertitel fixiert: »Das Ende eines Tyrannen«. —
Gleich auf der ersten zur zweiten Druckseite, eingearbeitet in den ersten
Umriß der Figur, unmittelbar anschließend an *Da er Raat hieß,* heißt es:
*Man brauchte nur auf dem Schulhof, sobald er vorbeikam, einander zuzu-
schreien: »Riecht es hier nicht nach Unrat?« Oder: »Oho! ich wittere Unrat!« Und sofort zuckte der Alte heftig mit der Schulter, immer mit der
rechten, zu hohen, und sandte schief aus seinen Brillengläsern einen
grünen Blick, den die Schüler falsch nannten, und der scheu und rach-
süchtig war: der Blick eines Tyrannen mit schlechtem Gewissen, der in
den Falten der Mäntel nach Dolchen späht.* [3] Die folgenden Kapitel nehmen die Charakterisierung auf und führen sie fort, so daß es zu einer Art
Verhaltensstudie kommt: der Autor hält die verschiedenen Entwicklungs-
stadien des bedrohten Tyrannen Unrat fest. So ist der *schwindelnden
Panik des Tyrannen* bald jede Gewalttat recht [4], durchsprengt ihn die
Panik des bedrohten Tyrannen, die ihn mit giftiger Angst um Straßen-
ecken nach Schülern und Attentätern schielen läßt [5], schießt ihm die von
Angst durchjagte Tyrannenwut zu Kopf [6], packt ihn — *Alleinherrscher
im Kabuff* [7] — der *Schwindel des bedrohten Tyrannen* [8] oder schwindelt
dem Tyrannen *auf seinem wahnsinnigen Gipfel.* [9] Dabei läßt Heinrich
Mann keinen Zweifel an der aktuellen politischen Relevanz dieser an Unrat gebundenen Tyrannei: *Schickte er einen ins ›Kabuff‹, war ihm dabei zu-
mute wie dem Selbstherrscher, der wieder einmal einen Haufen Umstürzler in die Strafkolonie versendet und, mit Angst und Triumph, zugleich
seine vollste Macht und ein unheimliches Wühlen an ihrer Wurzel fühlt.* [10]
Und — deutlicher noch: *er gehörte . . . zu den Herrschenden. Kein Bankier
und kein Monarch war an der Macht stärker beteiligt, an der Erhaltung
des Bestehenden mehr interessiert als Unrat.* [11]

Spätestens jedoch in der Mitte des Romans kommt es zu einer bezeichnenden Metamorphose des Helden. Lohmann reflektiert über Unrat und kommt dabei (er *fängt an mich zu beschäftigen*) zu dem Resultat: *er ist eigentlich eine interessante Ausnahme. Bedenke, unter welchen Umständen er handelt, was er alles gegen sich auf die Beine bringt. Dazu muß man ein Selbstbewußtsein haben, scheint mir — ich für meine Person brächte so eines nicht auf. Es muß in einem ein Stück Anarchist stecken . . .* [12]

Dem äußeren wie inneren Gang der Handlung nach überlappen sich Gipfelsturm des *bedrohten Tyrannen* und Ausbruch des verwunderlichen Anarchisten. Wo andere *Sittlicher Unrat muß egal raus* fordern, empfindet Lohmann Mitleid und auch *eine Art von zurückhaltender Sympathie für diesen einsamen Allerweltsfeind, der unbedenklich so viel gegen sich auf die Beine brachte, für den interessanten Anarchisten, der hier im Ausbrechen war.* [13]

Dem schließt sich der erzählende Autor — das Urteil Lohmanns objektivierend — an. Zur Überzeugung, die bei Unrat durchdringt, daß die Künstlerin Fröhlich hoch über allen Oberlehrern und selbst über dem Direktor stehe, merkt er an: *Diese Meinungen reizten ihn unterirdisch; er hatte in der Stille seines Zimmers Ausbrüche, in denen er knirschte und die Fäuste schüttelte. . . . Die Macht der Kaste, der Lohmann angehörte, war, so entdeckte er, eine zu brechende. Bis dahin hatte er allen Werbungen des Artisten sein höhnisch überlegenes Lächeln entgegengehalten: Das Lächeln des aufgeklärten Despoten, der Kirche, Säbel, Unwissenheit und starre Sitte unterstützt und sich über seine Beweggründe lieber nicht äußert. Heute war er auf einmal entschlossen, das alles über den Haufen zu werfen, gemeinsame Sache zu machen mit dem Pöbel gegen die dünkelhaften Oberen, den Pöbel in den Palast zu rufen und den Widerstand einiger in allgemeiner Anarchie zu begraben.* [14]

Miteins erinnert man sich, daß schon in den ersten Partien des Romans Zeichen gesetzt sind: aus dem Dunkel der Gasse beobachtet Unrat die Auffahrt zum Ball bei Konsul Breetpoot. *Unerkannt und drohend*, heißt es, sieht er aus dem Schatten heraus der *schönen Welt* zu und hat *das Ende von alledem in seinem Geist, wie eine Bombe.* [15] Dazu paßt, daß auch das äußere Erscheinungsbild des Gymnasialprofessors — im Gegensatz etwa zu den Lehrerfiguren Affenschmalz, Knüppeldick, Hungergurt, Knochenbruch, Zungenschlag und Fliegentod in Wedekinds »Frühlings Erwachen« — von Anfang an nicht ausschließlich karikiert gezeichnet ist. Wo ihn der Spott der Schüler im Schulhof trifft, macht Unrat einen *eckigen Sprung.* [16] Er ist die *große schwarze Spinne* [17] oder ein nächtlich ins Haus stehender Vampir. Eine Fledermaus, lautet die betreffende Szene, beschreibt Zacken über Unrats Hut; er schielt nach der Stadt hinauf und sagt wohl: *Ich lege euch Bande noch mal hinein.* [18]

Dem Umsprung von Tyrann zu Anarchist folgt auch Unrats Charakterisierung durch seine Sprache. Hat es in den ersten Kapiteln, also vor allem in der Konfrontation mit den Schülern, den Anschein, als laufe seine ganze Rede nur auf die Selbstentlarvung des tückischen, in seinen Formeln verkrusteten Schuldespoten hinaus, erweist sich umgekehrt, etwa in den Auseinandersetzungen mit den Stadthonoratioren, daß Unrats verschroben latinisierenden Perioden — durchwirkt mit albernen kleinen Flickworten, Gewohnheiten seiner Homerstunde in Prima — durchaus Momente von revoltierender Aufsässigkeit und couragiertem Widerstand innewohnen, die die Sympathie des Lesers haben. Auf sein Verhältnis zur Schauspielerin Fröhlich angesprochen, antwortet er: *Herr Direktor, der Athenienser Perikles hatte — traun fürwahr — die Aspasia zur Geliebten.*[19] Oder er schwingt sich — eben nachdem er erkannt hat, daß Lohmanns Kaste *eine zu brechende* ist — auf zu: *Vorwärts nun also! Ich bin nicht gewillt, dies alles noch länger zu dulden!...*[20] In solchen Situationen gewinnt Unrat Züge eines echten Anarchisten, der sich nicht nur übers Vorurteil kühn hinwegsetzt, sondern die gegebenen Ordnungen selbst in Frage stellt und sprengt.

Andererseits läßt Heinrich Mann keinen Zweifel, daß seinem Gymnasialprofessor alles Zeug zum wirklichen Antagonisten der herrschenden Verhältnisse abgeht, daß er — auch in dieser Hinsicht — aus seinem Namen nicht herauskommt: auf einen Zusammenbruch, der nicht darin besteht, daß einer aus der Schule vertrieben wird, verfällt er nicht; jedes andersgeartete Verderben übersteigt seinen engen Horizont. So wird zum Ende des Romans hin deutlich, daß es sich bei der Ablösung der Tyrannei durch die Anarchie, wie sie am Helden vorgeführt wird, um keinen Ausbruch, keine Wandlung, sondern lediglich um die Identifikation dessen, was Unrat repräsentiert, mit sich selbst handelt: indem der Tyrann zum Anarchisten intro-, bzw. extravertiert, transzendiert er auf sein eigentliches Prinzip. Anders gesagt: der Anarchist Unrat überschreitet nicht die Grenze, die vom Tyrannen Unrat gesetzt ist, sondern er entdeckt nur eine andere Form der Herrschaft, als er sie bisher ausgeübt hat, die letzte Form des Despotismus, die ihm verblieben ist. Verunsichert, in seiner Allgewalt in Frage gestellt und in seiner Machtausübung unterlaufen, von allen Seiten verspottet, erscheint ihm der Untergang aller die einzige Alternative: deshalb reißt er die ganze Stadt in den Strudel der Vernichtung mit, stellt sie bloß, ruiniert sie. Die Bombe platzt.

Die entscheidende Zurückführung des Anarchisten Unrat auf den Tyrannen Unrat gibt Heinrich Mann im siebzehnten und letzten Kapitel des Buches: wiederum bedient er sich des Mediums Lohmann. In dessen Gespräch mit der Künstlerin Fröhlich kommt es zu folgender Charakterisierung: *Er ist ein Tyrann, der lieber untergeht als eine Beschränkung duldet. Ein Spottruf — und der dringt noch nachts durch die Purpurvorhänge seines Bettes und in seinen Traum — verursacht ihm blaue Flecke auf der Haut, und er braucht, um sich davon zu heilen, ein Blutbad. Er ist der Erfinder der Majestätsbeleidigung: er würde sie erfinden, wenn es noch zu tun wäre. Es kann kein Mensch sich ihm mit so wahnsinniger Selbstentäußerung hinwerfen, daß er ihn nicht als Empörer haßte. Der Menschenhaß wird ihm zur zehrenden Qual. Daß die Lungen ringsumher einen Atem einziehen und ausstoßen, den nicht er selber regelt, durchgällt ihn mit Rachsucht, spannt seine Nerven bis zum Zerreißen. Es braucht nur noch einen Anstoß, eine zufällige Widersetzlichkeit von Umständen — ein beschädigtes Hünengrab und alles, was damit zusammenhängt; es braucht nur noch die Überreizung seiner Anlagen und Triebe, zum Bei-*

spiel durch eine Frau — und der Tyrann, von Panik erfaßt, ruft den Pöbel in den Palast, führt ihn zum Mordbrennen an, verkündet die Anarchie![21] Damit schließt sich der Bogen; nachdem er seine Funktion erfüllt hat, kann Unrat abtreten *ins Dunkel.*[22]

Das analytische Moment, das ich — wie es ins Auge springt — herauszustellen versucht habe, charakterisiert den Roman und prägt seine formale und inhaltliche Struktur: rigoros stellt es die Erzählhandlung unter seinen Anspruch und bezieht den Leser in die von ihm geleistete Anstrengung ein. Mit seiner Hilfe gelingt Heinrich Mann die Organisation des Stoffs als politische Charakterstudie und — darüber hinaus — als politische Gesellschaftsstudie der etablierten Herrschaft, die Unrat, der ja expressis verbis wie kaum ein anderer an der Macht beteiligt und an der Erhaltung des Bestehenden interessiert ist, repräsentiert. Fast alle Passagen, die das Wechselverhältnis von bedrohter Tyrannei und ausbrechender Anarchie ausführlicher entfalten, besonders die breit zitierte Zusammenfassung der Künstlerin Fröhlich gegenüber Lohmann, haben einen kritischen Überschuß über die jeweilige Romansituation hinaus, an die sie geknüpft sind: statt sie steril in Erzählung zu fesseln, gibt das Buch die Erkenntnis, die es abstrakt produziert, auch abstrakt frei. Innerhalb des Romans kommt es zur zielgerichteten Ausweitung des an Unrat getroffenen Befunds, wenn die Entgötterung des Helden als *entgötterte Stadt* [23] widerscheint oder nach der Verhaftung Unrats die Zurückbleibenden in Jubel geraten dürfen, weil — wie der Autor unterstreicht — *der Druck ihres eigenen Lasters* [24] von ihnen genommen ist. Umgekehrt garantiert der wilhelminische Schulmeister als Held, daß sich die an ihm betriebene Analyse nicht separiert und schlecht verallgemeinert, sondern stets phänotypisch zurückgebunden bleibt: daß man allerdings den Schulmeister gegen seinen Kaiser austauschen könne, war schon dem zeitgenössischen Leser nicht verborgen geblieben.

Bekanntlich setzt sich die Kritik des Wilhelminismus, wie sie »Professor Unrat« anreißt, in dem Roman »Der Untertan« fort: Heinrich Manns Vorarbeiten dazu beginnen 1906, schließen also — später freilich unterbrochen durch die Arbeit an »Zwischen den Rassen«, »Die kleine Stadt«, Novellen, Essays und Schauspielen — unmittelbar an die Veröffentlichung des Professoren-Romans von 1905 an. Beide Romane sind denn auch an verschiedenen Punkten thematisch eng ineinander verzahnt; auch strukturelle Entsprechungen sind zu konstatieren. Besonders die Exposition des »Untertan« zeigt, daß Heinrich Mann zunächst an ein ähnlich analytisches Vorgehen zum Zweck eines politischen Charaktergemäldes dachte, wie er es im »Unrat« entworfen hatte, nur daß nun statt des Tyrannen Raat der Untertan Heßling im Zentrum stehen sollte: wenn auf den ersten Druckseiten des Romans Diederich Heßlings leidende Teilnahme an der Macht, seine sadomasochistische Subordination unter die ihm übergeordnete Autorität umschlägt in die siegestrunkene Unterdrückung Schwächerer, ist dazu — analog dem Umschlag des Tyrannen in den Anarchisten Unrat — der Grund gelegt; vergleichbar ist die Tendenz, kommentierende Passagen der Erzählung anzuheften und durch sie hindurch die Satire ins Werk zu setzen.

Trotz ähnlicher Anlage und vergleichbarer Zielrichtung gibt jedoch »Der Untertan« kein striktes Parallelstück zum »Professor Unrat« ab: schon der langwierige Prozeß der Entstehung, der das Manuskript erst 1914 zum Abschluß kommen läßt, deutet aufs veränderte Konzept hin. Während »Professor Unrat« — als Stoff aus einer Zeitungsnotiz gewonnen, die dem Autor 1904 in der Pause einer Florentiner Goldoni-Aufführung unterkam — rasch konzipiert und eben als konsequent analytischer Roman in kürzester Zeit zu Ende geführt wurde, setzt die Absicht, die »Der Untertan« verfolgt — ablesbar am Untertitel »Geschichte der öffentlichen Seele unter Wilhelm II«, an dem Heinrich Mann während der Niederschrift festgehalten hat —, nicht nur weitgreifende Materialrecherchen voraus, die sich im vollendeten Roman dann als Mosaik noch aktueller Zeitbezüge präsentieren, sondern stellt das zitatmäßige Einbeziehen der Wirklichkeit in den Roman selbst als generelles poetologisches Problem; aus ihm erwachsen im wesentlichen die Schwierigkeiten bei der Abfassung. *Eine ganz naheliegende Zeit,* heißt es im Brief an René Schickele vom 18. 7. 1913, *wenigstens all ihr Politisch-Moralisches, in ein Buch zu bringen, das überschwemmt einen mit Stoff. Die Wirklichkeit ist eine Stütze und eine Last.* [25] Für die deduktive oder dokumentarische Intention, die der Briefauszug anvisiert und als tragendes Prinzip des Romans unterstreicht, kann aus der parallelen Essayistik Heinrich Manns »Zola«-Aufsatz von 1915 zur direkten Ergänzung beigezogen werden; dort heißt es (über die Romane des Franzosen, aber — wie ich meine — übertragbar auf den »Untertan« und das Neue, das mit ihm ins Werk kommt): *Da ließ er denn aus Dokumenten, die ihm alles brachten, Plan, Charaktere, Handlung, eine Wirklichkeit sich bilden und vollenden... die Zeit nahm sie entgegen, sie bestätigte seine Wahrheit!* [26]

Die Literatur über Heinrich Mann hat sich mit den zahlreichen, dem heutigen Leser oft nicht mehr ohne weiteres dechiffrierbaren zeitgeschichtlichen Implikationen des »Untertan« befaßt und sie ausreichend verifiziert: ich brauche deshalb im einzelnen nicht darauf einzugehen. Wichtig ist in unserem Zusammenhang, daß Heinrich Mann — neben der Charakteranalyse in der Art des »Unrat« — die Erzählung seines Helden so vorantreibt, daß er sie in enger Parallelführung zum verbürgten Erscheinungsbild Wilhelms II. entwickelt. Nicht nur gehören die beiden Begegnungen Heßlings mit seinem Kaiser — vorm Brandenburger Tor und in Rom — zu den Höhepunkten der Handlung, sondern die ganze Vita ist in ihren wesentlichen Bestandteilen eine einzige Imitation. Die Verwandlung vollzieht sich am Ende des zweiten Kapitels; dort heißt es von Diederich: *Die Korporation, der Waffendienst und die Luft des Imperialismus hatten ihn erzogen und tauglich gemacht. Er versprach sich, zu Haus in Netzig seine wohlerworbenen Grundsätze zur Geltung zu bringen und ein Bahnbrecher zu sein für den Geist der Zeit. Um diesen Vorsatz auch äußerlich an seiner Person kenntlich zu machen, begab er sich am Morgen darauf in die Mittelstraße zum Hoffriseur Haby und nahm eine Veränderung an sich vor, die er an Offizieren und Herren von Rang jetzt immer häufiger beobachtete. Sie war ihm bislang nur zu vornehm erschienen, um nachgeahmt zu werden. Er ließ vermittels einer Bartbinde seinen Schnurrbart in zwei rechten Winkeln hinaufführen. Als es geschehen war, kannte er sich im Spiegel kaum wieder. Der von Haaren entblößte Mund hatte, besonders wenn man die Lippen herabzog, etwas katerhaft Drohendes, und die Spitzen des Bartes starrten bis in die Augen, die Diederich selbst Furcht erregten, als blitzten sie aus dem Gesicht der Macht.*[27] Fortan *blitzt es und tönt in Kaiserworten, wo immer Diederich sich in Pose wirft.*

Mit erhobener Stimme, den alten Sötbier im Auge, donnert Diederich, als er — mit Schmiss und Doktor aus Berlin zurückgekehrt — die väterliche Fabrik in Netzig übernimmt: *Jetzt habe ich das Steuer selbst in die Hand genommen. Mein Kurs ist der richtige, ich führe euch herrlichen Tagen entgegen. Diejenigen, welche mir dabei behilflich sein wollen, sind mir von Herzen willkommen; diejenigen jedoch, welche sich mir bei dieser Arbeit entgegenstellen, zerschmettere ich. —* Er versuchte, fügt der Autor illustrierend hinzu, *seine Augen blitzen zu lassen, sein Schnurrbart sträubte sich noch höher.*[28] Von dieser Kopie der Thronfolge spannt sich der Zitatenbogen über den ganzen Roman und begleitet den Aufstieg zur Macht. Den Höhepunkt in dieser Hinsicht markiert die Rede, die der Stadtverordnete Generaldirektor Doktor Heßling anläßlich der Einweihung des Kaiser-Wilhelm-Denkmals auf den letzten Seiten des Buches zu halten anhebt: sie ist aus einer Vielzahl von Redezitaten des Kaisers so zusammenmontiert, daß es geradezu zu einer Zitatenbündelung, einer Kaskade von Zitaten kommt. Unter dem Beifall der Tribünen und dem beifälligen Nicken der Honoratioren deklamiert Diederich etwa: *In staunender Weise ertüchtigt, voll hoher sittlicher Kraft zu positiver Betätigung, und in unserer blanken Wehr der Schrecken aller Feinde, die uns neidisch umdrohen, so sind wir die Elite unter den Nationen und bezeichnen eine zum ersten Male erreichte Höhe germanischer Herrenkultur, die bestimmt niemals und von niemandem, er sei wer er sei, wird überboten werden können!*[29] oder *Eine solche, nie dagewesene Blüte aber erreicht ein Herrenvolk nicht in einem schlaffen, faulen Frieden: nein, sondern unser alter Alliierter hat es für notwendig gehalten, das deutsche Gold im Feuer zu bewähren. Durch den Schmelzofen von Jena und Tilsit haben wir hindurchgemußt, und schließlich ist es uns doch gelungen, siegreich überall unsere Fahnen aufzupflanzen und auf dem Schlachtfelde die deutsche Kaiserkrone zu schmieden!*[30] und *Aus dem Lande des Erbfeindes wälzt sich immer wieder die Schlammflut der Demokratie her, und nur deutsche Mannhaftigkeit und deutscher Idealismus sind der Damm, der sich ihr entgegenstellt. Die vaterlandslosen Feinde der göttlichen Weltordnung aber, die unsere staatliche Ordnung untergraben wollen, die sind auszurotten bis auf den letzten Stumpf, damit, wenn wir dereinst zum himmlischen Appell berufen werden, daß dann ein jeder mit gutem Gewissen vor seinen Gott und seinen alten Kaiser treten kann, und wenn er gefragt wird, ob er aus ganzem Herzen für des Reiches Wohl mitgearbeitet habe, er an seine Brust schlagen und offen sagen darf: Ja!*[31]

Im Unterschied zu »Professor Unrat«, wo der Ausweis der Symptomatik des Helden und der signifikanten Züge seiner Herrschaftsrepräsentanz im wesentlichen durch die Analyse, d. h. in der Kommentarebene des Werks geleistet wird, kommt es im »Untertan« gradewegs zur Spiegelung politischer Sachverhalte im Erzählerischen und damit zur

Unterwanderung des Romans durchs Dokument. Die Erzählhandlung fungiert weniger als eigenständige Fiktion, die lediglich als Verweis auf die Realität Gewicht hat, denn als direkte Ablichtung der Zeitgeschichte: Heßling ist die *öffentliche Seele*, das getreue Abbild Wilhelms II; das eben unterstreichen seine Reden in Zitaten. Damit fällt die Eigenständigkeit, die Unrat als Romanfigur noch hatte, und wird geopfert: das Interesse, das der Leser an Diederich Heßling nimmt, ist auf die relative Durchlässigkeit konzentriert, die ihm als Medium fürs konkret Politische zukommt. Der Leser weiß von Anfang an, daß mit dem Ausbruch eines *interessanten Anarchisten* nicht zu rechnen sein wird, sondern daß die Determination aufs Vorgegebene Helden wie Handlung konstruiert und nur die Steigerung dieses einmal getroffenen Prinzips den Handlungsbogen spannt.

Freilich kann und darf man dabei nicht stehen bleiben! Hinzu kommt, daß sich gerade im Medium Heßling das Bild des Kaisers — zusätzlich zur Bloßstellung, die es selbst betreibt, man betrachte daraufhin noch einmal die angeführten Redepartien im Munde seines Untertanen, das Gewerk der gestochenen Phrasen und falschen Grammatik — auch decouvriert und satirisch entlarvt: ja, je weiter der Roman voranschreitet, desto deutlicher geht das Dokumentarische ins Satirische über, erweist sich das dokumentierende Zitat als entscheidendes, die erzählte Szene bestimmendes Vehikel der satirischen Struktur. Das geschieht in der Regel schon allein dadurch, daß Diederich die Kaiserworte seinem kleinbürgerlichen Milieu einbeschreibt, nach Netzig verpflanzt, seinem Kalkül unterwirft und rigoros zur Behauptung seiner Herrschaft einsetzt: die Situationen, in denen er sich ihrer bedient, schlagen aufs Zitat zurück. Anders gesagt: der Untertan rächt sich an seinem Ursprung, indem er ihn an seine Erfüllung, die er selbst ist, verrät; der Kaiser wird in seinen Gehilfen sozusagen hineingezogen und in ihm ad absurdum geführt, dem Gelächter preisgegeben. Dafür zwei Beispiele:

Gleich nach seiner Wahl greift Diederich in die Verhandlung der Stadtverordnetenversammlung ein. Zur Debatte steht die Kanalisation der Gäbbelchenstraße: *Eine beträchtliche Anzahl jener alten Vorstadthäuser befand sich noch heute, am Ende des neunzehnten Jahrhunderts, in wenig rühmlichem Besitz von Abortgruben, deren Ausdünstungen zuzeiten die ganze Gegend überschwemmten. Bei seinem Besuch im »Grünen Engel« hatte Diederich die Wahrnehmung gemacht. So wandte er sich denn mit Nachdruck gegen die finanztechnischen Bedenken des Magistratsvertreters. Eine Forderung der Kulturehre dürfe kleinlichen Rücksichten nicht weichen. »Deutschtum heißt Kultur!« rief Diederich aus. »Meine Herren! Das hat kein Geringerer gesagt als Seine Majestät der Kaiser. Und bei anderer Gelegenheit hat Seine Majestät das Wort gesprochen: Die Schweinerei muß ein Ende nehmen. Wo nur immer großzügig vorgegangen wird, da leuchtet uns das erhabene Beispiel Seiner Majestät voran, und darum, meine Herren —«.* Deutschtum, Kulturehre und das erhabene Beispiel Seiner Majestät geraten so in den Bannkreis unbewältigter Abortfragen; der Effekt: die Phrasen sinken dem Fäkalgrund zu, von dem sie aufgestiegen sind, sie verbreiten Gestank. Sehr richtig merkt deshalb Doktor Heuteufel an, ob denn nicht der *merkwürdige Zusammenhang, in den Herr*

Doktor Heßling die Person des Kaisers gebracht habe, eigentlich eine Majestätsbeleidigung darstelle. [32] — Zur Hochzeitsreise nach Italien besteigen Diederich und Guste den Zug, erste Klasse: *er spendete drei Mark und zog die Vorhänge zu. Sein von Glück beschwingter Tatendrang litt keinen Aufschub, Guste hätte so viel Temperament nie erwartet.* »*Du bist doch nicht wie Lohengrin*«, *bemerkte sie. Als sie aber schon hinglitt und die Augen schloß, richtete Diederich sich nochmals auf. Eisern stand er vor ihr, ordenbehangen, eisern und blitzend.* »*Bevor wir zur Sache selbst schreiten*«, *sagte er abgehackt,* »*gedenken wir Seiner Majestät unseres allergnädigsten Kaisers. Denn die Sache hat den höheren Zweck, daß wir Seiner Majestät Ehre machen und tüchtige Soldaten liefern*«. »*Oh!*« *machte Guste, von dem Gefunkel auf seiner Brust entzückt in höheren Glanz.* »*Bist — du — das — Diederich?*« [33] Der Sturm der Leidenschaft verhöhnt sich in der Haltung, die Diederich annimmt, wie umgekehrt das Habacht an der vorgeblichen Aufwallung sich diskreditiert. Gustes Erstaunen ist echt, denn per Ehegespons wird ihr der Kaiser selbst vor Ort gebracht, um da die Produktion tüchtiger Soldaten nicht nur zu überwachen, sondern in eigener Person zu kanalisieren. Aber gleichzeitig dient die ganze Szene eben dazu, den ›höheren Zweck‹ in der realistischen Ausführung dessen, was er als totale Verfügung konkret zum Inhalt hat, an den Pranger zu stellen.

Die ganze satirische Energie kann in solchen und ähnlichen Episoden — also auf knappstem epischen Raum — versammelt werden und entfaltet an jedem einzelnen Punkt des Romans ihre ganze Schlagkraft: hier verweist die formale Anlage auf den Zeitungsroman, als welcher »Der Untertan« in der Münchner Zeitschrift »Zeit im Bild, Moderne illustrierte Wochenschrift« erstveröffentlicht wurde, bis der Abdruck am 13. August 1914, kurz nach Kriegsbeginn, mit der redaktionellen Begründung abgebrochen werden mußte, man werde bei der geringsten direkten Anspielung politischer Natur, etwa auf die Person des Kaisers, die ärgsten Zensurschwierigkeiten bekommen. Politische Direktheit und Aufsplitterung des Romans in instruktive satirische Bilder hat Heinrich Manns »Geschichte der öffentlichen Seele unter Wilhelm II« mit der Tradition eines kritischen deutschen Zeitungsromans gemein, als deren erster Georg Weerths »Leben und Taten des berühmten Ritters Schnapphahnski« (alias Fürst Lichnowsky: was Weerth drei Monate Gefängnis einbrachte) 1848/49 in der »Neuen Rheinischen Zeitung« erschienen war. Was den Einfluß der französischen Naturalisten betrifft, erinnere ich an den referierten Beleg aus Heinrich Manns »Zola«-Essay. Zeitkritische Summen, wie sie die beiden Romane Heinrich Manns in ihrer je eigenen Weise aufreißen und sich fortsetzen in die Romane »Die Armen« und »Der Kopf«, die mit dem »Untertan« 1925 zur Trilogie »Das Kaiserreich« zusammengefaßt wurden, waren bereits von den deutschen Naturalisten in Angriff genommen und an die Literatur der Folgezeit weitergegeben worden: 1896 eröffnete Arno Holz mit »Sozialaristokraten« den Plan einer Dramenreihe zum Thema »Berlin, Das Ende einer Zeit in Dramen«, nachdem bereits 1887 Georg Michael Conrad mit »Was die Isar rauscht« in eine auf zehn Bände geplante, am Beispiel von Zolas »Rougon-Macquart« orientierte Romanreihe über das zeitgenössische München eingetreten war; wenige Jahre nach der Jahrhundertwende begann Carl Sternheim den satirischen Komödienzyklus »Aus dem bürgerlichen Heldenleben« mit »Die Hose«. — Das Verfahren der Satire mittels Dokumentation ähnelt dem, das Karl Kraus, zeitlich in etwa parallel zum »Untertan«, in seiner Weltuntergangstragödie »Die letzten Tage der Menschheit« entwickelt hat, nur daß dort das satirische Zitieren noch sehr viel weiter getrieben wird; im Vorwort von 1918, übertragbar auf die im selben Jahr erscheinende Buchfassung des »Untertan«, heißt es: *Die unwahrscheinlichsten Taten, die hier gemeldet werden, sind wirklich geschehen; ich habe gemalt, was sie nur taten. Die unwahrscheinlichsten Gespräche, die hier geführt werden, sind wörtlich gesprochen worden; die grellsten Erfindungen sind Zitate. Sätze, deren Wahnwitz unverlierbar dem Ohr eingeschrieben ist, wachsen zur Lebensmusik. Das Dokument ist Figur; Berichte erstehen als Gestalten . . .*[34]

Besonders mit dem Hinweis auf Karl Kraus weitet sich unser Thema; der Vergleich mit den »Letzten Tagen der Menschheit« nimmt den Beobachtungen, die am »Untertan« sich treffen lassen, ihre Zufälligkeit und rückt damit den Roman ins Zentrum der fortgeschrittensten satirischen Technik seiner Zeit. — Doch bleiben wir im engeren Werkzusammenhang! Über die versammelten Merkmale hinaus hat der Schritt vom »Unrat« zum »Untertan« auch noch in anderer Hinsicht Bedeutung. Ursache der gewandelten satirischen Struktur ist die weitergetriebene Analyse der Gesellschaft und die aus ihr resultierende Perspektive; in ihrer Folge mutiert die kritische Konsequenz, die aus der Satire gezogen wird: das vor allem bringt der devergierende Schluß beider Romane ins klare Licht.

»Professor Unrat«, wie gesagt, endet damit, daß der Held *ins Dunkel* gestoßen wird, weil er seine Aufgabe erfüllt hat: das Laster, das er darstellt, ist allgemein geworden. Insofern ist der Ausbruch der totalen Anarchie die Auspizie, die Heinrich Mann der bürgerlichen Gesellschaft aufmacht. Hier hält der Roman ein. — Dagegen deutet sich im »Untertan« eine Gegenkraft an, die tätig die Auflösung des Bestehenden betreibt und damit revolutionär ist. Gradlinig steuert die Handlung des Romans dem Höhepunkt jener Rede zu, die Diederich Heßling zur Einweihung des *erstklassigen* Kaiser-Wilhelm-Denkmals hält; noch einmal — jetzt sozusagen öffentlich — wird die Verwandlung des Untertanen in seinen Kaiser (und umgekehrt) vorgeführt. Die Rede gipfelt im erwähnten Zitatenschwall und zusätzlich in Versicherungen wie: *Darum kann es mit uns nie und nimmer das Ende mit Schrecken nehmen, das dem Kaiserreich unseres Erbfeindes vorbehalten war!* — An dieser Stelle, fährt Heinrich Mann unmittelbar anschließend fort, *blitzte es; zwischen dem Militärkordon und der Brandmauer, in der Gegend, wo das Volk zu vermuten war, durchzuckte es grell die schwarze Wolke, und ein Donnerschlag folgte, der entschieden zu weit ging.*[35] Was da wie eine zufällige unliebsame Unterbrechung anmutet, entpuppt sich allerdings nur zu rasch als ein *schwefelgelbes* Gewitter mit *eigroßen Regentropfen*, das tatsächlich alle Grenzen der Natur sprengt und so seine poetische Absicht offen vor sich herträgt. Festarrangement, Festredner und Rednerpult, Ordensverleihung, Oberpräsident und Flügeladjudant, Frack, Dame und alles, was sonst im schwarzweißrot behangenen Gehege Rang und Namen hatte, gehen in einer einzigen Sintflut unter, die sich zum *Umsturz der Macht* auswächst und von Diederich auch als solcher erfahren werden muß: *schwindelnd des Endes von allem gewärtig, die fliegenden Trümmer des Umsturzes, samt dem Feuer von oben* über seinem Haupt, erfaßt sein Abschiedsblick *dies Gefegtwerden von den Peitschen der Höhe, unter Strömen Feuers, diesen Kehraus, wie der einer betrunkenen Maskerade, Kehraus von Edel und Unfrei, vornehmstem Rock und aus dem Schlummer erwachten Bürger, einzigen Säulen, gottgesandten Männern, idealen Gütern, Husaren, Ulanen, Dragonern und Train!* [36]

Statt sich aufzulösen ins eigene Chaos, wie es im »Unrat« geschieht, gerät hier die Welt um Diederich Heßling an ihre objektive Schranke: aus der Gegend, wo das Volk zu vermuten ist, bricht der Orkan los. Zwar weist Heinrich Mann darauf hin, daß es sich beim *Umsturz von seiten der Natur* um einen *Versuch mit unzulänglichen Mitteln* handelt, daß die *apokalyptischen Reiter* nur ein Manöver abhalten für den Jüngsten Tag [37], aber die Ironie dieser Sätze bezieht sich nur auf die erzählerische Inszenierung, die notgedrungen die dokumentarische Grundkonstellation des Romans in Richtung aufs Visionär, dem Wirklichkeit noch nicht — oder gerade erst in Zeichen — entspricht, übersteigt. An der tatsächlichen Relevanz dieser politischen Naturkatastrophe für Heßling besteht jedoch kein Zweifel! Zwar richtet er sich her, nachdem das Wetter verstrichen ist, und zeigt dem Himmel sein *Etsch* und den neuen Wilhelms-Orden; aber das letzte Wort des Romans gehört nicht ihm, sondern dem alten Buck. Diederich schleicht sich durch die Stadt und gelangt in das Haus des Sterbenden: der hebt die Arme und winkt, daß ein *geisterhaftes Glück* in seine Züge tritt, *ein ganzes Volk.* Da erblickt er Diederich auf der Schwelle, noch strammer die schwarzweißrote Schärpe wölbend, die Orden vorstreckend und *für alle Fälle* blitzend, — und sinkt tot zurück: *Vom Entsetzen gedämpft, rief die Frau des Ältesten:* »*Er hat etwas gesehen! Er hat den Teufel gesehen!*« [38]

Anmerkungen

1 Heinrich Mann: »Professor Unrat oder Das Ende eines Tyrannen«, Kurt Wolff Verlag, Leipzig o. J. (H. M.: »Gesammelte Romane und Novellen«, Bd. 6), S. 1 f. 2 op.cit., S. 279. 3 op. cit., S. 2. 4 op. cit., S. 58. 5 op. cit., S. 96 u. ö. 6 op. cit., S. 112. 7 op. cit., S. 155. 8 op. cit., S. 160. 9 op. cit., S. 233. 10 op. cit., S. 11. 11 op. cit., S. 44. 12 op. cit., S. 166. 13 op. cit., S. 194 ff. 14 op. cit., S. 137 f. 15 op. cit., S. 48. 16 op. cit., S. 3. 17 op. cit., S. 124. 18 op. cit., S. 34. 19 op. cit., S. 174. 20 op. cit., S. 138. 21 op. cit., S. 265. 22 op. cit., S. 279. 23 op. cit., S. 264. 24 op. cit., S. 278. 25 zitiert nach Klaus Schröter: »Heinrich Mann«, Reinbek bei Hamburg 1967, S. 73 f. 26 Heinrich Mann: »Geist und Tat«, München 1963 (dtv), S. 161. 27 Heinrich Mann: »Der Untertan, Kurt Wolff Verlag, Leipzig-Wien 1918. S. 106. 28 op. cit., S. 111. 29 op. cit., S. 501. 30 op. cit., S. 504 f. 32 op. cit., S. 348. 33 op. cit., S. 386. 34 Karl Kraus: »Die letzten Tage der Menschheit«, München 1964 (dtv), S. 5. 35 Heinrich Mann: »Der Untertan«, op. cit., S. 503. 36 op. cit., S. 507 f. 37 op. cit., S. 510. 38 op. cit., S. 512.

Jochen Vogt

Diederich Heßlings autoritärer Charakter

Marginalien zum »Untertan«, Seiten 5 bis 9

Für Ulrich

I

Die Behauptung sei aufgestellt, daß Heinrich Manns Roman »Der Untertan« mehr und anderes ist als die effektvoll vergröbernde Satire auf das wilhelminische Deutschland, für die man ihn gemeinhin ansieht. Daß ihm vielmehr eine *sozial-psychologische* Darstellungsintention im exakten Wortsinn zu eigen ist, wie sie sich bündig in dem geplanten und später (aus politischen Rücksichten?) fallengelassenen Untertitel ausspricht: »Geschichte der *öffentlichen Seele* unter Wilhelm II.« Daß Heinrich Manns Roman eine erste Theorie und Analyse des Faschismus, genauer: der sozialpsychologischen Bedingungen für seine Entstehung und Ausbreitung, entwirft. Daß schließlich diese Theorie von den Erkenntnissen, die eine kritisch orientierte Sozialwissenschaft und -psychologie seit den dreißiger Jahren gewonnen hat, vollauf bestätigt wird. In diesem Zusammenhang sind vor allem die theoretischen bzw. empirischen Arbeiten von Wilhelm Reich (»Massenpsychologie des Faschismus«, 1934), Max Horkheimer (»Autorität und Familie«, 1936), sowie Theodor W. Adorno, Else Frenkel-Brunswik u. a. (»The Authoritarian Personality«, 1950) zu nennen. Sie klären die familialen und gesellschaftlichen Bedingungen, unter denen beim Individuum autoritätsfixierte Charakterzüge sich herausbilden, und verweisen auf den Zusammenhang solcher Charakterstrukturen mit politischer Vorurteils- und Ideologienbildung im Sinne des Faschismus. Den empirischen Nachweis dafür, daß die ›autoritäre Persönlichkeit‹ besonders häufig als ›potentieller Faschist‹ angesehen werden muß, erbringt vor allem die zuletzt genannte Studie.

Es soll nun versucht werden, die Übereinstimmung dieser sozialwissenschaftlichen Analysen mit der literarischen, die Heinrich Mann im »Untertan« gibt, nachzuweisen. Zu diesem Zweck werden drei kurze Passagen aus dem Eingangskapitel des Romans näher betrachtet.

Wenn die These sich bestätigt, daß im »Untertan« bereits ein Charakterbild der ›autoritären Persönlichkeit‹ entworfen ist, so wäre damit auch die methodische Beschränkung gerade auf diese Textstellen gerechtfertigt, die ausnahmslos die Kindheit des Untertanen Diederich Heßling beschreiben. Dann müßte nämlich — da ja der autoritäre Charakter durch spezifische Konstellationen und Erfahrungen der frühen Kindheit festgelegt wird — das spätere private und vor allem politische Verhalten des Untertans aus diesen Kindheitsepisoden schlüssig sich ableiten lassen.

II

Fürchterlicher als Gnom und Kröte war der Vater, und obendrein sollte man ihn lieben. Diederich liebte ihn. Wenn er genascht oder gelogen

*hatte, drückte er sich so lange schmatzend und scheu wedelnd am Schreib-
pult umher, bis Herr Heßling etwas merkte und den Stock von der Wand
nahm. Jede nicht herausgekommene Untat mischte in Diederichs Ergebenheit und Vertrauen einen Zweifel. Als der Vater einmal mit seinem inva-
liden Bein die Treppe herunterfiel, klatschte der Sohn wie toll in die
Hände — worauf er weglief.*

*Kam er nach einer Abstrafung mit gedunsenem Gesicht und unter Ge-
heul an der Werkstätte vorbei, dann lachten die Arbeiter. Sofort aber
streckte Diederich nach ihnen die Zunge aus und stampfte. Er war sich
bewußt:* »*Ich habe Prügel bekommen, aber von meinem Papa. Ihr wäret
froh, wenn ihr auch Prügel von ihm bekommen könntet. Aber dafür seid
ihr viel zu wenig.*« (»Der Untertan«, S. 5)[1]

Schrankenlose Macht des Vaters ist im beschriebenen Typus der bürgerlichen Familie die alles beherrschende Erfahrung des Kindes. Recht-
fertigung zieht jene Macht, ohne dies doch einzugestehen, aus der phy-
sischen Überlegenheit des Vaters und aus seiner ökonomischen Verfü-
gungsgewalt über Menschen und Sachen. Die tritt der Heßlingschen Familie noch recht unmittelbar, die Autorität des Vaters stetig erneuernd, vor
Augen. Zwar ist, am Übergang von der handwerklich-häuslichen zur industriellen Fertigungsweise, der Familienverband nicht mehr Produktions-
gemeinschaft; doch bleibt die Verbundenheit von Produktions- und Pri-
vatsphäre, von *Papierfabrik, Kontor* (S. 5/7) und Wohnhaus, auch räumlich eng genug, um *das Oberhaupt in seiner produktiven gesellschaftlichen
Leistung* den ›Seinen‹ nachdrücklich vor Augen zu führen.[2]

Aus schierer Daseinsnotwendigkeit fügt das Kind sich wie selbstverständlich der ›väterlichen‹ Macht. Ihre Legitimation rational zu ergründen,
gar in Frage zu stellen, verbietet schon das Mißverhältnis der Kräfte,
auch der intellektuellen. So muß die Autorität des Vaters als natürlicher
Zustand erscheinen: legitimiert durch ihre bloße Existenz, keiner Erklärung bedürftig. Kaum wüßte Diederich zu sagen, warum er den Vater
noch *fürchterlicher* findet als Gnom und Kröte, die grausigen Schemen der
Phantasie. Gleichviel, er i s t fürchterlich, und Diederich fürchtet ihn.
Am eigenen Leibe erfährt das Kind nur, daß der Vater Triebverzicht fordert — daß er diese Forderung gewaltsam durchsetzen und Verstöße be-
strafen kann. Wenn aber Diederichs Unterwerfung als *Ergebenheit und
Vertrauen* charakterisiert wird, so zeugt dies vom Affektschleier, den die
bürgerliche Familienethik über die rohe Herrschaftsordnung breitet. Die
P f l i c h t , als die oberste Instanz dieser Ethik, kontrolliert dabei noch
ihr eigenes Gegenteil, die spontane Emotion: *Fürchterlicher ... war der
Vater, und obendrein s o l l t e man ihn lieben. Diederich liebte ihn.* Der
Eros wird, ehe er seine autoritätsfeindliche Kraft entfalten kann, von der
patriarchischen Gewalt ›in Pflicht genommen‹ und trägt seinerseits wieder
zur Befestigung eben dieser Gewalt bei. *Indem das Kind in der väterlichen
Stärke ein sittliches Verhältnis respektiert und somit das, was es mit
seinem Verstand als existierend feststellt, mit seinem Herzen lieben lernt,
erfährt es die erste Ausbildung für das bürgerliche Autoritätsverhältnis.*
(Horkheimer)[3]

Die nachträgliche affektive Besetzung des Autoritätsverhältnisses kann freilich darüber nicht hinwegtäuschen, daß die väterliche Macht vom Kinde nur als *terroristische Disziplin, traumatisch, überwältigend, ichbrechend* erfahren wird.[4] Symptom dafür ist ihre sporadische und immer unkontrollierte Durchbrechung. *Unterwerfung unter die Autorität ... der Eltern, Respekt und Furcht* gehen beim autoritären Charakter typischerweise zusammen mit *launenhafte(r) Aufsässigkeit gegen die Eltern.*[5]

In den Schuldgefühlen, die solche Aufsässigkeit regelmäßig begleiten, kündigt die willentliche, ja masochistische Rückkehr unter die Disziplinargewalt sich an. Deren Emblem ist, in der Familie wie später in der Schule, der Rohrstock. Im Strafritual wird — mit Bracchialgewalt und in gegenseitigem Einverständnis — die momentan erschütterte Herrschaftsordnung wiederhergestellt. Diederichs Drang zur *Abstrafung* zeigt seine objektive Unfähigkeit, die schon gewohnte Unterordnung prinzipiell in Frage zu stellen. So ist der autoritäre Charakter *durchaus mit strenger Bestrafung einverstanden,* identifiziert sich *mit dem Strafenden und (scheint) eine Art Lustgewinn daraus zu ziehen.*[6]

Die masochistische Identifikation mit der herrschenden Macht garantiert, daß kindliche Aufsässigkeit nur selten gegen diese Macht selber gerichtet wird. Das läßt im zitierten Abschnitt noch die Erzählweise erkennen: Vater Heßlings Treppensturz wird als anekdotisch-einmaliges Geschehen präsentiert, während der Erzähler sonst vorwiegend typische Situationen und Verhaltensweisen berichtet. Zudem entspringt gerade in der Treppensturz-Episode Diederichs Aggression keiner konkreten Versagung, sondern ist als Schadenfreude *Ausdruck einer allgemeinen und diffusen Wut, die starken Verdrängungen entspringt und zu unkontrollierten ›Durchbrüchen‹ neigt.*[7]

Als typisches Verhalten Diederichs dagegen ist seine Aggressionsübertragung auf die Arbeiter anzusehen. Die Wut, die gegen den Vater, d. h. *die wirkliche Ursache von verhinderten Triebbefriedigungen*[8] zu richten dessen wahrhaft handgreifliche Autorität verbietet, sucht sich ein wehrloses Ziel. Das Bürgersöhnchen findet es in den Arbeitern, die vom Unternehmer-Vater gerade so abhängig sind wie er selber. Psychologische und politische Kategorien verschränken sich hier. Diederich Heßlings spätere Haltung zum Proletariat, das er als legitimer Erbe seines Vaters ökonomisch ausbeuten und politisch bekämpfen wird, ist vorgezeichnet durch seine eigene Kinderrolle in der bürgerlich-autoritären Familie. Der weiß er sich, und sei es als unterdrücktestes Glied, mit Stolz zugehörig; noch die erlittene Strafe ist Auszeichnung, Insignum bürgerlichen Standes: *Ich habe Prügel bekommen, aber von meinem Papa.* Die Familie als Ganzes wird für den autoritären Charakter *zur ›Eigengruppe‹ im Sinne des Ethnozentrismus.*[9] Dieser materiell und moralisch ausgezeichneten Gruppe stehen verachtete, meist auch sozial niedrigere Fremdgruppen gegenüber, auf die man ungestraft die Aggressionen ableiten kann, die die Autorität der Eigengruppe provoziert hat. Aus diesem Mechanismus rührt Diederichs spezifische Feindschaft gegen das Proletariat her — und im weiteren Sinne seine ethnozentrische Weltauffassung, die für Versagungen, Mißerfolge und Enttäuschungen stets die (auswechselbaren) Fremdgruppen verantwortlich macht, während sie die — familiäre, ständische, nationale, rassische — Eigengruppe unkritisch glorifiziert.

Aus solchen Wahnvorstellungen nährt sich der zwanghaft-undifferenzierte Haß *gegen eingebildete Feinde draußen und im Innern* (S. 341), der für den autoritären Charakter so typisch ist wie für den autoritären Staat. Das Kaiserwort *Ich kenne nur zwei Parteien, die für mich und die wider mich* (S. 138), das Diederich so oft und gern zitiert, ist das Glaubensbekenntnis des Ethnozentrismus. Es rechtfertigt Heßlings skrupellose, menschenverachtende Geschäftspraktiken ebenso wie die chauvinistische Überheblichkeit und die imperiale Machtpolitik eines Staates, der auf den Heßlingen gründet.

III

Frau Heßling wollte Diederich nötigen, vor dem Vater hinzufallen und ihn um Verzeihung zu bitten, weil der Vater seinetwegen geweint habe! Aber Diederichs Instinkt sagte ihm, daß dies den Vater nur noch mehr erbost haben würde. Mit der gefühlsseligen Art seiner Frau war Heßling durchaus nicht einverstanden. Sie verdarb das Kind fürs Leben. Übrigens ertappte er sie geradeso auf Lügen wie den Diedel. Kein Wunder, da sie Romane las! Am Sonnabendabend war nicht immer die Wochenarbeit getan, die ihr aufgegeben war. Sie klatschte, anstatt sich zu rühren, mit dem Dienstmädchen ... Und Heßling wußte noch nicht einmal, daß seine Frau auch naschte, gerade wie das Kind. Bei Tisch wagte sie sich nicht satt zu essen und schlich nachträglich an den Schrank. Hätte sie sich in die Werkstatt getraut, würde sie auch Knöpfe gestohlen haben.

Sie betete mit dem Kind ›aus dem Herzen‹, nicht nach Formeln, und bekam dabei gerötete Wangenknochen. Sie schlug es auch, aber Hals über Kopf und verzerrt vor Rachsucht. Oft war sie dabei im Unrecht. Dann drohte Diederich, sie beim Vater zu verklagen; tat so, als ginge er ins Kontor, und freute sich irgendwo hinter einer Mauer, daß sie nun Angst hatte. Ihre zärtlichen Stunden nützte er aus; aber er fühlte gar keine Achtung vor seiner Mutter. Ihre Ähnlichkeit mit ihm selbst verbot es ihm. Denn er achtete sich selbst nicht, dafür ging er mit einem zu schlechten Gewissen durch sein Leben, das vor den Augen des Herrn nicht hätte bestehen können.

Dennoch hatten die beiden von Gemüt überfließende Dämmerstunden. Aus den Festen preßten sie gemeinsam vermittels Gesang, Klavierspiel und Märchenerzählen den letzten Tropfen Stimmung heraus. (»Der Untertan«, S. 6 f.)

Der geheime Bezugspunkt, um den die Vater-Sohn-Beziehung sich ordnet, ist die Mutter. Erst sie liefert dem Ehemann das zentrale Motiv zur Entfaltung seiner Autorität gegenüber dem Kind. Dies Motiv wird freilich nicht beim Namen sexueller Eifersucht genannt — hier im Text so wenig wie im täglichen Leben der Bürgerfamilie. Dennoch unterdrückt Vater Heßling in seinem Sohn den erotischen Rivalen. *Love for the mother, in its primary form, comes under a severe taboo.*[10] Und erst unter diesem Aspekt des väterlichen Lustmonopols wird die autoritäre Charakterbildung des Kindes, wird sein Verhalten gegen die Macht und die Machtlosen in voller Konsequenz durchschaubar: *The resulting hatred against the father is transformed by reaction-formation into love. This transformation leads to a particular kind of superego. The transformation of hatred into love, the most difficult task an individual has to perform in his early development, never succeeds completely. In the psychodynamics of the ›authoritarian character‹, part of the preceding aggressiveness is absorbed and turned into masochism, while another part is left over as sadism, which seeks an outlet in those with whom the subject does not identify himself: ultimately the outgroup.* [11]

Fast härter noch unterdrückt als der Sohn, dem immerhin die Nachfolge des Vaters winkt, ist in der bürgerlichen Familie die Frau. In einer von Männern beherrschten Gesellschaft bleibt sie *häusliche Leibeigene* des Mannes [12] bis daß der Tod sie scheide. So entspricht es vielleicht nicht dem Status, den Frau Heßling als ›Geschäftsfrau‹ nach außen vertritt, wohl aber ihrer innerfamiliären Abhängigkeit, wenn sie, statt die Arbeit zu tun, *die ihr aufgegeben war ... mit dem Dienstmädchen* klatscht.

Zwar mögen der Ehefrau rechtliche Subordination, ökonomische Abhängigkeit und sexuelle Beschränkung durch den Mann bewußter sein als sie dem Kinde werden können. Gerade so wird aber die Frau zur loyalen Stütze väterlicher Autorität, ja der Autorität überhaupt: erkennt sie doch in ihr die Garantin ihrer eigenen Existenz und der ihrer Kinder. Zur Unterwerfung unter die gottähnliche Autorität (und autoritäre *Verzeihung)* des Ehemannes ist Frau Heßling daher noch stärker geneigt als ihr Sohn, dessen Verhalten doch auch von taktischen Überlegungen bestimmt wird. Generell jedoch regrediert sie auf die Entwicklungsstufe des Kindes: die Macht des Gatten mag an die des eigenen Vaters erinnern. Ihr Infantilismus hat ähnliche Ursachen und zeitigt gleiche Symptome wie Diederichs Verhalten; gleichartig sind die Verstöße gegen das hausväterliche Gesetz: *Übrigens ertappte er sie geradeso auf Lügen wie den Diedel.* Lügen sind Versuche, frevlerische Triebbefriedigung vor der Autorität zu verbergen. Als Beispiel solchen Frevels steht, dreimal auf den drei ersten Romanseiten, der Genuß von Süßigkeiten. *Und Heßling wußte noch nicht einmal, daß seine Frau auch naschte, gerade wie das Kind.* Verfolgt wird noch die Ersatzlust des Gaumens, die hier offensichtlich im Gefolge sexueller Frustration steht; verfolgt wird auch die Ersatzlust der Phantasie: der ärmliche Traum vom besseren Leben, den die *Romane* wecken.

Allem Genuß haftet das Bewußtsein von Schuld an: wenn Diederich *Malzzucker zerlutscht* (S. 6) oder wenn ihm später, in seinem ersten Liebesverhältnis, der Verdacht kommt, *daß er sich peinliche Übertreibungen habe zuschulden kommen lassen* (S. 75). Sein erotisches Verhalten bleibt geprägt von den Zwängen der Kindheit. In ihr muß *von aller der Mutter zugewandten Zärtlichkeit des Sohnes ... aufs strengste jedes sinnliche Moment gebannt werden. Sie (hat) auf reine Gefühle, unbefleckte Verehrung und Wertschätzung Anspruch. Die erzwungene, vom Weibe selbst und erst recht vom Vater nachdrücklich vertretene Scheidung von idealistischer Hingabe und sexueller Begierde, von zärtlichem Gedenken und bloßem Interesse, von himmlischer Innerlichkeit und irdischer Leidenschaft bildet eine psychische Wurzel des in Widersprüchen aufgespaltenen Daseins* (Horkheimer). [13] Dem entspricht Diedels Beziehung zur Mutter:

die von Gemüt überfließenden Dämmerstunden, die doch nur affektiv die prinzipielle Lustversagung verschleiern und darum zwanghaft ihr Gegenteil, mütterliche Rachsucht und kindlich berechnenden Sadismus, nach sich ziehen. Und wiederum reicht die Ambivalenz bis ins Erwachsenenleben. Das erotische Verhalten ist bei Diederich, wie häufig beim autoritären Charakter, geprägt durch eine mangelhafte Integration von Sexualität und Affekt.[14] Trieb und Gefühl, Begehren und Verehrung laufen auseinander oder gar gegeneinander: auf die Anbetung der Geliebten als einer Heiligen (S. 75) folgt bald die Verachtung für so eine (S. 104), die doch nur mit ihm sich einließ. So belegt Diederich Heßling schließlich auch die These, daß autoritätsfixierte Männer meistens (die Frauen) verachten ..., mit denen sie voreheliche sexuelle Beziehungen hatten.[15] Dem Vater des von ihm verführten Mädchens etwa hält er einen Satz entgegen, der wie der Inbegriff doppelbödig-bürgerlicher Sexualmoral klingt: mein moralisches Empfinden verbietet mir, ein Mädchen zu heiraten, das mir ihre Reinheit nicht mit in die Ehe bringt. (S. 104) Daß Diederichs spätere Heirat nicht erotischen Impulsen, sondern den ›Berechnungen‹ bürgerlicher Erwerbspolitik folgen wird, rundet das Bild ab. Die moralischen Anforderungen an die Zukünftige sind, in Würdigung ihres beträchtlichen Vermögens, auch nicht mehr so streng. Nach vollzogener Transaktion freilich wendet sich das Blatt: Seine Auffassung vom Eheleben war die strengste. ... Die Frauen waren der Kinder wegen da, Frivolitäten und Ungehörigkeiten versagte Diederich ... (S. 474) Nur selten kann Frau Guste ihre Rolle als häusliche Untergebene durchbrechen und ihren Herrn und Gatten in einer unerhörten und wahnwitzigen Umkehrung aller Gesetze zum erotischen Untertan machen (S. 478 f.) Für seine erotische ›Schizophrenie‹ steht dennoch das Verhältnis zur Kleinstadtkokotte Käthchen Zillich, das Direktor Heßling renommierend aufrecht erhält. Mehrfach wird die Ähnlichkeit dieser Dame mit Frau Direktor Heßling selbst betont — was die Vermutung bestätigt, daß auch diese ›Parallelaktion‹ noch ein spätes Produkt der Scheidung von Affekt und Sexualität sei, die in der frühkindlichen Familienerfahrung angelegt war.

Die Deformation der kindlichen Sexualität programmiert das Individuum für eine Welt, in der nicht Triebbefriedigung, sondern -unterdrückung gefordert ist, wo sadistische und masochistische Energien vor allem im öffentlich-politischen und ökonomischen Bereich ausgelebt werden. Mag der autoritäre Charakter zur eigenen Sexualität ein zwiespältiges Verhältnis haben, zu der der anderen hat er ein eindeutiges. A strong inclination to punish violators of sex mores may be an expression of a general punitive attitude based on identification with ingroup authorities, but it also suggests, that the subject's own sexual desires are suppressed and in danger of getting out of hand.[16] Das läßt an die Szene denken, da Diederich während der Arbeitszeit in seiner Fabrik hinter eine(m) Haufen Säcke (S. 117) ein Liebespaar entdeckt. Sexualneid und Arbeitgeberinteressen vermischen sich. Braut? — so wischt er die Erklärung des Betroffenen hinweg (S. 118) — Hier gibt es keine Braut, hier gibt es nur Arbeiter. (Daß bald danach Diederich und seine spätere Ehefrau Guste auf denselben Lumpensäcken sich näherkommen, ist nicht nur effekthaschende Reprise des Erzählers, der freilich die ironische Wiederholung von Bildern und Situationen liebt. Vielmehr wird angedeutet, daß dem autoritären Charakter die Regungen keineswegs abgehen, die er an anderen so fanatisch verfolgt.)

In der Episode mit dem Arbeiterpaar lassen sich, wie früher schon, sexuelle und ökonomische Motive kaum trennen. Diederichs Entrüstung über die *öffentliche Unzucht* (S. 118) gibt der über die Profitschädigung eine pseudomoralische Legitimation. *Ihr seid Schweine und außerdem Diebe.* (S. 118) Wo die Sexualmoral so locker ist, wird auch die Arbeitsmoral es sein — und die politische. Daß dies Gesindel sich aufrührerischer Umtriebe schuldig macht, kann Herrn Direktor Heßling nicht überraschen; daß der entlassene Arbeiter am gleichen Tag von einem Militärposten, den er offenbar belästigt hatte, erschossen wird, ist nur folgerecht. *Das ist fürwahr der Finger Gottes.* (S. 150)

IV

Nach so vielen furchtbaren Gewalten, denen man unterworfen war, nach den Märchenkröten, dem Vater, dem lieben Gott, dem Burggespenst und der Polizei, nach dem Schornsteinfeger, der einen durch den ganzen Schlot schleifen konnte, bis man auch ein schwarzer Mann war, und dem Doktor, der einen im Hals pinseln durfte und schütteln, wenn man schrie — nach allen diesen Gewalten geriet nun Diederich unter eine noch furchtbarere, den Menschen auf einmal ganz verschlingende: die Schule. Diederich betrat sie heulend, und auch die Antworten, die er wußte, konnte er nicht geben, weil er heulen mußte.

. . .

Immer blieb er den scharfen Lehrern ergeben und willfährig. Den gutmütigen spielte er kleine, schwer nachweisbare Streiche, deren er sich nicht rühmte. Mit viel größerer Genugtuung sprach er von einer Verheerung in den Zeugnissen, von einem riesigen Strafgericht. Bei Tisch berichtete er: »*Heute hat Herr Behnke wieder drei durchgehauen.*« *Und wenn gefragt ward, wen?*

»*Einer war ich.*«

Denn Diederich war so beschaffen, daß die Zugehörigkeit zu seinem unpersönlichen Ganzen, zu diesem unerbittlichen, menschenverachtenden, maschinellen Organismus, der das Gymnasium war, ihn beglückte, daß die Macht, die kalte Macht, an der er selbst, wenn auch nur leidend, teilhatte, sein Stolz war. Am Geburtstag des Ordinarius bekränzte man Katheder und Tafel. Diederich umwand sogar den Rohrstock.

Im Laufe der Jahre berührten zwei über Machthaber hereingebrochene Katastrophen ihn mit heiligem und süßem Schauder. Ein Hilfslehrer ward vor der Klasse vom Direktor heruntergemacht und entlassen. Ein Oberlehrer ward wahnsinnig. Noch höhere Gewalten, der Direktor und das Irrenhaus, waren hier gräßlich mit denen abgefahren, die bis eben so hohe Gewalt hatten. Von unten, klein aber unversehrt, durfte man die

Leichen betrachten und aus ihnen eine die eigene Lage mildernde Lehre ziehen. (»Der Untertan«, S. 8 f.)

Von familiärer Zucht wohl vorbereitet, lernt das Kind die Autoritäten der sozialen Umwelt kennen. Auch deren Macht scheint ihm unbezweifelbar, naturgegeben. Rollenautorität, die doch auf gesellschaftlicher Delegation basiert, wird als Willkürherrschaft begriffen; so beim Polizisten, *der, wen er wollte, ins Gefängnis abführen konnte.* Der Schornsteinfeger wiederum, *der einen durch den ganzen Schlot schleifen konnte,* wirkt autoritär nur, weil man seine harmlose Funktion dämonisiert, um das Kind zu disziplinieren. Selbst die Sachautorität des Arztes, *der einen im Hals pinseln durfte und schütteln, wenn man schrie,* löst sich von ihrer rationalen Legitimation und erstarrt zum Herrschaftsverhältnis.

Die scheinbar wahllose Aufzählung gibt in Wahrheit Aufschluß über Diederichs weitere Entwicklung. All diese *furchtbaren Gewalten* sind austauschbar. Autorität ist nicht mehr an eine bestimmte Person und deren Qualitäten gebunden; Autorität ist Autorität und als solche verehrungswürdig. Die so verschiedenen Gewalten stehen freilich nicht unverbunden nebeneinander, sie legitimieren und stärken sich gegenseitig.

Max Horkheimer hat betont, wie sehr der protestantische Gottesbegriff und die aus ihm abgeleitete Soziallehre zur *Verdringlichung der Autorität* [17] beigetragen habe. Diesen Zusammenhang läßt auch die genannte Aufzählung erkennen. Nicht zufällig ist da in engster Koppelung von *dem Vater, dem lieben Gott* die Rede. Es entspricht durchaus dem zugrundeliegenden psychischen Mechanismus, diese Bezeichnungen aufeinander zu beziehen, die zweite als Apposition der ersten zu lesen oder umgekehrt. In der Vorstellung des Kindes werden der *fürchterliche* Vater, den es lieben soll, und der *schreckliche liebe Gott* (S. 6) fast identisch. Wenn der christliche Gott als Vaterfigur imaginiert wird, so macht andererseits die vorgeblich göttliche Legitimation der Vaterautorität den Vater selbst gottähnlich.

Der zitierte Abschnitt markiert eine zweite Phase in der Entwicklung des autoritären Charakters. *Die Funktion des Vaters wird allmählich von seiner individuellen Person auf seine soziale Position verschoben, auf seine Imago im Sohn (das Gewissen), auf Gott, auf die verschiedenen Einrichtungen und ihre Vertreter, die den Sohn lehren, ein erwachsenes und selbstbeherrschtes Mitglied der Gesellschaft zu werden* (lt. Marcuse). [18] Unterwerfung wird zum Automatismus, den jede beliebige Autorität — oder Pseudoautorität — auslösen kann. Damit ist die Voraussetzung für den — speziell politischen — Mißbrauch der Autorität gegeben. Wichtiger als Personen werden Institutionen: so wie der Polizist ist auch der Lehrer *Machthaber* nur dank seiner Zugehörigkeit zu einer Herrschaftsorganisation. Das zeigen die negativen Beispiele des entlassenen und des wahnsinnig gewordenen Lehrers. *Noch höhere Gewalten ... waren hier gräßlich mit denen abgefahren, die bis eben so hohe Gewalt hatten.* Die Schule wird im Gegensatz zur Familie als mehrfach gestufte Hierarchie erfahren. Diederich weiß nicht nur e i n e n Vater, sondern gleich mehrere Instanzen über sich; dafür steht er auch nicht mehr ganz unten, kann den Mitschülern gegenüber erstmals aktiv an der

Macht partizipieren. Er bewährt sich als Denunziant und demütigt, von *Beifall ringsum* angespornt, *den einzigen Juden seiner Klasse.* Nach dem Proletariat ist damit die zweite verachtenswerte Fremdgruppe bezeichnet, an die der bürgerliche deutsche Nationalismus fixiert ist.

Den *hierarchischen Begriff von den menschlichen Beziehungen* [19], den die Schule ihn lehrt, trägt der autoritäre Charakter in die Familie zurück: *Die Macht, die ihn in ihrem Räderwerk hatte, vor seinen jüngeren Schwestern vertrat Diederich sie.* (S. 10) Und, Jahrzehnte später: *Wie Diederich in der Furcht seines Herrn, hatte Guste in der Furcht des ihren zu leben. Beim Eintritt ins Zimmer war es ihr bewußt, daß dem Gatten der Vortritt gebühre. Die Kinder wieder mußten ihr selbst die Ehre erweisen, und der Teckel Männe hatte alle zum Vorgesetzten.* (S. 475)

Die masochistische Glorifizierung der Macht, die das Kind unter seinem Vater lernt, vollzieht es auch im institutionellen Rahmen der Schule; allmählich formt sie sich zur Konstante von Diederichs Verhalten aus. Bildhaft-grotesken Ausdruck findet die Machtverehrung in *bekränzte(n) Rohrstock.*

Als ›Agentur der Gesellschaft‹ ist die Schule kaum weniger wichtig als die Familie. Auf das Gymnasium folgt freilich noch eine Reihe von *unerbittlichen, menschenerachtenden, maschinellen Organism(en),* die Diederich im Laufe seiner Karriere erleiden und verherrlichen wird. In der Studentenverbindung, der er in Berlin beitritt, sind die Autoritätsbeziehungen noch weiter formalisiert, ideologisiert und von aller sachlichen Berechtigung, die sie in der Schule noch besitzen mochten, entleert. Beim Militär wird die autoritäre Unterordnung dann direkt von der politischen Macht in Beschlag genommen. Heßling lernt die umfassendsten Herrschaftsorganisation, die höchste Macht kennen: den autoritären Staat selber. Immer steht er auf Seiten dieser Macht, zumal er aus seiner Parteinahme persönlichen Nutzen ziehen kann. Die sogenannte staatserhaltende Gesinnung wird im Intrigenspiel seiner heimatlichen Kleinstadt zur wirkungsvollen Waffe gegen lästige ökonomische und politische Konkurrenz.

Noch einiges über Diederichs Beziehung zum Staat. Dessen Macht steht am Endpunkt der fortschreitenden ›Depersonalisierung‹ von Autorität, die schon in der Schule einsetzte. Diese Macht ist ein komplizierter, scheinbar autonomer, gewalttätiger Mechanismus. Diederich erfühlt sie mehr als daß es sie durchschaut: *die Herren des Staates, Heer, Beamtentum, alle Machtverbände und sie selbst, die Macht! Die Macht, die über uns hingeht und deren Hufe wir küssen! Gegen die wir nichts können, weil wir alle sie lieben! Die wir im Blut haben, weil wir die Unterwerfung darin haben!* (S. 354) Doch den Untertanen drängt es nicht nur nach Unterwerfung, sondern auch nach Identifizierung. So muß er die anonyme, maschinelle ›Macht‹ wiederum personalisieren: er tut es im Bilde des Kaisers. Dessen Autorität steht offensichtlich in nächster Nähe zur göttlichen wie zur väterlichen: er ist Vater der Nation von Gottes Gnaden. Allerdings: Heßlings eigenes stereotypes Kaiserlob entlarvt das Scheinhafte der imperialen Autorität: der da tautologisch als *persönlichste Persönlichkeit* (S. 137 u. ö.) gerühmt wird, ist keineswegs personaler Ursprung und Inbegriff der Macht, er ist ihre Charaktermaske.

Im Kaiser hat der Untertan das höchste Objekt seiner sado-masochistischen Identifikation gefunden. Dieser Vorgang wird, wie andere psychische Prozesse auch, vom Autor kunstfertig zu einer Serie grotesker Bilder genutzt. *Diederich inzwischen fuhr ohne Zweck fort, zu blitzen und steinern dazustehen: in der Haltung des Kaisers ... Diederich fühlte den Helm auf seinem Kopf, er schlug gegen den Säbel an seiner Seite und sagte: »Ich bin sehr stark!«* (S. 168) Er imitierte die kaiserliche Haltung am Stammtisch und auf der Hochzeitsreise, legt sich selbst den *Schnurrbart ... Seiner Majestät* zu (S. 152). Er zitiert Kaiserworte, echte und erfundene, und mehrmals steht er seinem allerhöchsten Herrn von Angesicht zu Angesicht gegenüber. *... und einige Sekunden lang waren sie, indes ringsum dahinten eine fremde Menge ihnen Beifall klatschte, in der Mitte des leeren Platzes und unter einem knallblauen Himmel ganz miteinander allein, der Kaiser und sein Untertan.* (S. 390) Die Identifizierung mit dem Herrscher ist für Heßling wahrhaft ›erhebend‹ — nicht nur in dieser Episode. *An der Stärke, an der Macht zu partizipieren, ist für den autoritären Charakter um so befriedigender, je entfernter und ›höher‹ diese Macht ist; die höheren Mächte, die Staatsgewalt oder der Führer entfernen sich in einer autoritär strukturierten Gesellschaft entsprechend als unantastbar von der ›Masse‹ und der Gefolgschaft. Durch die gleichwohl vorhandene Identifikationsneigung fühlt sich der autoritäre Charakter der ›Elite‹ zugehörig, durch die Identifikation mit den Herrschenden gegenüber den ›Minderwertigen und Schwachen‹ hervorgehoben in unterstellter Teilhabe an der Macht. So kann er, unabhängig von der eigenen ›massenhaften‹ sozialen Position, wiederum auf die außenstehende ›Masse‹ herabsehen, sie verachten* (Schmiederer).[20] Diederich gewinnt aus dem Bewußtsein der Machtteilhabe seine Energien sowohl für den aktiven Kampf gegen die geschäftlichen und innenpolitischen Gegner als auch für den *nationalen Narzißmus*[21], den er vorwiegend verbal entfaltet.

V

Die expliziten politischen Äußerungen Diederich Heßlings, so wirr, ja lächerlich sie bisweilen klingen, verbinden sich doch zu einem Ganzen, das dem heutigen Leser auf bestürzende Weise vertraut ist. Ethnozentrische Weltsicht prägt den Wortschatz und fordert die entsprechenden Taten: für die Eigengruppe stehen Begriffe wie *Herrenvolk* (S. 502), *Herrenkultur* (S. 501), *Weltmacht* (S. 481), *spartanische Zucht der Rasse* (S. 412). Ringsum freilich drohen feindselige Fremdgruppen: der *Erbfeind Frankreich*, die *unverschämten Engländer* (S. 481), die *jüdische Frechheit*, die *vaterlandslosen Gesellen* (S. 405) oder auch die sozialdemokratische *Pest des Umsturzes* (S. 411), die *Schlammflut der Demokratie* (S. 504). Die Imperative des politischen Handelns leitet der Untertan mit Vorliebe von Verben wie *zerschmettern* (S. 476) und *ausrotten* (S. 504) ab oder aus Maximen wie *Macht geht vor Recht* (S. 341). Erschreckend und vorausdeutend schließlich Heßlings Forderung: *Blödsinnige und Sittlichkeitsverbrecher waren an der Fortpflanzung zu verhindern.* (S. 412)

Diese *Kernworte deutschen und zeitgemäßen Wesens* (S. 476) sprechen für sich selbst. Zweifellos gibt sich in Heßlings *Idealvorstellung von staat-*

licher Organisation — ... *blickt man genauer hin, die der Nazis* zu erkennen. Selbstverständlich scheint, was Michael Nerlich dieser seiner Feststellung anfügt: *Was Heinrich Mann hier vorausgeahnt hat (oder aber: was er in den bereits vorhandenen Anlagen schärfer erkannte als die meisten Zeitgenossen), m u ß dem Leser nach der tausendjährigen Katastrophe Entsetzen einjagen ...* [22] Und doch ist einschränkend zu sagen: die Vorstellungswelt und Erscheinungsform des Faschismus, die Heinrich Mann ganz gewiß antizipiert hat, k a n n erst eine Leserschaft entsetzen, für die eben dieser Faschismus geschichtliche Erfahrung geworden ist. Die Phantasmagorie des totalitären Staates, die durch alle Groteske und Karikatur des »Untertan« schimmert, mußte von Zeit und Wirklichkeit erst eingeholt werden, ehe man ihre diagnostische Schärfe würdigen konnte. Zu früh — jedenfalls für eine angemessene Einschätzung seines Romans — hat Heinrich Mann den Faschismus durchschaut: zwei Jahrzehnte vor dessen realer Machtentfaltung, aber auch lange vor der Entwicklung einer ökonomisch und sozialpsychologisch fundierten Faschismustheorie, die dann doch nur bestätigte, was der Literat mit scheinbar so leichter Feder hingeworfen hatte. (»Der Untertan« wurde bereits seit 1906 konzipiert, war 1914 abgeschlossen, erschien freilich erst 1918 in einer Buchausgabe.)

So lassen in der Wirkungsgeschichte dieses Buches zwei gegenläufige Tendenzen sich erkennen. Das zeitgenössische Publikum sah im »Untertan« eine aktuelle, karikierende Satire ohne die Qualitäten ernsthafter Analyse. Ein — freilich extremes — Urteil in diesem Sinne formulierte der ›unpolitische‹ Bruder Thomas Mann: ... *ein sozialkritischer Expressionismus ohne Impression, Verantwortlichkeit und Gewissen, der Unternehmer schildert, die es nicht gibt, Arbeiter, die es nicht gibt, soziale ›Zustände‹, die es allenfalls ums Jahr 1850 in England gegeben haben mag, und der aus solchen Ingredienzien seine hetzerisch-liebenden Mordgeschichten zusammenbraute, — eine solche Sozialsatire wäre ein Unfug, und wenn sie einen vornehmeren Namen verdiente, einen vornehmeren als den der internationalen Verleumdung und der nationalen Ehrabschneiderei, so lautet er: Ruchloser Ästhetizismus.* [23]

Erst das Altern dieses Werkes — sein ›Veralten‹, was die konkret geschilderten Zustände angeht — und die geschichtliche Entwicklung seit seinem Erscheinen haben den vollen historisch-analytischen Wahrheitsgehalt freigelegt. Der Thomas Mann der amerikanischen Emigration, der Autor des »Doktor Faustus« hätte jenes Urteil gewiß nicht mehr unterschrieben. Den »Untertan« aber wird man heute nicht mehr als flächige, gar böswillige Karikatur einer absterbenden Epoche lesen, sondern als prognostische Auseinandersetzung mit einem Ungeist, der sich erst zu entfalten begann.

VI

Heinrich Böll (1969): *Ich war erstaunt, als ich den »Untertan« jetzt wieder las, erstaunt und erschrocken: fünfzig Jahre nach seinem Erscheinen erkenne ich immer noch das Zwangsmodell einer untertänigen Gesellschaft.* [24]

Anmerkungen:

1 Zitate aus dem »Untertan« werden im Text mit der Seitenzahl der Erstausgabe nachgewiesen: Heinrich Mann: »Der Untertan« Roman, Leipzig und Wien 1918 (Kurt Wolff Verlag).
2 Max Horkheimer: »Autorität und Familie« (1936), jetzt in: M. H.: »Kritische Theorie. Eine Dokumentation«, Frankfurt am Main 1968, Bd. I, S. 340   **3** Ebda., S. 332   **4** Theodor W. Adorno u. a.: »Der autoritäre Charakter. Studien über Autorität und Vorurteil« (Gekürzte deutsche Fassung. Übersetzt und hg. vom Institut für Sozialforschung Frankfurt am Main), Amsterdam 1968, Bd. I, S. 241   **5** Ebda.   **6** Ebda., S. 278   **7** Ebda., S. 273   **8** Ebda.   **9** Ebda., S. 241   **10** T. W. Adorno, Else Frenkel-Brunswik, Daniel J. Levinson, R. Nevitt Sanford: »The Authoritarian Personality« (Studies in Prejudice), New York 1950, S. 759   **11** Ebda.
12 »Autorität und Familie«, S. 346   **13** Ebda., S. 352   **14** »Der autoritäre Charakter«, S. 269   **15** Ebda.   **16** »The Authoritarian Personality«, S. 241   **17** »Autorität und Familie«, S. 334   **18** Herbert Marcuse: »Triebstruktur und Gesellschaft«, Frankfurt am Main, 1965, S. 77   **19** »Der autoritäre Charakter«, S. 246   **20** Ursula und Rolf Schmiederer: »Der neue Nationalismus in der politischen Bildung«, Frankfurt am Main 1970, S. 47   **21** Wilhelm Reich: »Massenpsychologie des Faschismus«, (Kopenhagen 1934), S. 98   **22** Michael Nerlich: »Der Herrenmensch bei Jean-Paul Sartre und Heinrich Mann«, in: »Akzente« 16 (1969), S. 471   **23** Thomas Mann: »Betrachtungen eines Unpolitischen« (»Das essayistische Werk«, Bd. I), Frankfurt am Main 1968, S. 422   **24** in: »Akzente« 16 (1969), S. 403

Wolfram Schütte

Film und Roman

Einige Notizen zur Kinotechnik in Romanen der Weimarer Republik

...*mein Kopf und die Beine von Marlene Dietrich (›Der blaue Engel‹)* — von dieser Beziehung Heinrich Manns zum Film soll hier nicht die Rede sein. Sie ist bekannt und vielen der Autor des »Unrat« und »Untertan« nur über die Filme vertraut, die nach beiden Büchern hergestellt wurden.[1] Nicht die Bedeutung, die Heinrich Manns Werk für den Film hat, reizt unser Interesse. Die Einwirkungen, die vom Film auf die »Weimarer Republik-Romane« Heinrich Manns erkennbar sind, sollen hier skizziert werden. Der begrenzte Raum gestattet vorerst nur diesen Umriß unseres Themas: Wann, warum und wie *Kinotechnik im Roman*[2] Heinrich Manns nachweisbar ist.

I Filmdichtung

In den 1930 publizierten Bemerkungen zum »Blauen Engel«, an dessen Drehbuch (und Dreharbeiten) Heinrich Mann nach eigenem Zeugnis mitgearbeitet hat, heißt es vom Schriftsteller: *Die ganze Mitwelt kommt in Aufruhr, weil ein besonderes Erlebnis und ein aufsehenerregender Mensch hervordrängen. Wir* (die Schriftsteller. W. Sch.) *setzen dies in Szene, obwohl wir es nur mit Worten tun. Es wird doch sichtbar. Unsere Arbeit ist die eines besonders selbständigen und einfallsreichen Regisseurs. Roman schreiben, von dieser Seite gesehen, heißt Regieführen ... Ein Film ist kein Roman, seine Handlung kann nicht genauso verlaufen wie dort, sowohl die Straßen wie die Menschenleben verlangen andere Perspektiven. Neben den übrigen Mitarbeitern am Film habe auch ich mich bemüht, den Roman hinüberzuführen in den Film...*[3]

Die Analogien und Differenzen, die Heinrich Mann hier zwischen Schriftsteller/Filmregisseur und Roman/Film erkennt, sind technischer, handwerklicher Natur. Seine Aufgeschlossenheit war für die damalige Zeit erstaunlich, sein Verständnis für das Spezifische des neuen Mediums außerordentlich. Er hatte das schon in seiner am 26. Februar 1928 gehaltenen Rede zur 1. Veranstaltung des von ihm mitbegründeten »Volksverbandes für Filmkunst« bewiesen.[4] Unter Filmdichtung verstand Heinrich Mann damals — wie er am Beispiel von Pudowkins »Die letzten Tage von St. Petersburg« zeigt — nicht die Verfilmung literarischer Werke, also nicht die äußerliche Literarisierung des Films, sondern *die absolute Filmdichtung, vom wörtlich ausgesprochenen Gedanken so unabhängig wie Werke sein können, so unabhängig wie die absolute Musik... Der russische Regisseur ... hat einen Film (›gedreht‹), sonst nichts. Er aber bleibt in jedem Augenblick Dichter, daran ist kein Zweifel; bleibt Dichter, Visionenempfänger, eingeweiht in die Geheimnisse, die Seele sichtbar zu machen — über das Werk hinweg, sogar über den Ge-*

danken fort ... Und weiter heißt es dort: *Mit Stoffen, die nicht erst durch die Literatur hindurch gegangen sind, kann ein Regisseur Größeres erreichen* ... als mit vorgegebenen literarischen Stoffen wie den »Webern« oder gar *Literatur zweiten bis letzten Ranges.* [5]

Ein differenziertes Verständnis von der Eigenständigkeit des Films kann also schon zu dieser Zeit bei Heinrich Mann angenommen werden. Wie nahe aber gerade die *Filmdichtung* etwa eines Pudowkin von ihm im Vergleich zum eigenen Werk als Dichter gesehen wurde, wird aus dem Vortrag »Die geistige Lage« (1931) deutlich, dessen Polaritäten schon in der Rede über Filmdichtung vorgezeichnet sind. Hatte dort Heinrich Mann vom deutschen Film gefordert, er solle der *einfachen deutschen Wahrheit dienen, was* wichtiger sei *für uns* als der schönste russische Film; er solle *das bescheidene Werden der deutschen Gegenwart, der bürgerlichen Republik, ihres Zwischenzustandes gesellschaftlich und geistig zwischen Tradition und Zukunft* zeigen; so spricht er in der Rede »Die geistige Lage« von jener Literatur des *gelungenen Berichts* als Roman, in dem *die Ereignisse, die wirklich stattgefunden haben, grundsätzlich nicht übertrieben und auch nicht abgeschwächt, die Personen weder verschönt noch verhäßlicht sind.* [6] Dem wünschenswerten Dokumentarfilm korrespondiert der Reportage oder der Tatsachenroman.

Der *Filmdichtung* aber entspricht der *große Roman*, als dessen Autor Heinrich Mann sich selbst ansieht, wenn wir auch gerade seine Romane der Republik heute nicht unter die bedeutendsten seiner Werke rechnen. Die enge Verwandtschaft zwischen Filmdichtung und der eigenen Dichtung wird aus der Charakterisierung deutlich, die beide, mit einem nahezu vollständig identischen Vokabular, bei Heinrich Mann finden. Hatte er Pudowkins Film so umschrieben: *Er läßt das Volk sebst spielen, vielmehr das Leben selbst noch einmal vor sich gehen. Das* Ü b e r t r a g e n e , G e s t e i g e r t e , S i n n b i l d l i c h e *ist die natürliche Folge dieser großen Gemeinsamkeit* [7], so heißt es vom großen Roman: er *beschwöre den Sinn des Lebens selbst... Der Sinn des Lebens verhält sich bei weitem nicht so wirklichkeitsgetreu, er ist überrealistisch ... Die großen Romane sind immer und ausnahmslos* ü b e r s t e i g e r t *gewesen — weit* h i n - a u s g e t r i e b e n *über die Maße und Gesetze der Wirklichkeit ... Die Verfasser der großen Romane haben alle empfunden: Wahrscheinlichkeit und Echtheit hin und her! Wichtig ist allein ..., daß die Seele der Menschen und ihrer Gesellschaft in meinen Romanen nackt und bloß handelt und dasteht.* [8]

Was sich in diesen Zitaten seines selbstreflektierenden essayistischen Werkes abzeichnet, ist ein tiefgreifender Wandel des Realismusbegriffs, der Heinrich Manns Werk bis etwa zum »Kopf« bestimmte. Der traditionelle Erzähler Mann will sich jedoch auch dort noch der Tradition verpflichtet wissen, wo er gezwungen ist, mit ihr zu brechen. Er transponiert den *seelischen Realismus*, der die Wirklichkeit ins Überwirkliche (Surrealistische) treibt — er transponiert ihn zurück ins Werk Balzacs, der häufig zu dieser Zeit in seinen Essays genannt wird. Heinrich Mann postuliert, alle großen Romanciers — und er denkt dabei an Balzac, Flaubert, Zola, Hugo und Anatol France — hätten sich um bloße Abbildung der

Tatsachenwirklichkeit wenig gekümmert. Was zählte, war die Seele der Menschen und ihrer Gesellschaft, nackt und bloß.

II Übertragene Formen

Neben Balzac fällt zu dieser Zeit immer wieder auch — ungewöhnlich, unerwartet (und von der bisherigen Heinrich Mann-Literatur noch viel zu wenig beachtet) — des öfteren der Name E. T. A. Hoffmanns.[9] In dem großen Essay »Die Wege des Geschlechts«[10], der die Prostitution und die erotisch-sexuellen Beziehungen im Roman des 19. Jahrhunderts darstellt, wird Hoffmann unmittelbar neben Balzac gestellt: *Die Welt der Kurtisanen hat bei Balzac etwas Rohes und Nichtswürdiges... Sie kommen von außerhalb der Gesellschaft, wie sein großer Verbrecher Vautrin, und sind, gleich ihm, gesandt, um sie zu gefährden. Sie werden hier überlebensgroß gesehen; aber alle Mächte, besonders die gefährlichen, erhalten mehr als menschliche Maße in einer Welt, die noch um die Abgründe unterhalb der Ordnung weiß und mit ihnen bisher nicht scherzt. Die deutsche Romantik empfand das Leben nicht weniger tragisch. Hoffmann, der sich von allen Dämonen gehetzt wußte, hat die des Geschlechts nicht mißverstanden. Er hat sein Wissen nur angewendet, wie es in seinem Lande üblich war, auf übertragene und gestellte Formen des Erlebens. Einfach die bürgerliche Gesellschaft, einfach die Großstadt, das schien ihm unausführbar — mußte ihm so scheinen, weil die Wirklichkeit bei ihm zu Lande nicht unzweideutig geklärt war und gesellschaftliche Tatsachen damals nirgends klar zu Tage und beisammen lagen, wie in Paris. Das Urbild der europäischen Sitten wie auch ihre faßliche Darstellung sind dort zu suchen bis 1870.*[11]

Aufschlußreich ist hierbei der Versuch Heinrich Manns, im Realisten Balzac den Romantiker, im Romantiker Hoffmann den Realisten zu sehen. Die Art ihrer Darstellung der Gesellschaft, in der sie leben, ist verschieden. Balzac geht von einer überschaubaren bürgerlichen Gesellschaft aus, die gleichwohl *noch um die Abgründe unterhalb (ihrer) Ordnung weiß.* Deshalb ist seine Darstellung *faßlich.* Hoffmann sieht sich einer gesellschaftlichen Wirklichkeit gegenüber, *die nicht unzweideutig geklärt war* und in der *gesellschaftliche Tatsachen damals nirgends klar zu Tage und beisammen lagen, wie in Paris.* Er hat deshalb auf *übertragene und gestellte Formen des Erlebens* zurückgegriffen — vorgegebene Formfolien, die ihm gestatteten, sein ›Wissen‹, das nicht hinter dem Balzacs zurücksteht, darzustellen.

Die Dialektik von gesellschaftlicher Avanciertheit und deren ästhetischer Reproduktion im Kunstwerk, strahlt zurück auf die eigene Produktion Heinrich Manns in diesen Jahren.

Nach dem Zusammenbruch des Kaiserreichs, das er im »Untertan« satirisch porträtiert hatte, scheiterte Heinrich Mann mit den Fortsetzungsbänden »Die Armen« und »Der Kopf« an der Abrundung seines kolossalischen Gesellschaftsporträts der Wilhelminischen Epoche. Diese Scheitern ist nicht auf subjektiv nachlassende Schaffenskraft zurückzuführen, sondern auf die uneingestandene Krise eines Realismus, der noch mit einer überschaubaren, detailliert beschreibbaren Gesellschaft rechnete:

Wir glaubten doch einst ... wir seien hinreichend gesicherte Existenzen,
und die Gesellschaft empfanden wir trotz all ihrer Härten als leidlich
wohlmeinend. Jetzt aber steht jeden Morgen für uns die Lebensfrage
neu da; und die Gesellschaft ist tatsächlich das dunkle Durcheinander
böser Kräfte, die wir sonst für erdichtet hielten.[12] Im »Kopf« versucht
Mann der Krise seines Realismuskonzepts zu begegnen durch symbolische
Verschränkungen der Fabel und durch den Charakter eines Schlüssel-
romans der Oberen Gesellschaftskreise — eine symbolische Fluchtper-
spektive, die von vornherein zum Scheitern verurteilt war. Die folgenden
Werke spiegeln recht genau die Unsicherheit ihres Autors, der nun zunehmend versucht, bestimmte aktuelle literarische Strömungen in seine
Arbeit zu integrieren.

Schon 1924 meinte Heinrich Mann: *Man sollte Märchen schreiben.*[13]
Mit der Novelle »Liliane und Paul« (1926) hat er eines geschrieben. Klaus
Schröter führt in seiner Heinrich Mann-Monografie diese Äußerung Heinrich Manns und das gesamte erzählerische Werk der Weimarer Zeit auf
Manns Vorbild Balzac zurück. Zwar spricht Mann in seinem Bericht »Tragische Jugend« (1922) davon, daß *wir schon an Romane wie die von Balzac*
denken müssen, um Lebensformen wiederzufinden, wie jene, die jetzt die
unseren geworden sind. Jedoch das Bild von dem *dunklen Durcheinander*
böser Kräfte (s. o.), das Heinrich Mann 1922 — also zur Zeit der Arbeit
am »Kopf« — auf die eigene Erfahrung deutscher Gegenwartsgesellschaft
anwandte, paßt 1931 eher zur Charakterisierung Hoffmanns und der Gesellschaft, in der er lebte, als zu Balzacs Frankreich.

Fügt man hinzu, daß die 1926 publizierte Erzählung »Liliane und Paul«
ein Märchen ist, dessen Nähe zu Hoffmann Heinrich Manns Freund Felix
Bertaux schon erkannt hatte — die Funktion des Nizzaer Carnevals in
»Liliane und Paul« und des Römischen in »Prinzessin Brambilla« ist identisch: Wirklichkeitsaufhebung —; daß aus den folgenden Jahren sich die
Erwähnungen Hoffmanns mehren, das Eindringen mystisch-, romantisch-,
märchenhafter- und parabolischer Momente im Werk Heinrich Manns
von »Mutter Marie« bis zu »Die große Sache« immer klarer hervortritt —
so scheint es unangemessen, den Einfluß von Hoffmann auf Heinrich
Manns erzählerisches Werk während der Weimarer Republik außeracht
zu lassen.

Denn auch Heinrich Mann war Zeitgenosse einer Gesellschaft, *die nicht*
unzweideutig geklärt war, und gesellschaftliche Tatsachen lagen damals
nirgends klar zu Tage und beisammen.

Es scheint deshalb erlaubt, die auch schon von Klaus Schröter konsta-
tierten Veränderungen in der ästhetischen Struktur des erzählerischen
Werkes während der Republik auf die Unsicherheit Heinrich Manns ge-
genüber einer ihm in zunehmendem Maße als Erzähler fremd werdenden
Gesellschaft zurückzuführen.[15] Er griff eben deshalb auf *übertragene*
Formen zurück: auf die des Märchens (»Liliane und Paul«, »Mutter
Marie«) des Kriminalromans (»Ein ernstes Leben«)[16] und der Parabel
(»Die große Sache«). Sie waren geeignet, in klarer Handlungsführung,
den *Sinn des Lebens selbst zu beschwören* — und zwar *überrealistisch,*
übertragen, gesteigert, sinnbildlich. Zu einem ausladenden Gesellschafts-

porträt etwa im Sinne Balzacs (oder noch der »Kaiserreichtrilogie«) sah sich Heinrich Mann ohnedies nicht in der Lage.[17]

Neben solchen Rückgriffen auf Großformen der Vergangenheit, wird der mikroskopische Aufbau der Romane von zahlreichen aktuellen Momenten durchsetzt, die ihn, dem eigenen Rückfall in die Vergangenheit des Erzählens zum Trotz, als zeitgemäß, wenn nicht gar avantgardistisch ausweisen sollen. Neben stilistischen Anleihen beim Expressionismus und der Neuen Sachlichkeit treten Jargonfloskeln, eine bewußte Laxheit der Sprache, die sich jugendlich frisch geben möchte, jedoch im Sprachmaterial ihr Herkommen aus der Vorkriegszeit immer wieder bezeugt. Auch haben aktuelle gesellschafts- und kulturpolitische Ereignisse und Moden ihre Spuren in diesen Romanen hinterlassen: etwa der Boxkampf-Topos als Metapher für das Leben und den Existenzkampf (in »Die große Sache«; übrigens bis ins Spätwerk des »Empfangs bei der Welt«); oder der ungeheure Sprengstoff (»Die große Sache«), der in Hans Henny Jahnns 1929 veröffentlichten Roman »Perrudja« ebenfalls eine zentrale Bedeutung hat, wie ja auch bekanntlich der Boxkampf für Brecht (u. a. »Mahagonny«).

Alle diese Momente sind ausgeworfene Rettungsanker für eine Epik in der Krise: ein heterogenes Gerüst für die ästhetischen Bauformen des *sozialen Romanciers* der eine ihm immer fremder werdende Gesellschaft nicht mehr mit dem Netz seiner herkömmlichen erzählerischen Topografie einfangen kann, ohne daß es zerreißt und der an solchen Zerreißstellen zu Flickstücken greift, die das Loch stopfen sollen.

III Kinotechnik

In diesem Zusammenhang muß man die Adaption filmischer Mittel im erzählerischen Werk Heinrich Manns während der Weimarer Republik sehen. Sie tauchen, bewußt angezeigt, zuerst in »Mutter Marie« (1927) auf und finden sich dann wieder in »Die große Sache« (1930). Nicht von ungefähr lassen sie sich in diesen beiden Romanen nachweisen, die im Gegensatz zu »Eugènie oder die Bürgerzeit« (1928) und »Ein ernstes Leben« (1932) stark märchenhafte, mystische, *überwirkliche* Züge besitzen.

Der Film als Motiv wird in »Mutter Marie« durch den Professor eingeführt, *der für ein Filmmanuskript und den aktuellen Zwecken der Filmgesellschaft zuliebe, Tag für Tag die Geschichte fälschen mußte.*[18] Aber das ist für das, was hier gezeigt werden soll, von vergleichsweise ephemerer Bedeutung. Zentral werden filmische Mittel in erzählerische an der folgenden Stelle in »Mutter Marie« umgeschmolzen: Valentin hat sich Marie gegenüber zum erstenmal rückhaltlos über sein Leben ausgesprochen. Nur eines hat er ihr verschwiegen: daß er an einem Fememord beteiligt war. Aber das Unterdrückte kommt ihm doch über die Lippen. Als er von *Leichen* spricht, will er den Eindruck, den Erinnerung in ihm an die Oberfläche treibt, zumindest dem Gegenüber nicht kundtun. Durch allgemeines Gerede verwischt er das Wort. Darauf heißt es:

Er hatte viel getrunken und bereute es angstvoll. Vor ihm eine Dame, diese Dame, — und sein verantwortungsloses Schwatzen! Er hielt es mit Gewalt an. Nur sein Ohr h ö r t e immer noch jedes Wort. Leichen! D a g i n g w e i t e i n B i l d v o r i h m a u f, es war nachher, ein Wald

*ging auf, der Wald vor zwei Jahren. Sie schritten dahin zu dreien, der
kleinste inmitten. Sie sangen, denn auch die Vögel sangen. Alle Büsche
blühten, blauer Himmel schien durch die dicht belaubten Bäume. Als der
Weg aber am engsten ward zwischen den Buchen, winkte der dritte
Kamerad Valentin, vorauszugehen mit dem Kleinen. Valentin tat es.*

*Valentin hatte nicht gewagt, sich aufzulehnen, er warnte nur flüsternd
das Opfer, schon fiel aber der Schuß. Der Große hatte den Kleinen von
hinten erschossen.*

*Diese einzige kleine Leiche war unerträglicher, als die unermeßlich
vielen, gräßlich zugerichteten des ganzen Krieges. Valentin war vor ihr
geflohen — einige Schritte, und hingebrochen unter der Buche. Der dritte
Kamerad kam nach, sah seinen Zustand, sein Gesicht — und griff noch
einmal zur Waffe. Da war Valentin auf und auf ihm. Die Waffe flog ins
Dickicht, schwer stürzte der Mann ... Valentin hatte ihn nicht wiedergesehen. Aber seitdem erpressten sie ihn.*

*Ihn aber trennte von ihnen jene kleine Leiche — und auch, daß er mit
Gegenwart und Gesellschaft, mochten sie auch nur Zwischenspiel sein,
sich doch nun abfand als was immer, sogar als Eintänzer. W o r a u f e r
w i e d e r   d i e   H o t e l h a l l e   u n d   s e i n e   e i g e n e n   V e r b e u -
g u n g e n   s a h. Zwischen Leiche und Verbeugungen wanderte sein Gedanke.*[19]

Die Rückblende in die Vergangenheit wird hier hervorgerufen durch ein
Wort: *Leichen.* Ein psychologischer Vorgang der Erinnerung. Einmal über
die Lippen geschlüpft, kommt das Wort zurück als Echo und setzt sich
in Valentins Bewußtsein fest. Unmittelbar darauf beginnt die Rückblende,
die exakter als filmischer Vorgang nicht beschrieben werden könnte: *Da
ging weit ein Bild vor ihm auf* ... Nicht nur die sprachliche Form dieses
Satzes, der ohne die Kenntnis des Films (und der Bilder, die in ihm ›aufgehen‹ wie ein Vorhang im Theater, wenn nämlich auf einer dunklen
Leinwand ein einziger heller Punkt sich erweitert, bis er die ganze Leinwand aufgehellt hat) unverständlich wäre, sondern auch die Beschreibung
der Szenerie weist auf die *übertragene Form* des Films, die hier erzähl-
technisch Pate gestanden hat. Denn wie im Film wird erst die Totale des
Waldes gezeigt, dann folgen einzelne Einstellungen auf die Personen, auf
Büsche, Himmel, auf eine Verengung des Weges, bis der Blick bei den
einzelnen Personen verharrt und immer stärker ins Detail geht. Die starke
Visualisierung der Erinnerungsszene ist ein weiteres Indiz; wie auch jene
Passage: *Die Waffe flog ins Dickicht, schwer stürzte der Mann* ... *Valentin hatte ihn nicht wiedergesehen.* Das sind Großaufnahmen, die in den
drei Punkten, nach denen ein Tempuswechsel folgt, verlöschen oder arre-
tiert werden. Auch daß eine Handlung, derart zu Gesten geronnen, auf
ihrem Höhepunkt abgebrochen wird, folgt einem filmischen Gesetz. Der
Tempuswechsel, dem ein Wechsel der erzählerischer Haltung (vom Bild
zum Kommentar) entspricht, deutet einen Zeitsprung an. Technik des Ton-
films ist hier schon antizipiert, den es zur Zeit der Niederschrift des Romans noch nicht gab: im Tonfilm würde Valentin über dem letzten Bild
seiner Erinnerung *(schwer stürzte der Mann)* die Worte gesprochen haben: *Ich habe ihn nicht wiedergesehen. Aber seitdem erpressen sie mich.*

Die Rückkehr aus der Vergangenheit, der Erinnerung, erfolgt wiederum visuell: *Worauf er wieder die Hotelhalle und seine e i g e n e n Verbeugungen sah. Zwischen Leiche und Verbeugungen wanderte sein Gedanke.* Der hohe Abstraktionsgrad des letzten Satzes ist nur auf der literarischen Ebene vorhanden (und hier müßte man ihn als fremd empfinden.) Betrachtet man ihn unter den visuellen, filmischen Gesichtspunkten, so gewinnt er Plastizität und konkrete Erfüllung, wenn man ihn sich als eine Überblendung der Einstellung: Leiche und der Einstellung: Verbeugungen vorstellt.

»Mutter Marie« ist durchsetzt mit solchen Versuchen, filmisches Erzählen für literarisches zu gewinnen. Heinrich Mann greift immer dann zu diesen Mitteln, wenn er Erinnerung seiner Personen darstellt. Bewußtsein, das sich aus vielerlei Vergangenem und Gegenwärtigem konstituiert. Überdeutlich wird in dem folgenden ›Inneren Monolog‹ der Baronin Hartmann auf Filmisches hingewiesen:

Sie fand aus ihrer Vergangenheit auch jetzt nichts wieder als höchstens vereinzelte, z u f ä l l i g b e l e u c h t e t e B i l d e r , und eine V o r - r i c h t u n g der Seele b l e n d e t e sie sogleich wieder a b. Ein Verhandlungszimmer e r s c h i e n .

Da glitt aber das Verhandlungszimmer von gestern über in ein längst vergangenes Sterbezimmer.[20]

Vergangenheit als eine zufällige Folge von Bildern, Erinnerung als Vorführapparat, der sie auf- und abblendet: das technische Vokabular (Vorrichtung, abblenden) steht in Gegensatz zu dem psychologischen Vorgang, den es nicht evoziert, sondern exakt zu beschreiben sucht.

Ein weiteres Beispiel: Baronin Hartmann, in der Betrachtung der eigenen Vergangenheit somnambulisch versunken, sieht sich ihr Kind auf einen Brunnenrand legen. Darauf heißt es: *Baronin Hartmann streckte heftig die Hand aus — nach dem Kind, sie wollte es zurücknehmen. Ein Glas fiel um, der junge Herr ihr gegenüber deckte das Tuch über den verschütteten Wein. Dies rief ihn aus seinen Gedanken ab. Auch Baronin Hartmann war zurück aus den ihren . . .*[21]

Die Verzahnung von subjektiver Versenkung in Vergangenheit und deren Griff, der unmittelbar in die Gegenwart zurückführt, ist ein gebräuchliches Mittel des Films. In zahllosen Filmen kehrt diese Szene wieder, hier hat sie ein Erzähler der Literatur anverwandt. Aber diese unvermittelte beiderseitige Rückkehr aus den Gedanken weist noch auf etwas anderes: Die Zeit des wirklichen Geschehen war für den Augenblick der Rückblenden der beiden Personen (denn eine folgt unmittelbar auf die andere) aufgehoben. Nun, zurückgekehrt, ist sie wieder da.

Innerhalb der Struktur von »Mutter Marie« wird daraus aber auch der Stellenwert solcher Adaptionen filmischer Mittel deutlich, ihre Funktion — so äußerlich sie einem literarischen Verfahren auch sein mag — ist einsichtig. Rückblenden und Überblendungen, die visuell und nicht allein reflexiv gestaltet sind, schaffen ein Gegengewicht gegen die Binnenrealität des Romans. Realität wird durch sie aufgehoben. Gegenwart transparent auf Vergangenes, Personen sind sich ihrer Identität nicht mehr sicher wie die Baronin Hartmann: *Sie mußte ihr Spiegelbild festhalten, um noch zu wissen, sie sei ein Wesen, ein einziges, das sich nicht ändern kann.* [22] Es entsteht eine Atmosphäre, in der sich die Konturen verwischen, ein Raum, der von märchenhaften Geschehnissen (die Liebesgeschichte der Jungen), von opernhaften, melodramatischen (Blitz und Donner in der ›großen Szene‹ des Professors, des Generals und des Präsidenten [23]) und von mystisch-religiösen (Baronin Hartmann in der St. Hedwigskathedrale u. a.) gefüllt wird. Die Seele der Personen *nackt und bloß* kommt zum Vorschein in einer grotesk verzerrten Welt, die *übersteigert* ist ins romantische Melodram. Und wenn Valentin einmal von sich sagt: *Ich fühle mich manchmal als nichts sicher Gegebenes, nur als Durchgang für Zwischenfälle* [24], so trifft sich das mit einer Bemerkung Heinrich Manns aus seinem Nachlaß, wo er mit dem Blick auf E. T. A. Hoffmann schreibt: *Der Sandmann-Klein Zaches-Prinzessin Brambilla: man liebt, was nicht existiert, man stellt vor, was man nicht ist; man hat seine doppelte Persönlichkeit. Der Sinn ist immer: die Unsicherheit allen Erlebens, die fragwürdige Wirklichkeit, der Traum des Daseins, eine Welt tödlicher Enttäuschungen . . .* [25] Das trifft auch auf »Mutter Marie« zu.

IV Kinohaftes

Kurz vor dem Erscheinen von »Die große Sache« veröffentlichte Heinrich Mann eine Vorbemerkung zu seinem neuen Roman. [26] Darin nimmt er, zum letzenmal im Deutschland, Stellung zu Verhältnis Film — Roman — Gesellschaft. Er habe für seinen Roman, schreibt er, *eine Handlung erfunden; das ist beim Roman, wenn nicht das Erste, so doch das Entscheidende.* Handlung im Roman, *nicht mehr verstanden als sinnloses Abenteuer, sondern als die gesetzmäßig bewegte Gesellschaft,* kommt für ihn auf, als sich die Gesellschaft zum erstenmal ihrer selbst voll bewußt wurde. Das war vor hundert Jahren, zur Zeit Balzacs und Eugéne Sues. *Dieser,* fährt Mann, auf den Verfasser der »Geheimnisse von Paris« bezogen, fort, *bringt viel Kinomäßiges, aber auch der große Balzac läßt es sich keineswegs entgehen. Denn die Gesellschaft treibt das Kinohafte wirklich hervor; und die Erscheinungen der Gesellschaft sollen wir Romanciers nicht abschwächen. Wir sollen sie im Gegenteil leichter durchschaubar machen und müssen sie daher steigern.* [27]

Als *kinohaft* wird hier eine expressive, übersteigerte, kolportagehafte Gesellschaftsdarstellung bezeichnet. Aber Heinrich Mann läßt diese Darstellung der Gesellschaft unmittelbar aus ihr selbst hervorgehen — ein Realismus des Surrealen, der dennoch von Mann nicht als ästhetische Flucht, sondern als wahre Reproduktion gesellschaftlicher Bewegung gesehen wird. [28] Die damals aktuelle Rede von der *Krise des Romans* führt er auf die Tatsache zurück, daß *das Kino manches besser macht.* Ist der Roman Bewegung — um wievieles mehr ist es dann doch der Film? Wie sich die beginnende französische Demokratie in handlungsreichen Romanen ankündigte, so habe die heute entstehende das Kino als neues Ausdrucksmittel hinzubekommen. Der Roman sei in keiner Krise, wenn er zeitgemäß bleibe, wenn er sich ändere und den Weg der Gesellschaft mitgehe. *Das erfordert nicht immer Kinotechnik, aber es gebietet auch nicht sachliche Berichte, die am meisten verwandt der statistischen Wissen-*

schaft sind. Hier wird noch einmal die Abneigung Heinrich Manns gegenüber dokumentarischen Romanen sichtbar und die Nähe deutlich, die zwischen seinem erzählerischen Werk und dem Film herstellt.

Kinotechnik im Roman — im Roman »Die große Sache« hat er sie exzessiver angewandt als noch in »Mutter Marie«. War sie dort nur bestimmten psychologisch motivierten subjektiven Erinnerungsvorgängen der Personen vorbehalten — womit gleichzeitig aber auch schon die Binnenrealität des Romangeschehens doppelbödig, transparent auf eine Realität der Vergangenheit hinter der Realität der Gegenwart wurde — so ist die Überblendung in »Die große Sache« ein erzählerisches Mittel, die Surrealität der Fabel darzustellen. Kinotechnik konstituiert den Roman. Je weiter er sich vom Realismus der Wahrscheinlichkeit entfernt, der schon in »Liliane und Paul« und in Partien von »Mutter Marie« aufgelöst oder durchlöchert war, desto stärker rückt dieses Mittel ins Zentrum eines Erzählens, das sich über *Wahrscheinlichkeit und Echtheit* hinwegsetzt. Am deutlichsten erkennbar ist die Überblendung noch in jener Szene, wo Margo, im Zimmer Schattichs, die Hand auf dem Telefonhörer, sich plötzlich in den Sportpalast versetzt glaubt:

Ach so, die waren im Sportpalast. Margo ließ die Hand auf dem Apparat, ohne abzuheben. In der halben Minute, die ihre Hand dort ruhte, s a h Margo den ganzen Sportpalast: die Menge auf den Tribünen, den Ring mit den Kämpfenden. Einer der Kämpfenden war Brüstung, in der Menge auf einer Tribüne erschienen ihr alle anderen, an die sie dachte. Ihr Scharfblick und ihre Gabe der Berechnung arbeiteten zusammen mit all' ihrer Leidenschaft, damit d a s B i l d v o l l s t ä n d i g u n d k l a r w u r d e. Vielleicht wirkten in der Tochter Birks auch Kräfte der Seele, die ihr Vater endlich bei sich festgestellt hatte; ihr aber waren sie noch unbekannt. In ihren Ohren war ein Getöse, als wäre sie mit dem Sportpalast durch Radio verbunden. Das bedeutete Hände klatschen, sie unterschied auch Zurufe, ohne den Namen des Siegers zu verstehen. War es Brüstung? Nein, der Lautsprecher nannte einen anderen. Gleich darauf verkündete er die beiden nächsten Gegner, Julio Alvarez und Bruno Brüstung . . . inzwischen schrillte die Glocke. Schon Schluß der Pause und der nächste Kampf? Margo im Zimmer Schattichs, Margo, die alles sah und hörte, hatte im Ohr den Klang einer Klingel. Für sie war Pause . . . Plötzlich erschrak sie. Das Läutewerk rasselte, es war nicht der Sportpalast, es war hier im Zimmer — das Telefon, auf dem sie die Hand hielt . . . Margo hob ab.[29] Die Überblendung dieser Szene stellt die Simultaneität zweier Vorgänge her. Aber es ist weniger das Ziel Heinrich Manns, das für den sich in linearer Zeit entfaltenden Erzählvorgang schwierige Problem der Gleichzeitigkeit zweier »Parallelaktionen« auf diese Weise (durch Verschachtelung und Umrahmung) zu lösen, als eine wesentliche Erfahrung seiner Hauptperson darzustellen. In der zitierten Passage wird darauf angespielt. Margo, die Tochter Birks, ist auf dem Weg dazu, sich wie ihr Vater, durch starke Konzentration an einen anderen Ort versetzen zu können: hier und dort zu sein. Solche parapsychologischen Momente, deren Herkunft im Werk Heinrich Manns m. W. noch nicht geklärt wurde[30], bestimmen entscheidend den mystischen Charakter der »Großen Sache«. Solches *Seelenvermögen* sichtbar zu machen, war, wie Mann in dem schon zitierten Artikel »Mein Roman« schreibt, das Ziel der »Großen Sache«.

Birks Fähigkeit, an zwei Orten zugleich zu sein, ist zwar kein primär filmischer Einfall, aber seine schockierende Qualität hätte er erst in diesem Medium, das dem der Sprache und dem literarischen Erzählen wegen seiner größeren sinnlichen Präsenz weit überlegen ist. Die Verwandlung eines Ortes in einen anderen, einer Person in eine andere, Parallelhandlungen, die sich gegenseitig im Tempo steigern, sind durch die Montage wesentliche Mittel filmischen Erzählens. Solche Montagen finden sich auch in »Die große Sache«: Verfolgungsjagden mit Autos, ein rasanter Ortswechsel nach dem anderen, Personen, die auf Gesten reduziert sind, Sprache, die sich auf expressive Verkürzungen zusammenzieht — ein atemloses, gehetztes, übersteigertes, visualisiertes Geschehen: alle auf der Jagd nach dem vermeintlichen Glück der »großen Sache«. Bewegung ist das oberste Gesetz dieses Romans; wenn auch die früheren Romane *Gesellschaft in Bewegung* zeigten, so ist doch die Bewegung in »Die große Sache« deutlich an der filmischen orientiert, mit der der Roman wetteifert, ein Versuch Heinrich Manns zugleich, mit den Tendenzen der Zeit gleichen Schritt zu halten — und um der Krise des Romans zu entgehen.

V Bis ins Spätwerk

Mit den Romanen der Weimarer Republik sind Heinrich Manns Versuche, »Kinotechnik« im Roman zu verwenden, nicht beendet. Es sei nur auf seine Tätigkeit als Drehbuchschreiber in Hollywood 1941/42 hingewiesen. Klaus Schröter hat in seiner Heinrich Mann-Monografie von »Lidice« behauptet, es müsse *als Filmscript konzipiert und ausgeführt worden sein*. Wiewohl sich dafür bisher kein Beweis erbringen ließ, ist diese Bemerkung unmittelbar aus der Struktur des Dialogromans evident.[31] Ulrich Weisstein hat in seinem Heinrich Mann-Buch filmische Überblendungstechniken zurecht im »Friedrichs-Fragment« erkannt.[32] Über diese Beispiele hinaus ließe sich im Spätwerk generell die bewußte oder unbewußte Verwendung filmischer Techniken nachweisen. Eine solche Analyse müßte allerdings bis in Kleinformen des erzählerischen Aufbaus etwa des »Empfangs bei der Welt« oder des »Atems« vordringen, wobei auf Montageprinzipien wie sie im »Empfang bei der Welt« und auf Perspektivenwechsel wie sie im »Atem« verwendet sind, das größte Augenmerk gelegt werden müßte. Eine wichtige Aufgabe, die sich der Heinrich Mann-Forschung hier stellt. Diese Notizen sollten dafür nur ein Hinweis sein.

Wolfram Schütte

Anmerkungen

1 Josef v. Sternbergs »Der blaue Engel« (1929/30), unter Mitarbeit H. Manns; vergl. H. Mann: »Briefe an Karl Lemke und Klaus Pinkus«, Hamburg o. J. u. a. S. 11 ff und H. Mann: »Das öffentliche Leben«, Berlin/Wien/Leipzig 1932, S. 325 ff; Wolfgang Staudtes »Der Untertan« (1951); Edward Dmytriks »The blue Angel« (1959)   **2** vergl. »Das öffentliche Leben«, a.a.O. S. 331   **3** a.a.O. S. 327   **4** Essays I, Berlin 1954, S. 292 ff   **5** a.a.O. S. 298 ff   **6** a.a.O. S. 350   **7** a.a.O. S. 298   **8** a.a.O. S. 352 Die Parallele zur Rede über »Filmdichtung« wird noch offenkundiger, wenn man den dort geäußerten Wunsch, *deutsche Filme, die der einfachen deutschen Wahrheit dienen, sind hier und für uns im Grunde wichtiger als der schönste russische* in Verbindung mit dem Tatsachenroman setzt. Für beide gilt als unmittelbares aufklärerisches Ziel, was Heinrich Mann von diesen deutschen Filmen erwartet: *Das bescheidene Werden der deutschen Gegenwart, der bürgerlichen Republik, ihres Zwischenstandes gesellschaftlich und geistig zwischen Tradition und Zukunft sollte ehrlich gezeigt werden* (»Essays« I S. 299)
9 E. T. A. Hoffmann wird zuerst in Reden aus den Jahren 1927 erwähnt (»Essays« II, S. 317 ff, 356 ff). In diesen Reden zur deutsch-französischen Verständigung wird auf E. T. A. Hoffmanns Resonanz in Frankreich hingewiesen, die nur der Rezeption Heines und Nietzsches vergleichbar sei. 1931 (»Essays« II, S. 185 ff, S. 444) und 1932 (»Essays« I, S. 462) wird Hoffmann erneut erwähnt. Von diesen beiden letzten Erwähnungen lassen sich Nachwirkungen im Spätwerk des »Empfangs bei der Welt« (Figur Balthasars und Tamburinis) nachweisen. Aus der Spätzeit H. Manns sind wiederum verschiedene E. T. A. Hoffmann-Erwähnungen bekannt: vergl. »ein Zeitalter wird besichtigt«, Berlin 1947, S. 22 f; »Briefe an Klaus Lemke . . .«, S. 47; unveröffentlichtes Material im H. Mann-Archiv Berlin: *Der Sandmann — Klein Zaches — Prinzessin Brambilla: man liebt, was nicht existiert, mann stellt vor, was man nicht ist; man hat seine doppelte Persönlichkeit. Der Sinn ist immer: die Unsicherheit allen Erlebens, die fragwürdige Wirklichkeit, der Traum des Daseins, eine Welt tödlicher Enttäuschungen. Das war 17 bis 1820 wie es von 18 bis 1943 gewesen sein könnte. Es ist eine Wiederholung unserer Erfahrungen — in der Vergangenheit. Es ist die Vorwegnahme unserer Enthüllungen und Erkenntnisse . . .* (undatiert wahrscheinlich 1943); die unveröffentlichte ›Outline‹ des nicht geschriebenen Romans »Das blinde Schicksal« (H. Mann-Archiv, Berlin); der Fontane-Aufsatz (»Briefe an Lemke . . .« S. 177). Eine Untersuchung über die Bedeutung E. T. A. Hoffmanns für das Werk Heinrich Manns könnte wertvolle Einblicke in seine veränderte Ästhetik seit »Liliane und Paul« geben. Sie steht noch aus — umso dringender aber an. Hier konnte sie nicht geleistet werden. Gleichwohl sind hier (S. 72 ff), soweit für unseren Gegenstand notwendig, einige Skizzen dazu, mit aller gebotenen Vorsicht, versucht worden.   **10** »Essays II, S. 185 ff   **11** a.a.O. S. 191   **12** »Essay« II S. 87   **13** Klaus Schröter: »Heinrich Mann«, Hamburg 1967, S. 108   **14** vergl. ebd. S. 107   **15** Lorenz Winter (»Heinrich Mann und sein Publikum«, Köln und Opladen 1965) spricht in diesem Zusammenhang *bereits für die Weimarer Zeit von einer wachsenden Entfremdung Heinrich Manns zum Publikum; von einer latenten inneren Emigration, die durch das 1933 erzwungene Exil nur noch manifest wurde* (S. 82); vergl. »Thomas Mann/Heinrich Mann Briefwechsel«, Berlin 1967, S. 104: *Soviel ist gewiß, daß hiergegen* (Henri Quatre W. Sch.) *die Romane der Republik, die ich vorher machen mußte, ältlich aussehen. Es war eine Zumutung, dort das Leben zu verherrlichen, wo alles nur auf den Untergang zuhielt.*
16 der eine Paraphrase der »Liaisons Dangereuses« ist.   **17** vergl. U. Weisstein »Heinrich Mann«, Tübingen 1962, S. 142 ein 1927 (!) gegebenes Interview.   **18** vergl. »Mutter Marie«, Zürich 1927, S. 35, 210   **19** a.a.O. S. 53 f   **20** a.a.O. S. 55   **21** a.a.O. S. 57   **22** a.a.O. S. 166   **23** a.a.O. S. 229 ff   **24** a.a.O. S. 53   **25** im Heinrich Mann-Archiv, Berlin   **26** »Das öffentliche Leben«, a.a.O. S. 329/36   **27** vergl. die Parallelität dieser Äußerung mit der H. Manns auf S. 2 f   **28** H. Mann beweist damit eine soziologische Aufmerksamkeit für die Kolportage, die erst die Forschung der letzten Jahrzehnte stärker beachtet hat.
29 »Die Große Sache«, Potsdam 1930, S. 190 f, 203   **30** Bekannt ist nur Heinrich Manns Bericht, daß er seinen Namen in italienischer Einöde gerufen hörte, als sich seine Schwester Leonie, die er sehr liebte, in München umbrachte (s. »Zeitalter«). Das diesem verwandte Motiv der physiognomisch, gestisch, seelischen Wiederkehr Toter in Lebenden — z. B. Poes »Morella« — ist ein romantischer Topos. Er läßt sich in frühen Erzählungen Heinrich Manns nachweisen (z. B. »Ist sie's«). (»Novellen« I, Berlin, 1953, S. 87 ff)   **31** vergl. Klaus Schröter op. cit. S. 144; Wolfram Schütte »Geist und Tat Heinrich Manns« in »Neue Züricher Zeitung« v. 27. 6. 65.
32 vergl. U. Weisstein, a.a.O. S. 197

David Roberts

Heinrich Mann
und die Französische Revolution

Am 3. April 1939 schrieb Johannes R. Becher als Herausgeber der »Internationalen Literatur« zur 150-Jahrfeier der Französischen Revolution an Heinrich Mann:

Ich möchte Sie schon heute im Auftrage aller engeren Freunde auffordern, uns zu der Juli-Nummer einen Leitartikel über die Französische Revolution zu schreiben... Unsere Ansicht ist es, daß Sie, der langjährige deutsche Vermittler dieser großen freiheitlichen historischen Tradition, unzweifelhaft der einzige sind, der das Jubiläum dieses Ereignisses am würdigsten zu feiern imstande wäre. [1]

Immer wieder und mit Recht ist Heinrich Mann der große Verfechter und Vermittler der Französischen Revolution genannt worden; um so bemerkenswerter ist es, daß seine lebenslängliche Beschäftigung mit dieser *großen freiheitlichen historischen Tradition* kaum näher untersucht worden ist. Trotzdem ist seine Auseinandersetzung mit der Revolution und mit der Gestalt Napoleons zentral für sein Werk und seine Entwicklung, und es läßt sich zeigen, daß sein Bild der Revolution, das von der zeitgenössischen Wirklichkeit ausgeht und von ihr bestimmt wird, seine tiefere ›historische‹ Antwort auf die Gegenwart widerspiegelt. Und hier ist es vor allem das Problem der Macht, das Heinrich Mann beschäftigt. Wenn auch keines seiner Hauptwerke die Französische Revolution zum Gegenstand nimmt, ist dennoch diese Epoche 1789-1815 Heinrich Mann immer gegenwärtig. Sie wurde für ihn die Schule der Politik und das Muster der Logik der Macht überhaupt. Diese Beschäftigung mit der Französischen Revolution stellt Heinrich Mann in die Tradition Schiller, Büchner, Heine, eine Tradition, die mit dem »Marat/Sade« von Peter Weiss wieder aktuell geworden ist.

Schon frühzeitig hat Heinrich Mann seine Rolle als die des Romanciers einer Gesellschaft, die sich selbst nicht kannte, verstanden, und das bedeutete für ihn die Weiterführung der Tradition des französischen Romans des 19. Jahrhunderts in Deutschland, vor allem in den Jahren vor 1914, der Zeit einer immer bewußteren Befreiung von den Folgen des Fehlschlags der Hoffnungen von 1848. Beides, die Wende zum französischen Roman und die Kritik an der deutschen politischen und sozialen Entwicklung seit 1848, ist schon im »Schlaraffenland« (1900) vorhanden. Die bewußte Anlehnung an Maupassants »Bel-Ami« und die Literatursatire (gegen die ›Realisten‹ Freytag, Spielhagen und Hauptmann gerichtet) stellen »Im Schlaraffenland« ans Ende des französischen Romans denbrooks«, 1901) des deutschen realistischen Romans des 20. Jahrhundenbrooks« 1901) des deutschen realistischen Romans des 20. Jahrhunderts. Die Gegenüberstellung der Literatur und Gesellschaft Deutschlands und der Frankreichs ist für Heinrich Manns Werk grundlegend und schon hier bei seinem eigentlichen Debüt als Romancier mit der französischen Revolution verbunden, oder genauer mit einem Vorspiel zur Revolution, mit einer Theateraufführung »Le mariage de Figaro«, Paris 1784 — welche hinter der satirischen Darstellung der begeisterten Aufnahme des sozialen Dramas »Rache« (Parodie auf Hauptmanns »Weber«) durch die Berliner Großbourgeoisie steht. Dies ist das Vorspiel zu Heinrich Manns wachsendem Interesse an der Revolution in den darauffolgenden Jahren, das seinen ersten wesentlichen Niederschlag in dem Flaubert-Aufsatz von 1905 findet. Auf den ersten Blick eine Auseinandersetzung mit dem Glanz und Elend des Ästheten, bringt dieser Versuch Heinrich Manns, seine Position zu bestimmen, die entscheidende Klärung, die er sucht, wenn auch zunächst nur als Konfrontation des Künstlers und Bourgeois Flaubert mit George Sand, Menschenfreund und Revolutionär, *immer wieder verfällt sie auf die Revolution und schreckt auch vor 1793 nicht zurück.* Flaubert ist für Heinrich Mann der Meister, aber auch ein Künstler, dessen radikale Entfremdung von der bürgerlichen Gesellschaft Heinrich Manns eigene Isolation vorwegnimmt, so wie das Second Empire Napoleons III. das Wilhelminische Kaiserreich vorwegnimmt (vgl. »Der Untertan«). Heinrich Mann schreibt später im Zola-Essay mit Beziehung auf Flaubert: *Ästhetizismus ist ein Produkt hoffnungsloser Zeiten, hoffnungstötender Staaten.*

Der Ästhetizismus Heinrich Manns, an Nietzsche und Flaubert geschult und am stärksten in der Trilogie »Die Göttinnen« von 1902 exemplifiziert, war vor allem Ausdruck einer instinktiven Ablehnung der Häßlichkeit der bürgerlichen Welt. Die positive politische Alternative der Revolution wird nur zögernd angenommen, zuerst versuchsweise in »Flaubert«, um dann in dem Roman »Zwischen den Rassen« (1905—1907) ins Zentrum zu rücken. Rousseau wird jetzt, nach George Sand, der neue Mentor, und seine Botschaft wird durch intensives Studium von Michelets Geschichte der französischen Revolution unterstützt. Arnold Acton, Dichter und Held des Romans und in vieler Hinsicht Selbstporträt des Verfassers, stellt Rousseaus Lehre von Menschlichkeit und Brüderlichkeit Nietzsches Herrenmoral entgegen. Für diesen Träumer und gehemmten Intellektuellen, dessen Skrupel ihn zur Tat unfähig machten, ist 1789 der Trost:

Dies arkadische Verbrüderungsfest ist gefeiert worden. Sein Gedächtnis ist unser Trost. Seit diesem Ausbruch des Besseren im Menschen ist alles möglich . . . [2]

Dieser Traum von einer besseren Welt wird am Ende des Romans emotionell verwirklicht: unter der aufgeregten Menge am Wahltag in Florenz fühlen sich Acton und Lola, die Heldin, zum ersten Male frei. Der Schluß ist unorganisch, weniger die Summe dieses autobiographischen Romans als Wendepunkt und Durchbruch zum darauffolgenden Werk, dem Roman »Die kleine Stadt« (1907-1909). Es ist der Abschluß der Jahre der Selbstanalyse und der Suche nach sich selbst, Aufhebung der Künstlerproblematik (die so verschiedene Werke wie »Pippo Spano« und »Professor Unrat« verbunden hat), denn die Befreiung des Einzelnen ist mit der Befreiung der Gesellschaft eins geworden. 1910, ein Jahr nach der

Veröffentlichung der »Kleinen Stadt«, beschreibt Heinrich Mann seine Entwicklung wie folgt:

Jetzt bin ich neununddreißig Jahre alt und sehe hinter mir den Weg, der, durch sechs Romane hindurch, von der Behauptung des Individualismus zur Verehrung der Demokratie geführt hat. In meiner »Herzogin von Assy« habe ich einen Tempel errichtet für die drei Göttinnen, für die dreieinige, freie, schöne und genießende Persönlichkeit. Meine »Kleine Stadt« aber habe ich dem Volk erbaut, dem Menschentum. [3]

Von der Behauptung des Individualismus zur Verehrung der Demokratie — der Weg Heinrich Manns ist die Umkehrung von Flauberts »éducation sentimentale«.

Der Besuch einer Operntruppe in der kleinen Stadt wirkt als Katalysator, der die Einwohner in Aufruhr versetzt. Aber hinter der lächerlichen und komödiantenhaften Bewegtheit der kleinen Stadt — ironische Brechung der griechischen Polis und der Stadtrepubliken der Renaissance — blickt das ernsthafte Modell der französischen Revolution durch. Bietet die Ankunft der Schauspieler die willkommene Gelegenheit, die Fesseln des Alltags im Namen der Freiheit abzuschütteln — *Freiheit unter dem Schutze der Venus* —, so entfesselt diese plötzliche Befreiung — eine Art erotische Demokratie — auch die unterschwelligen Spannungen der Stadt: zwei Gruppen bilden sich und stürzen die Stadt in einen Bürgerkrieg en miniature. Auf der einen Seite stehen die Republikaner, Freimaurer, Garibaldianer, auf der anderen die klerikale Partei, die Kleinbauern, die Pächter, überhaupt alle Unzufriedenen. Die Anführer sind der Advokat Belotti und der Priester Don Taddeo, der Sensualist gegen den Puritaner. Diese Bejahung der erotischen Freiheit gegen die Unterdrückung des Fleisches durch den Geist ist noch einmal, und diesmal auf komisch-ernster Ebene, der Kampf Danton-Robespierre in Büchners »Dantons Tod«. Die Situation wird auf die Spitze getrieben durch den Ausbruch eines Feuers, das der Stadt mit Untergang droht. Die Einwohner umringen Belotti; durch ihre Panik in eine blutrünstige Menge verwandelt, wollen sie jetzt einen Sündenbock. Es scheint, daß der Advokat ein Opfer der Kräfte werden muß, die er selber entbunden hat, er wird aber im letzten Augenblick gerettet: er ist der Danton, der der unentrinnbaren Logik der Schreckensjahre 1793 und 1794 entkommt, d. h. die innere Logik der Revolution wird aufgehalten. In einer Antwort auf eine Rezension der »Kleinen Stadt« schreibt Heinrich Mann, daß der Vorgang, den er aufzeigen wollte, der Weg durch die Begeisterung zur Vergeistigung des Tieres im Menschen sei:

Meine Schwierigkeit war, daß ich diesen Vorgang von hundert Jahren in wenige Tage zu drängen hatte. Die niedrigste Form des Menschentums mußte zusammenprallen mit seiner höchsten (wie es vielleicht 1791 und 92 wirklich geschehen), und zwar in jedem aus der Masse ...

Und er beruft sich nochmals auf Rousseau: *Wir wollen glauben: an die Zunahme der Menschlichkeit glauben, an die Zukunft des Volkes, trotz seiner Vergangenheit.* [4]

Dieser Glaubensakt ist kaum ersichtlich, sobald Heinrich Mann sich von der ironisch-utopischen Vision der demokratischen Gesellschaft zur zeitgenössischen deutschen Wirklichkeit des »Untertans« wendet, der satirischen Entlarvung der autoritären Persönlichkeit, als Produkt einer autoritären Umwelt. Zwei kurze, aber wichtige politische Manifeste des Jahres 1910, »Geist und Tat« und »Voltaire-Goethe«, zwischen der »Kleinen Stadt« und dem »Untertan« veröffentlicht, bestimmen seine Position: im Grunde die radikale Verneinung der deutschen kulturellen und politischen Tradition zugunsten der französischen, Rousseau und nicht Nietzsche, Voltaire und nicht Goethe — *Was verrät also diese verbitterte Verachtung der Revolution, an der seine Dichtung zerbricht . . .* [5]. Noch einmal wie in seinem Brief über »Die kleine Stadt« kommt Heinrich Mann in »Voltaire-Goethe« auf 1792 zurück, das Jahr der Ausrufung der Republik und der Schlacht bei Valmy, bei der Goethe zugegen war.

»Geist und Tat«, 1931 als Titel für seine gesammelten Essays »Franzosen 1780-1915« übernommen, dient auch als Überschrift für die zwei zentralen Abschnitte des großen Zola-Aufsatzes von 1915, Heinrich Manns ›J'accuse‹ gegen das Kaiserreich. Der Zola-Essay — Voraussage der kommenden deutschen Niederlage und der Geburt einer Republik aus den Trümmern des Reiches — bedeutet den Höhepunkt von Heinrich Manns revolutionärem Eifer: *Er wäre nicht, der er ist, wenn er Geist sagte, ohne Kampf für ihn zu meinen.* [6] Denn jetzt, in der neuen Situation des Krieges, ist Heinrich Mann bereit weiter zu gehen, die Revolution als Ganzes, und das heißt auch 1793 und 1794, auch die jakobinische Schreckensherrschaft, als notwendig zu akzeptieren. Zolas Kampf um Dreyfus ist ihm der Beweis, daß der Geist der französischen Revolution noch lebt:

Erkannte man Zola nicht wieder? Er hatte, sein eigener Rousseau, sein eigener Condorcet, den Vernunftrausch erlebt von Gleichheit und unbegrenzter Vervollkommnung und ging jenen bitter ekstatischen Weg, auf dem man begreifen lernt, warum Danton fallen mußte, und wie Robespierre ward. [7]

Wenn es Krieg geben muß, dann nicht einen Krieg nach außen, sondern einen Krieg nach innen: der Bürgerkrieg allein ist der Weg zur Größe für eine Nation: *Gereinigt und erhöht werdet ihr durch den inneren Kampf!* [8] Es ist das Bekenntnis des Jakobiners zur Revolution und Höhepunkt einer Entwicklung, die ihn zwischen 1905 und 1915 die innere Logik der Revolution nachvollziehen läßt. Die wesentlichen Stadien sind »Flaubert« und »Zwischen den Rassen« (1789), »Die kleine Stadt« und »Geist und Tat« (1791/92), »Zola« (1793/94). Es überrascht kaum, daß Heinrich Mann in »Zola« seinen Weg und sein Werk ausschließlich politisch verstanden haben will: seine eigene Entwicklung wird der ›inneren Geschichte‹, dem eigentlichen Fortschreiten des Zeitalters gleichgesetzt, an dessen Ende die Republik steht: *das Wesen der politischen Wahrheit selbst, die voraussetzungslose Anerkennung alles dessen, was werden will, des wirklichen Lebens.* [9]

Der Zola-Essay muß aber aus der Dialektik der Gegenwart und der Vergangenheit, des französischen Ideals und der deutschen Wirklichkeit verstanden werden — so gesehen ist er das ideale Gegenstück zum »Untertan«, die antizipierende Überwindung des deutschen Staates und des Krieges, die dem Romancier nicht gelang, da die Werke, die auf diesen Essay folgten, seine prophetische Vision verneinen. Heinrich Mann kann nicht umhin, im zweiten Teil der Kaiserreichtrilogie »Die Armen«, ›Roman des Proletariats‹ (1917), die fehlende revolutionäre Gesinnung der deutschen Arbeiterschaft und der SPD aufzuzeigen; während das Schauspiel »Der Weg zur Macht« (1917/18) (vgl. Kautskys Buch »Der Weg zur Macht«, 1907), die sozialen und politischen Umwälzungen der deutschen Niederlage vorwegnehmend, das Untergehen der französischen Revolution in der Diktatur Napoleons und der Großbourgeoisie in der Allianz von Militär und Kapitalismus behandelt. »Der Weg zur Macht« steht dem 1913 geschriebenen Revolutionsdrama »Madame Legros« gegenüber, das mit dem Sturm auf die Bastille, mit dem Anfang der Revolution abschließt.

Die deutsche Niederlage und ihre Folgen bestätigen die Befürchtungen Heinrich Manns im »Weg zur Macht«. Im gleichen Jahr, 1918, nahm er die Arbeit am dritten Teil der Kaiserreichtrilogie auf, »Der Kopf«, der dann als ›Roman der Führer‹ 1925 erscheint. Es gibt drei Stadien beim Schreiben der Trilogie — die Vorkriegs-, Kriegs- und Nachkriegszeit — und drei Gesellschaftsklassen, die Heinrich Mann unter die Lupe nimmt: die Bourgeoisie, die Arbeiter und die Herrschenden. Dies ist kein zufälliges Zusammentreffen, es wird von der Zeit diktiert. Das Studium der Macht weist Heinrich Mann von seiner eigenen Klasse auf das Proletariat als erhofften Vollstrecker der bürgerlichen Revolution hin, um ihn dann nach 1918 vom Proletariat zu der herrschenden Klasse weiterzuführen; es führt ihn immer näher ans Zentrum der Macht. Er endet im doppelten Sinne beim »Kopf« des Staates, d. h. bei den Intellektuellen und den Machthabern — »Geist und Macht«. Der Roman ist *eine Art General-Abrechnung mit Zeit und Vergangenheit* [10], er zeigt den Selbstmord der bürgerlichen Intelligenz und den Bankrott der politischen Führung der Nation. Indem Deutschland sich in die Kriegskatastrophe stürzt, schießen die beiden führenden Gestalten des Romans, stellvertretend für die Intellektuellen von Heinrich Manns Generation, einander in den Kopf. 1927 sagte Heinrich Mann, daß sein Hauptinteresse die Analyse der Macht sei und ihre Verschiebungen innerhalb des Staates; »Der Kopf« zeige die Übernahme der Macht durch die Finanz und die Industrie, den Staat im Staate. Dieser Roman ist also die Fortsetzung des Schauspiels »Weg zur Macht«, das Ende des Zeitalters schließt sich seinen Anfängen, der Französischen Revolution und den napoleonischen Kriegen an. Die Geschichte des Kaiserreiches wird in den größeren Rahmen der Geschichte der Bourgeoisie eingefügt. Der direkte Zusammenhang zwischen dem Roman und dem Schauspiel ist der Romanprolog »Neunzig Jahre vorher« — Napoleon bei der Schlacht von Austerlitz, zwei Getreidelieferanten streiten mörderisch um den Getreidepreis für das Heer. Nach dem ersten Weltkrieg — der Fortführung der Nationalökonomie durch andere Mittel — kehrt Heinrich Mann zu den napoleonischen Kriegen zurück, um den selbstmörderischen Nexus von Politik und Geschäften als die innerste Tendenz des bürgerlichen Zeitalters bloßzulegen. Der Prolog ist ein Urteil über das Zeitalter: übrig bleibt das Phänomen der

Macht, das die bürgerliche Revolution entfesseln, aber nicht mehr beherrschen konnte — Napoleon reitet über Leichname hinweg.

Der Lauf der Geschehnisse nach 1918 zwang Heinrich Mann zur Revision seiner Position — nicht die Idee der Revolution, sondern die Wirklichkeit der bourgeoisen Machtergreifung damals und jetzt, die Wirklichkeit der Weimarer Republik stellt Heinrich Mann vor eine Krise. Einerseits das Wiederaufleben des Nationalismus, das Chaos des Inflationsjahres 1923, die schnell wachsende Macht der Industriellen, die schon jetzt bereit waren, mit der äußersten Rechten zu paktieren, andererseits das Versagen der linken Parteien und die Spaltung der Arbeiter nach November 1918 — alles trieb ihn zum Ruf nach einer ›Diktatur der Vernunft‹ (1923), zum Traum von einer ›Revolution von oben‹, die er im »Kopf« selbst entlarven muß. Es ist die Krise nicht nur des Republikaners, sondern auch des Romanciers, denn die stilistische und formale Unsicherheit des »Kopfes« verrät ebensosehr seine Desorientierung. Um Heinrich Manns Weg aus dieser Krise zu verstehen, ist es nötig, auf seine bisherige Entwicklung bis zu diesem Punkt kurz zurückzublicken, und zwar unter dem komplementären Aspekt des inneren Konflikts, des Bürgerkrieges.

Die zwei Seelen in Flauberts Brust, dramatisiert in der Konfrontation von George Sand mit Flaubert, spiegeln die Widersprüche des vereinzelten Individiums wider und werden als Bürgerkrieg des Herzens und des Kopfes, der Romantik und des Realismus aufgefaßt, Widersprüche, die eine Lösung fordern, eben den Sprung von dem Einzelnen zur Gruppe. »Die kleine Stadt« zeigt den ›Contrakt Social‹ in Aktion, ruft aber ihr Gegenstück auf den Plan — den »Untertan«, wo die Psychologie der Masse Individualpsychologie des Untertan Diederich Heßling wird, die »Geschichte der öffentlichen Seele unter Wilhelm II«. Der Zustand des latenten deutschen Bürgerkriegs — gegen den ›inneren Feind‹ —, worin privates Interesse vor öffentlichem, Macht vor Recht kommt, wie ihn Heinrich Mann im »Untertan« zeigt, führt notwendigerweise zu einer Dynamik der Aggression. Und als dieser deutsche ›Bürgerkrieg‹ — dem Heinrich Mann in »Zola« den wahren Bürgerkrieg, den Sieg des Rechts, des Geistes über die Macht entgegenhält — mit dem Ausbruch des Krieges die Landesgrenzen überschreitet, muß auch Heinrich Mann seine Vision von der nationalen zur internationalen Szene wenden, von Deutschland nach Europa. Heinrich Manns wesentlichstes politisches Anliegen während der zwanziger Jahre war die Förderung des ›rapprochement‹, der Annäherung zwischen Deutschland und Frankreich: eine so entstandene Einheit wäre, seiner Überzeugung nach, als Kern der zukünftigen vereinigten Staaten Europas, allein imstande, die Gefahr des Nationalismus und des Krieges zu bannen. Dies zusammen mit seinem Zuendedenken der Problematik der Französischen Revolution erzwingt eine radikale Umwertung der historischen Rolle Napoleons. In der Novelle »Auferstehung« von 1911 und dann erneut im »Weg zur Macht« ist Napoleon als Verräter der Revolution dargestellt, er ist eben *der bürgerliche Held,* [11] dem der Erfolg alles bedeutet. Napoleon überschattet als solcher den »Untertan«: er ist die Verkörperung der ›Macht‹, die Napoleon III. und Wilhelm II. nachäfften. Der Diktator, der Imperialist Napoleon, ist der absolute Gegensatz zur Revolution — aber in den zwanziger Jahren kommt Heinrich Mann zu der Auffassung, daß die Revolution und Napoleon e i n Phänomen darstellen, Napoleon bedeutet ihm jetzt die Revolution in Europa. Diese Erweiterung des Blickfeldes von der nationalen auf die europäische Ebene deutet auf die Möglichkeit einer zweiten Interpretation des Prologs »Neunzig Jahre vorher« hin, wie sie in einem anderen Werk des Jahres 1925, dem kurzen Aufsatz »Die Memoiren Napoleons«, gegeben wird. Heinrich Mann schreibt in diesem Aufsatz:

Nun dauert er. Die liberale Idee stirbt, sie ist schon nicht mehr. Aber Napoleon wächst unaufhörlich. Europa nähert sich endlich seinen Vereinigten Staaten, die er gewollt hat ... [12]

Später, in seinen Memoiren »Ein Zeitalter wird besichtigt« (1943/44), ist der Prozeß der Umwertung vollzogen: Napoleon wird nun nicht als Verräter, sondern als Retter der Revolution gesehen, als die Person, die die Revolution durch Europa getragen hat, die Person, die nahe daran gewesen ist, die alte feudale Ordnung zu stürzen und den Kontinent politisch zu vereinen. Und dies weist wieder auf den Prolog zum »Kopf« hin: die Schlacht bei Austerlitz befestigte Napoleons Stellung als Herrscher des Kontinents, sie war der Augenblick, der ein vereinigtes Europa fast verwirklichte.

Diese Widersprüche im Denken Heinrich Manns, in »Neunzig Jahre vorher« konzentriert — Napoleon, die Wirklichkeit der Macht und die Idee eines vereinten Europas —, finden eine Lösung in dem Plan zu einem historischen Roman, der, ebenfalls im Krisenjahr 1925 konzipiert, während der letzten Jahre der Weimarer Republik ausgearbeitet und während der Emigrationsjahre in Frankreich geschrieben wurde: »Die Jugend des Königs Henri Quatre« (1935) und »Die Vollendung des Königs Henri Quatre« (1938). Sein Gegenstand sind die französischen Religionskriege der zweiten Hälfte des 16. Jahrhunderts und Aufstieg und Herrschaft des ›bon roi Henri‹, der für Heinrich Mann der *wahre Prinz der Renaissance* war. *Le grand Dessein* des Königs ist ein europäischer Völkerbund, um der Macht der Habsburger Einhalt zu gebieten und den Frieden aufrechtzuerhalten. Die Parallelen zu der Situation Europas in den dreißiger Jahren sind offensichtlich. Dieses Zusammenspiel von Vision und Wirklichkeit, historischem Modell und zeitgenössischem Geschehen, die Wende zum historischen Roman ist das konsequente Ergebnis von Heinrich Manns geschichtlichem Denken, das ihn die Gegenwart historisch verstehen und die Geschichte zum Zwecke der Verfremdung dieser Gegenwart auswerten läßt. Feuchtwanger sagt dazu:

Sein Gegenstand war niemals der Tag, niemals die aktuelle Politik eines einzelnen Landes. Sein Gegenstand war die Geschichte. Wenn so vieles in seinem Werk prophetisch wirkt, dann deshalb, weil er den geschichtlichen Ablauf darstellt ... [13]

Die Beschäftigung mit der Französischen Revolution liegt Heinrich Mann auch hier im »Henri Quatre« am Herzen. Wir vermögen die innere Bewegung des Romans nur gegen den Hintergrund des Zeitabschnitts 1789—1815 zu verstehen. Der Roman zeigt den Weg von der Revolution

von unten zu ihrer Liquidierung und Weiterführung von oben, vom Volk
zur Verkörperung des Volkes durch den Führer, vom Bürgerkrieg eines
Landes zum europäischen Bürgerkrieg — Frankreich und seine reformie-
ten Verbündeten gegen das Habsburgerreich. Henri ist gleichsam die Prä-
figuration Napoleons, indem er dem verwüsteten Frankreich den Frieden
bringt und die Dynamik des inneren Kampfes auf den Kampf um die
europäische Hegemonie überleitet. Im »Henri Quatre« setzt sich Heinrich Mann mit der Problematik der Revolution und der Macht am inten-
sivsten auseinander. Die Wahl der Gestalt des Henri IV. als eines idealen
Gegenentwurfs zu Hitler zeigt Heinrich Manns Interesse für den erfolgreichen Führer, der in einer Person Geist und Macht vereinigt. Eine solche
Synthese von Geist und Macht erfordert aber, daß sich Heinrich Mann
dem Problem der Macht stellt, dem alten Problem des Verhältnisses von
Mittel und Zweck, und das bedeutet für ihn vor allem die Frage nach der
Revolution und ihrem Ergebnis. Wir müssen auch in Betracht ziehen, daß
er den Roman zur Zeit der nationalsozialistischen ›Revolution‹ zu schreiben begann und daß die politischen Geschehnisse der folgenden Jahre
ihn immer näher an die andere Revolution, die russische, und ihren Führer Stalin heranführten. Heinrich Mann ist beides: Jakobiner und Be-
wunderer des großen Mannes — Henri IV., Napoleons, Stalins —, obwohl gerade sie ihre ›Jakobiner‹, ihren eigenen revolutionären linken
Flügel unterdrücken.

Künstlerischer Höhepunkt der »Jugend des Königs Henri Quatre«
ist die Darstellung der Bartholomäusnacht (mit klarer Beziehung auf den
30. Juni 1934): dieser Machiavellismus des Hofes, der die protestantischen Kräfte dezimiert, wirft seinen Schatten über den ganzen Roman,
über das ganze Leben Henris. Seine Antwort auf diese Schreckensnacht,
nach 26 Jahren harten Kampfes, ist das Edikt von Nantes. Es ist aber
auch die politische Auflösung der revolutionären Linken, der ›alten
Garde‹, die Henri die Macht verschafft hat. Henri verrät seine Hugue-
notten, um den Bürgerkrieg zu beenden: die Folge der Religionskriege ist
nicht die Etablierung einer kalvinistischen Theokratie, sondern die Säku-
larisierung des Staates. Der erste Teil »Die Jugend« legt die Widersprüche der revolutionären Bewegung bloß, der zweite Teil »Die Vollendung« offenbart die Widersprüche der Macht. Henri löst — wie Napoleon — die Revolution auf, um sie zu retten. Er macht — wie Napoleon — Frieden mit der katholischen Kirche und holt seine Feinde im
Namen der nationalen Einheit an den Hof. Staatsräson, der Zwang zum
Handeln hier und jetzt, verlangen, daß der König seine Feinde kauft
und seine Freunde kaltstellt. Er träumt von einem vereinigten Europa
und von der Zerstörung des Habsburgerreiches, des Herzens der Gegen-
reformation, aber das Geld, das er braucht, kommt von dem führenden
Bankier Europas, und mit dem Geld kehren die Jesuiten zurück. Henri
IV. wird schließlich Opfer seiner eigenen Realpolitik: der letzte Teil des
Romans zeigt die »verzerrte Wiederkehr« seiner Anfänge, die Gespenster
der Vergangenheit verhöhnen seine Pläne. An dem Tag, an dem er Paris
verläßt, um die Kampagne gegen Spanien aufzunehmen, den ersten
Schritt zur Ausführung seines *Grand Dessein*, wird er ermodet. Der Roman schließt mit der Auferstehung des Königs, der sich an die Menschen
des 20. Jahrhunderts wendet:

Faites mieux que moi. J'ai trop attendu. Les révolutions ne viennent jamais à point nommé: c'est pourquoi il faut les poursuivre jusqu'à bout, et à force.

Den einen Pol von Heinrich Manns politischem Denken kann man über die Französische Revolution und die Stadtrepubliken der Renaissance auf die griechische Polis zurückverfolgen. Den anderen Pol bildet die Faszination durch den ›großen Mann‹, die Synthese von ›Macht und Geist‹. Die zwei Pole, entgegengesetzt und untrennbar — Demokratie und führender Wille, das Volk und der Führer, Humanismus und Macht: ›Macht und Mensch‹ —, sind für Heinrich Mann am vollständigsten in der Französischen Revolution und in der Gestalt Napoleons ausgedrückt. Sie wurden für ihn die zwei politischen Grundmöglichkeiten, die der Verlauf der deutschen Geschichte ihn zu Ende durchdenken hieß, und es war gerade das deutsche Erbe und die europäische Lage nach 1918 und noch mehr nach 1933, die Heinrich Mann von der Revolution von unten — »Die Jugend« — zur revolutionären Autorität von oben — »Die Vollendung« — trieben. Die zwei Möglichkeiten behält er aber im Auge — den Glauben an die Moskauer Schauprozesse als jakobinischen Schrecken, die Bewunderung Napoleons, aber auch Robespierres, des ›Unbestechlichen‹ und St. Justs, des *gewappneten Erzengels*. [14] Und es bleibt die Skepsis des Moralisten, der seinem Henri den Moralisten Montaigne zur Seite stellt, dessen Devise *Que sais-je* den Roman als Leitmotiv durchzieht.

Anmerkungen

1 »Johannes R. Becher — Heinrich Mann. Briefwechsel«, in: »Sinn und Form« XVIII (1966), S. 325—333   2 »Zwischen den Rassen«, Leipzig 1917, S. 185
3 Die wichtigen autobiographischen Aussagen Heinrich Manns sind bei André Banuls gesammelt: »Heinrich Mann. Le poète et la politique«, Paris 1966, S. 617 f.
4 »Brief an Lucia Dora Frost«, in: »Die Zukunft«, 19. Februar 1910
5 H. Mann: »Essays«, Hamburg 1960, S. 18   6 Heinrich Mann: »Essays«, S. 208
7 Heinrich Mann: »Essays«, S. 219   8 Heinrich Mann: »Essays«, S. 210
9 Heinrich Mann: »Essays«, S. 200   10 Heinrich Mann an Felix Bertaux, 18. März 1925. Zitiert bei Werner Middelstaedt: »Heinrich Mann in der Zeit der Weimarer Republik — die politische Entwicklung des Schriftstellers und seine öffentliche Wirksamkeit.« Diss., Potsdam 1964, S. 130
11 Vgl. Heinrich Manns Aufsatz »Der bürgerliche Held«, 1921 zur 100-Jahrfeier Napoleons geschrieben. Im Essayband »Sieben Jahre«, Berlin 1929, wieder abgedruckt
12 Heinrich Mann: »Essays«, S. 140   13 Lion Feuchtwanger an Alfred Kantorowicz, 14. März 1951. Zitiert bei Sussbach: »Kritik am Jugendwerk Heinrich Manns«, Diss., University of Southern California 1959, S. 50.   14 Heinrich Mann: »Ein Zeitalter wird besichtigt«. Berlin 1947, S. 390

Wolfram Schütte

Das dramatische Schaffen Heinrich Manns

Dem Leser der frühen Novellen und Romane Heinrich Manns mag es verwunderlich erscheinen, daß der Autor nicht früher zum Schauspiel gefunden hat. Offene und versteckte Liebeserklärungen an das Theater als die höchste und gleichzeitig gefährlichste Form exzessiven Lebensgenusses finden sich allenthalben im Frühwerk. Nicht nur die Vorlieben des Autors der »Branzilla«, der »Schauspielerin« und der »Kleinen Stadt« für das Komödiantentum, das Schauspiel und die große Oper der Zeit, die zentrale Bedeutung für weite Bereiche seines Schaffens besitzen, legen die Frage nahe, warum Heinrich Mann nicht früher von der epischen Beschreibung des Theaters zu dessen unmittelbarer schöpferischer Realisation übergegangen ist. Viel mehr noch weisen die epischen Werke aus dieser Zeit über den vergleichsweise äußerlichen thematischen Aspekt hinaus auch durch die Eigenart ihres Stils, der Charakterzeichnung und des Dialogs unmittelbar auf ein implizit Dramatisches hin. Einige Novellen ziehen ihre innere Spannung nur aus ihrer dialogischen oder monologischen Struktur. Novellistisch verkappte dramatische Szenen könnte man sie nennen, die punktuell einzelne Konflikte zuspitzen und derart verkürzen, daß selbst die schon auf das äußerste konzentrierte Form der Novelle — wie sie etwa mustergültig im Schaffen Kleists vertreten ist — sie nicht mehr episch auffängt und der immanente Drang zur Dramatik über sie hinausschießt.

In der Tat hat Heinrich Mann zuerst zwei seiner Novellen für die Bühne bearbeitet und ihnen einen originär für das Theater geschriebenen Sketch hinzugefügt — drei Einakter sehr unterschiedlichen Charakters, dennoch aber Antizipationen seines ganzen folgenden dramatischen Schaffens, dessen thematische und stilistische Variabilität schon hier in nuce ausgeschritten ist. (Dies sind die ersten veröffentlichten und aufgeführten Stücke. Wie Kantorowicz im Nachwort zur Ausgabe des »Schauspiele«-Bandes der Aufbau-Verlagsausgabe mitteilt, befindet sich im Heinrich Mann-Archiv noch die bisher unveröffentlichte, vor kurzem erstmals in Celle und in der DDR aufgeführte Komödie »Das Strumpfband«. Das Autograph trägt die Datierung: 1902; im gleichen Jahr hat Heinrich Mann Frank Wedekind persönlich kennengelernt.)

Die unter dem Titel »Drei Akte« zusammengefaßten dramatischen Erstlingswerke »Der Tyrann«, »Die Unschuldige« und »Varieté« wurden in den Jahren 1909/10 geschrieben und 1910 uraufgeführt.

Dem »Tyrann« liegt die gleichnamige Novelle aus der Zeit um 1907 zugrunde, die, wie das Stück, das nur sehr geringfügige Veränderungen aufweist, zum bedeutsamen italienischen Stoffkreis des frühen Heinrich Mann gehört. Was der Dichter in diesem Einakter gestaltet, zur Antithetik eines expressiven Dialogs verdichtet, ist die an Nietzsche geschulte

Dialektik von Machtgier und Menschenliebe, von Erotik und Mord — Vexierbilder abgründiger Psychologie der Macht, an deren Wahrhaftigkeit er bis ins hohe Alter festhielt. Kann man deshalb im »Tyrann« die erste Ausbildung einer politisch-historisch vermittelten Thematik im dramatischen Oeuvre Heinrich Manns erkennen — er wird sich in den Stükken »Madame Legros« und noch eindeutiger in »Der Weg zur Macht« damit beschäftigen —, so darf man in »Die Unschuldige« den Vorläufer der große Dramen »Schauspielerin« und »Die große Liebe« sehen, Werke, in denen das antipodische Verhältnis des Künstlers zur bürgerlichen Gesellschaft thematisch wird. Auch »Die Unschuldige« basiert auf einer Novelle, die im gleichen Jahr (1910) erschien. Die »Doppeldeutigkeit der Worte und Begriffe«, die Kantorowicz schon am »Tyrann« hervorhob, ist hier noch gesteigert und bis zur Grenze totaler Verwirrung der Gefühle und Tatsachen vorgetrieben. Von Beginn an wird eine Atmosphäre der Ambiguität evoziert, bis sich Andeutungen, Hinweise, Widerrufe und unkontrollierte Gefühlsausbrüche zum Netz des Zweifels verdichten, das sich immer enger um die weibliche Hauptfigur zusammenzieht. Auch ist hier schon ein dramatisches Minimum an gestischer Darstellung erreicht, das über die Spannungsmomente des Dialogs hinausgeht und den Bezirk der Sprachlosigkeit integriert.

Aber erst »Varieté« kann als originäres dramatisches Debütantenstück Heinrich Manns angesprochen werden. Es besitzt auch noch heute manchen Reiz durch die Frische seiner Erfindungskraft, die Gelenkigkeit seiner Dialogführung und den amüsanten Sprachwitz, der den Einakter kabarettistisch auflädt. Vor allem in der Rolle der Leda — *das Geschlecht selbst, in all seinem tödlichen Reiz* (»Zeitalter«) — hat er eine seiner faszinierenden Frauengestalten geschaffen, die gefährlich zwischen ›grande dame‹, Vamp und Unschuld vom Lande schillern. Stilistisch weist dieses Stück auf die spätere Komödie »Das gastliche Haus« und das Singspiel »Bibi« hin, wie auch der Frauentyp, den die kleine Leda verkörpert, die naive, lustige, glückhafte Kehrseite jenes Lebensschicksals zeigt, das für Leonie, die Hauptfigur des folgenden ersten großen Dramas, »Schauspielerin«, tödlich enden soll.

Einer der Gründe für Heinrich Manns Beschäftigung mit dem Theater ist biographischer Natur. [1] Die *sehr geliebte Schwester Carla* wollte Schauspielerin werden; doch ihr Talent war gering. Als ihr Verlobter, ein reicher Bürgersohn, auf Wunsch seiner Eltern sich von ihr trennte, schied sie freiwillig aus dem Leben. Das ist der biographische Hintergrund des Dramas, nur geringfügig hat Heinrich Mann das fiktive Geschehen den Bühnenerfordernissen angepaßt. Kurz nach dem Selbstmord der Schwester, 1910, geschrieben, greift es doch thematisch auf die früher geschriebene (1906) Novelle gleichen Titels zurück. Überwindet aber im frühen Werk die Schauspielerin noch den herben Verlust, indem ihr ›Spieltrieb‹ die Oberhand gewinnt und sie sich am Ende *unter einem Schauer von Wehmut und Stolz* eingesteht: *Ich bin eine Komödiantin*, so endet für die Schauspielerin des Stückes der Konflikt zwischen Bühne und Leben, Spiel und Ernst, Kunst und Wirklichkeit, in dem sie immer tiefer versinkt, mit dem konsequent vollzogenen Freitod. In einer späteren Fassung des Stückes, die nur handschriftlich vorliegt, hat der Dichter ver-

sucht, diese tragische Konsequenz aufzuheben und gleichzeitig zu über-
bieten: auch der Selbstmord ist nur komödiantisches Spiel, in dem das
Leben überwunden wird — eine späte Rückkehr zum früheren Ausweg
der Novelle.

Aber diese ›Korrektur‹ zur Farce hin nimmt dem Stück den durch-
gängigen Ernst und zerstört die Einheit der Hauptperson. Zwar zeigt
diese Figur Abgründe und Widersprüche auf viele Arten; aber sie sind
begründet in dem schizophrenen Schwebezustand, der sich Schauspieler-
leben nennt. Indem der Schauspieler Leben unmittelbar verdichtet darstellt, gelangt er über das alltägliche Dasein und seine Konformität
hinaus. Da er diese Transzendierung aber nur mimetisch, imitativ vollzieht, verschärft sich in ihm der Widerspruch zum ›Leben‹ bis zur Anti-
nomie. Daran geht Leonie zugrunde. Die Sprache, in der sich hier die
Personen mitteilen, ist noch ungebrochen; stoßen die Gestalten an die
Grenze der Mitteilbarkeit, so nicht, weil etwa Sprache und Sprechen
selbst verdächtig geworden wären; vielmehr haben sie sich dann in Lüge
verstrickt und über dem Spiel, das sie mit ihrem und der anderen Leben
trieben, jenes vergessen, das das Leben mit ihnen selbst treibt. [2]

Kurz nach der »Schauspielerin« schrieb Heinrich Mann »Die große
Liebe« (1912), neben dem grotesken »Brabach« wohl das mißlungenste
seiner Bühnenwerke. Besaß das voraufgegangene Stück noch die weit-
gespannte Struktur des klassischen Dramas, so zerfällt »Die große Liebe«
in drei stilistisch sehr verschiedene Akte (ursprünglich waren es sogar vier;
der Autor hat das Stück später in seiner Buchausgabe auf drei Akte zu-
sammengestrichen). Ein idyllischer Mittelteil wird eingerahmt von einem
ironisch pointierten Empfang in einem reichen, kunstliebenden Bürger-
haus und einer lockeren Szenenfolge, in der die internationale Gesellschaft, die sich zur Sommerfrische an einem oberitalienischen See versammelt hat, scharf satirisch gegeißelt wird. Der junge bekannte Tonkünstler
Gassner, von dessen großer, letztlich vergeblicher Liebe zu einer verhei-
rateten Frau aus dem Großbürgertum das Stück handelt, hebt sich gegen
diese mondäne Welt verdorbener Charaktere allzu vorteilhaft ab. Ist
Heinrich Mann zwar gerade im letzten Akt eine Fülle kleiner satirischer
Sketches gelungen, so harmoniert die Bitterkeit, die aus ihnen spricht,
doch schlecht mit dem großen Abschiedsduett zwischen den Liebenden.

Zerrissenheit und Unausgeglichenheit des Stückes haben ihre Gründe.
Es ist ein Werk des Übergangs, signifikant weniger für die weitere Entwicklung des Dramatikers — das wird erst mit »Der Weg zur Macht«
und »Brabach« deutlich —, als vielmehr für den Epiker. Übergang, das
heißt hier: Abkehr von der hochgestimmten, leidenschaftlichen Dialektik
der Liebe; Abkehr von dieser auf intime, psychologisch minuziös motivierte Handlungen und Wirkungen bedachten Kunst und hin zum großen
Gesellschaftsbild, das dem Satiriker und Protokollanten des »Untertan«
— an dem er schon seit einiger Zeit intensiv arbeitete — vor Augen stand.
Übergang mithin vom großen Kammerspiel der Gefühle, Leidenschaften
und Triebe zum politisch-historischen Drama.

*

1913, ein Jahr nach »Die große Liebe«, *in ein paar Wochen glücklich hingeschrieben,* folgte »Madame Legros«. Es sei das einzige Stück, das er so ernst nehme wie seine Romane, bekannte er später im »Zeitalter«. Erst 1917 wurde es in München uraufgeführt und fand Beifall gleichermaßen bei der Kritik und dem Publikum. Was den Dichter am Stoff der »Madame Legros« faszinierte, war die Unbedingtheit, mit der hier eine unscheinbare Bürgersfrau für Recht und Gerechtigkeit eintrat, sich über *Spott, Müdigkeit und Gefahr* hinwegsetzte, um dem Ruf, dem sie spontan gefolgt war, nicht untreu zu werden. Eines Tages flattert der Weißwirkerin Legros, die nahe der Bastille lebt, ein Zettel in die Hände. Ein Unglücklicher, der seit Jahrzehnten zu Unrecht in der Bastille schmachtet, bittet um Hilfe. Von diesem Ruf ergriffen, kennt Madame Legros nur noch das eine Ziel, den Schmachtenden zu befreien. Sie setzt Ehe, Ehre und ihr Leben aufs Spiel, erregt Mißfallen, Aufruhr und Lächerlichkeit, spricht die Leute in ihrer Straße ebenso auf den Fall des Unglücklichen an wie die adlige Gesellschaft und die Königin. Je mehr aber ihre Spontaneität nachläßt, desto verzweifelter hält sie an ihrem Willen zur Gerechtigkeit fest, bis sie am Ende über alle Vorurteile siegt. Sie erhält den Tugendpreis der Akademie, kehrt, nun berühmt, zu ihrem Mann zurück, und während sie so wieder im Kleinbürgertum ihrer Herkunft aufgeht, bricht draußen der Sturm auf die Bastille los, dem sie mit Unverständnis begegnet.

Heinrich Mann hat nicht der Versuchung nachgegeben, eine tugendreine Heldin darzustellen. Was er zeigt, ist der spontane Einbruch der Gerechtigkeitsidee in einen beliebigen Menschen und den mühevollen Weg, dieser Idee gegen eigene innere und äußere Widerstände Wirklichkeit zu verschaffen. [3] So hebt er eine gewisse Hysterie im Verhalten der Legros bewußt hervor. Sie hat, wenige Tage bevor sie den Zettel findet, ihr erstes Kind kurz nach der Geburt verloren. Ihr frustiertes Liebesbedürfnis, das im Kind ein Ziel hatte, findet es jetzt in jenem Unschuldigen. Langsam steigert sich dieser hysterische Charakterzug bis nahe an die Besessenheit. Seine hintergründigen erotischen Motive brechen offen hervor, als sie erfährt, eine andere Frau habe den Unbekannten in der Bastille besucht; hitzig stößt sie hervor: *Sie lügen und sind voll Tücke. Sie haben ihn nicht gesehen und wissen nicht, daß sein Gesicht glänzt wie die Sonne. Wenn Sie seine Stimme je gehört hätten, könnten Sie nicht mehr kleinlich und tückisch sein! Aber nur ich habe sie vernommen. Nur mich ruft er. Nur ich, verstehen Sie, nur ich habe ein Recht auf ihn!* (II, 4.)

Wenn sich auch Ulrich Weisstein [4] gegen eine *biologische Interpretation* wendet, wie es Kerr und andere zur Erklärung des Legrosschen Verhaltens getan haben, so darf diese zweifellos berechtigte Abwehr nicht die offenkundigen hysterischen Züge im Charakter der Heldin unterschlagen. Denn Heinrich Mann hatte gerade versucht, jenes *Naive, rein Menschliche, ehe es noch politisch angekränkelt ist* (Weisstein) nicht völlig abstrakt und damit gesichtslos zu realisieren. Eher muß man gerade in dieser spezifischen Charakterisierung — die, nebenbei, nicht vereinzelt im Werk Heinrich Manns steht [5] — den Versuch sehen, der Gestalt einen realistischen Hintergrund zu geben, damit sie nicht gänzlich zur Chimäre des Gerechtigkeitswillens wird. Zudem ist bekannt, welche bestimmende Rolle das Erotische im Menschenbild Heinrich Manns einnimmt, von den frühesten Novellen bis hin zum Alterswerk. Erotische Momente sind es denn auch, die die Umwelt zur Erklärung des ›unnormalen‹ Verhaltens der Legros heranzieht. Das reicht von den derben Vorwürfen des Volkes, die sich an die Adresse Monsieur Legros' wenden, bis zu den verfeinerten Ansprüchen und Perversitäten, die ein müßiger Adel kultiviert hat. Gerade in dessen satirischer Schilderung entfalten sich die gelungensten Szenen. Die Dramaturgie des Stückes ist einfach; wiewohl klassisch, nähert sie sich der Stationenform der Parabel: die zentrale Gestalt, die ihren Weg durch die verschiedensten Gesellschaftsschichten, von der niedersten bis zur höchsten, geht, kommt dem sicher entgegen. Antipoden, die ihr äquivalent wären, fehlen; ihr Gegner ist die Gesellschaft in ihren verschiedenen sozialen und moralischen Ausprägungen. So sehr man etwa an Strindbergs »Traumspiel« oder an Brechts Parabel vom »Guten Menschen von Sezuan« denken muß, so erkennt man doch, daß sich gewisse episierende Momente mehr unter der Hand eingestellt haben, als daß sie bewußter Intention des Autors entsprächen. In den folgenden Stücken ist Heinrich Mann bei der klassischen Dramaturgie geblieben — sieht man vom Spätling »Bibi« ab, einem »Singspiel« mit Revuecharakter: Musical, würden wir heute sagen.

*

Im Jahre 1916 begonnen, 1919 uraufgeführt und durchgefallen — das ist »Brabach«. *Seit »Madame Legros« habe ich die noch folgenden dramatischen Versuche mit abnehmender Überzeugung gemacht,* bekannte Heinrich Mann einem Biographen. [6] Wenn das auf die späten Werke zutrifft, so ganz besonders auf dieses Werk. Denn in »Brabach«, einem sozialen Drama, das wie Kantorowicz im Nachwort zu den »Schauspielen« bemerkt, an Georg Kaisers »Von Morgens bis Mitternacht« erinnert [7], hat Heinrich Mann verschiedene Probleme und stilistische Parforceakte auf engem Raum zusammengezwungen, ohne daß die durchgängige Disparität vom Stoff her legitimiert wäre. Die Komik mancher Szenen lebt von der geschliffenen Eleganz der Sentenzen und nicht aus der Situation. Hier beginnt das rhetorische Element — dem Theater Heinrich Manns wie kaum etwas sonst spezifisch eigen — sich zu verselbständigen, eine Gefahr, die sich schon in »Madame Legros« und später auch im »Weg zur Macht« zeigte. So darf in »Brabach« das unbedarfte Bürgermädchen Leni ebenso rhetorisch glänzen wie der ansonsten auch recht unscheinbare Kassierer Brabach. Es ist, als habe die sprachliche Wirklichkeit, in die der Autor seine Figuren gerufen hat, die absolute Suprematie über deren psychologisch-empirische Realität an sich gerissen; die Totalität, mit der sich diese Personen in der Sprache äußern, entäußert sie des realistischen Rahmens, den sie als agierende Personen um sich aufgebaut hatten. Das bezeichnende Verschwinden individueller Charaktere in der Sprache — vor und in ihr sind sie alle gleich — zeigt etwa jene Szene, in der Esther, die Tochter des Chefs, mit dessen Untergebenen Brabach spricht (I, 8):

Esther: Mein Vater haßt sie [die Mutter, die ihn verlassen hat] noch heute. Sein Haß hat alles erst so schlimm gemacht.

Brabach: Auch er hat gelitten. Und liebt er denn nicht Sie? Herz ge-
winnt man durch Erleben.

Esther: Wer leidet, verzeiht...

Die Ansätze zu einem realistischen Dialog zwischen den Personen ver-
flüchtigen sich, indem diese ihre moralischen Positionen formulieren —
überhaupt formulieren sie mehr, als daß sie sprechen. Zugleich stößt sich
der Dialog damit aus seiner Gebundenheit an die konkrete Situation ab
und schwingt sich auf zur Maxime, die im luftleeren Raum moralisieren-
den Raisonnements zu Hause ist. Das sprechende und angesprochene Sub-
jekt *(Und liebt e r nicht S i e ?)* geht unter im *Herz gewinnt m a n durch
Erleben.* Diesem Trommelfeuer von Aperçus, Sentenzen, Maximen,
Aphorismen zur Lebens-, Liebes- und Leidensweisheit ausgesetzt, erlahmt
das Interesse des Zuschauers bald am Fortgang der Handlung. Er fällt in
die Fallen, die ihm die Rhetorik stellt. Der Rigorismus, der solcherart
über die Sprache der Personen verfügt, darf sich dann auch alles in der
Handlungsführung erlauben, dient sie doch nur dazu, effektvolle Per-
sonenkonstellationen mit anschließenden Dialoggefechten herbeizuführen.

So gründlich mißlungen »Brabach« auch ist, für Heinrich Manns dramatisches Gesamtwerk hat das Stück Bedeutung. Einerseits weisen Brabach und Madame Legros als Zentralgestalten gewisse Gemeinsamkeiten
auf: Sie will Gerechtigkeit um jeden Preis, er die Güte und Hilfe; sagt
sie am Ende: *Es hat zuviel gekostet* (II, 8), so heißt es von Brabach: *Sie
werden nicht nur Unglück haben. Sie werden auch Unglück bringen —
weil er helfen wollte.* Andererseits deutet vieles hier noch nicht Entfal-
tetes auf Späteres hin — so antizipiert etwa der von Brabach geförderte
Wendlinger den jungen Bonaparte des folgenden »Wegs zur Macht« —,
wie sich denn auch eine gewisse Entwicklung im Werk Heinrich Manns
eher an bestimmten charakterologischen Typen verfolgen läßt als an
dramaturgischen oder thematischen Komplexen. Deshalb ist beispielsweise
Kantorowicz' Zusammenstellung von »Madame Legros« und »Der Weg
zur Macht« im »Schauspiel«-Band rein äußerlich und verdeckt die immanenten Werkbezüge; der historische Hintergrund ist spiegelbildlich zu
sehen: Gegenwart erscheint in der Kostümierung der Vergangenheit und
vice versa. Zugleich geht Heinrich Mann noch nicht so weit, das Vergangene, wie später Brecht und Dürrenmatt, zum Modellfall der Gegenwart
zu machen — Verfremdung, um den Blick zu schärfen: solche episierende
Poetik liegt ihm fern.

*

»Der Weg zur Macht«, 1917 begonnen, 1918 vollendet und 1920 uraufgeführt, ist ein Napoleondrama, besser: das Drama Bonapartes, der
sich an Napoleon verrät und damit auch das, wofür er hätte Beispiel
gebend stehen können: den Geist, zur Macht gekommen. Kantorowicz
hat schon darauf verwiesen, das Stück im Kontext der aktuellen gesell-
schaftspolitischen Ereignisse in Deutschland zu lesen. Allerdings zeigt das
Datum seiner Entstehung, wie sehr der Dichter des »Untertan« auch hier
schon bestimmte soziale Entwicklungen antizipierte. Denn die Bühne, auf
der sich der äußere Aufstieg Napoleons und der innere Verfall Bonapartes vollzieht, ist beherrscht von einer Welt Karriere machender Schieber

und Opportunisten, die, im Umbruch der Gesellschaftsordnungen, die Weichen stellen wollen für ihr zukünftiges Fortkommen. Man schreibt das Jahr 1795, die blutige Phase der Revolution ist gerade vorüber, nun beginnt die geschäftliche.

Inmitten des Geschehens steht der junge Bonaparte. Heinrich Mann ist jedoch weit entfernt davon, den Korsen — selbst in dieser frühen Phase seines Lebens — zum bewunderten und bewundernswürdigen Helden zu machen. Vielmehr sieht er in ihm den Zyniker, der in sentimentalen Augenblicken halb noch den Jugendträumen von Freiheit und Brüderlichkeit anhängt, halb aber auch schon im Spiel der Intrigen um handfeste Interessen untergeht. Was ihn auszeichnet vor den anderen, ihn geschickter macht, kann man seinen Schauspielercharakter nennen (ein charakterisierendes Moment für eine politische Typologie, das Heinrich Mann auch auf Wilhelm II. und später auf Hitler übertragen hat [8]). Nicht von ungefähr ist der einzige, zu dem im Laufe des Stückes sein persönliches Verhältnis sich nicht ändert, mit dem er als letztem und einzigem Freund am Ende von der Bühne stürzt, dem Ruhm entgegen, der Schauspieler Talma, der zutiefst Geistesverwandte. Zur Macht wollen beide, wenn es sein muß, wie Bonaparte zeigt, über Leichen — mit dem einen Unterschied: jener in der Kunst, im Schein des Spiels, dieser aber durch das Spiel des Scheins hin zur realen Macht:

Bonaparte: . . . Siegen ist nicht genug, Hineinlegen ist das Wahre.

Talma (beginnt zu laufen): Bis Freitag! Drei Tage, drei Ewigkeiten.

Bonaparte (läuft an ihm vorbei): Niemand kann fassen, welche Eile wir haben. Unwiederbringliches Heute! Eine flüssige Feuermasse sind Staat und Gesellschaft — forme sie!

Talma: Wer will mich aufhalten. Ich bin das Theater.

Bonaparte: Die Republik ist nur noch in mir.

Talma: Ich muß Cäsar spielen.

Bonaparte: Sie sollen ihn sehen.

Talma: Die Tallien soll mich sehen. Das Weib, das immer nur den größten Erfolg sieht.

Bonaparte (hält an): Die Liebe ist ein Zeitvertreib. Ich habe Eile.

Talma (hält an): Heuchle nicht, du begehrst sie genauso sehr. (I, 9.)

In solchen Augenblicken, emotionalen Höhepunkten des Stückes, gleitet der Dialog ins Duett, während syntaktische Parallelismen wie mit Peitschenschlägen Gefühle summieren; die Dialektik der Sprache und des Sprechens gewinnt kontrapunktische Qualitäten, und Regieanweisungen lesen sich wie Tempoangaben für die kommentierenden Orchesterpartien einer Opernpartitur. Sprachduette dieser Art finden sich (nebenbei, nicht nur) im »Weg zur Macht« häufig. Sie sind Ausdruck einer spezifischen Poetik des Autors: *Verlangt wird Bewegung, die Leidenschaft soll unmittelbar handeln . . . Ein Drama kann niemals nackt genug sein* (»Zeitalter«, S. 248). Je unmittelbarer Leidenschaft handelt, desto stilisierter muß ihr dramatischer Ausdruck sein: reine Emotion wird durch reine Form aufgefangen, nur so ist Dauer möglich.

Bonaparte, ein Spekulant der Macht, beteuert noch, als er sein skrupelloses Handeln rechtfertigen will: *Wieviel läßt sich tun für dies Land, für die Menschheit! Die Vernunft soll an die Macht gelangen. Wenn an der Spitze der Bajonette der Geist blitzt, wenn die Stimme der Jugend über die Welt hinschallt* — (I, 9). Die sentimentale Geste des Komödianten bleibt folgenlose Träumerei, in Wahrheit ist er längst in jene Rolle hineingewachsen, die einer seiner Gegenspieler (und Heinrich Mann später in seinem Napoleon-Essay) nennt: den bürgerlichen Helden.

∗

»Aus dem bürgerlichen Heldenleben« waren Sternheims satirische Schauspiele betitelt. Heinrich Mann kannte und schätzte sie. Herbert Ihering und in seiner Nachfolge Kantorowicz haben denn auch die Verwandschaft von Heinrich Manns Komödie »Das gastliche Haus« (1923 geschrieben, 1927 uraufgeführt) zu Sternheims Œuvre festgestellt. [9] Das »gastliche Haus« ist die Weimarer Republik, die Heinrich Mann in dieser allegorischen Farce porträtiert. Die Schiebergesellschaft aus dem »Weg zur Macht« kehrt hier wieder, nur daß ein vergleichbar schillernder Gegenpart wie der Bonapartes fehlt; jeder ist schon ohne Abstriche in das Maskenspiel hemmungsloser Gier nach Geld, Liebe und Besitz hineingerissen, niemand vermag sich dem Tanz um das Goldene Kalb zu entziehen. Der Großindustrielle Schummer (!), ein Geheimrat, *reich seit unvordenklichen Zeiten, seit 1880,* steht für den *befestigten Reichtum* der wilhelminischen Großbourgeoisie, der durch die Revolution bedenklich ins Wanken geraten ist; nun hält man nach geeigneten Stützen Ausschau. Schummers Kinder, ein verkrachter Rechtsanwalt und ein ehebrecherisches Flittchen, stehen in Verbindung mit einem Paar dubioser Adliger-Schmarotzer, wie es scheint. Später enthüllt sich, daß Schummer ihre Eltern ins Elend gestürzt hatte und die Kinder nun gekommen sind, die Eltern zu rächen, woraus nichts wird, versteht sich. Im Gegenteil: mit der Familie Neureich-Milbe (!) — so nennt sich dies durch Schiebung groß gewordene Kleinbürgertum — geht man eine soziale »Ehe zu dritt« ein: *Das ideale Verhältnis wäre das einmütige Zusammenwirken aller sozialen Schichten und Generationen — natürlich nur, soweit sie Besitzende sind,* formuliert am Ende Schummer das restaurative Bündnis von Adel, Klein- und Großbürgertum. Besser als in »Brabach« sind hier die Personen getroffen, die — wie dort — für Klassen stehen. Die Form der Komödie war auch dem Thema adäquater; läßt sie doch freieren Raum für das karikierende Element und darf sie doch freizügiger und lockerer mit der Wahrscheinlichkeit der Intrige verfahren.

Erst fünf Jahre später, als Dedikation für Trude Hesterberg, schrieb Heinrich Mann sein letztes Bühnenwerk »Bibi: Seine Jugend in drei Akten«. Die »Szenen aus dem Nazileben«, Brechts »Furcht und Elend des Dritten Reiches« ähnlich — sie stehen als Anhang im Essay-Band »Der Haß« (1933) —, ebenso wie die Dialogromane »Lidice« (1943) und das »Friedrich«-Fragment (1960) nähern sich eher einem filmischen Treatment denn Bühnenstücken, wenn man diese Werke nicht als epische Sonderformen gelten lassen will.

In »Bibi«, der Titelgestalt des Singspiels, wollte Heinrich Mann ein Bild von der Jugend geben, wie sie nach Krieg und Inflation anzutreffen war. [10] Der ›neuen Sachlichkeit‹ verpflichtet, wirkt das Revuestück heute kühl, hohl und nicht selten gequält durch die aufgesetzten Reime, die hausbacken und gekünstelt erscheinen. Gegen die nur drei Monate zuvor uraufgeführte »Dreigroschenoper«, jenes erste voll entfaltete Modell des epischen Theaters, hebt sich die Zwitterhaftigkeit »Bibis« um so deutlicher ab. Was daran am ehesten noch Brechts Werk und dem heute etwa vergleichbaren »Frank V.« von Dürrenmatt standhält und zu Vergleichen reizt, ist der Hang zur geschliffenen Sentenz, zum Wortspiel, zum Sprachunderstatement. Im Gegensatz aber zu Brecht und zu Dürrenmatt ist für Heinrich Mann die exzeptionelle Form nur modisches Accessoire und nicht essentielles Moment des Stückes selbst. Singen die Personen hier wie dort, so steht doch »Bibi« der fragwürdigen Ernsthaftigkeit der Operette näher als den opernparodistischen Modellen epischen Theaters.

*

Hier zeigen sich Grenzen, die das dramatische Schaffen Heinrich Manns nicht zu überschreiten vermag. Will man seine Stücke innerhalb der Entwicklung der modernen Dramatik sehen, wie sie Peter Szondi in seiner scharfsinnigen und -sichtigen Studie »Theorie des modernen Dramas« beschrieben hat, so muß man sie jenen »Rettungsversuchen« zurechnen, die Szondi mit dem Terminus des *Konversationsstücks* (s. S. 73 ff.) charakterisiert hat.

Für Heinrich Mann selbst war sein dramatisches Schaffen, *um unbedenklich zu sprechen, mein lustigster Abschnitt* (»Zeitalter«, S. 248). Wie in seinem gesamten Oeuvre waren ihm auch hier die großen französischen Romanciers des 19. Jahrhunderts vorbildlich, auch was den Beitrag des Dramatischen in ihrem Werk ausmacht. Flaubert, Zola und Hugo haben Theaterstücke geschrieben. Sie hatten damit einen kurzen Erfolg; so ernst wie den Roman haben sie das Theater nicht genommen. Ihre Stücke sind, sofern sie nicht als Opernlibretti (Hugo) überdauerten, weitgehend vergessen. So auch das dramatische Schaffen Heinrich Manns. Das ist zumindest für die »Schauspielerin«, »Madame Legros« und den »Weg zur Macht« bedauerlich.

Anmerkungen

1 Weitere Einflüsse, die dieses zentrale Thema des Theaters in seinem Gesamtwerk bestimmen, resultieren aus Manns ästhetischen Anschauungen. (vergl. Schröter: »Heinrich Mann in Selbstzeugnissen«, Hamburg 1967, S. 43 ff, S. 58 ff). Hinzukommt — ohne daß man einen Komplex vom anderen trennen könnte —, daß sein fast ständiger Aufenthalt in Italien (in den Neunziger Jahren und im ersten Jahrzehnt des neuen Jahrhunderts) Heinrich Mann mit Formen der Rezeption des Theaters und der Oper bekannt machten, die in Deutschland unbekannt waren. Theater als verschmockte Repräsentation samt genußvoll akzeptiertem Skandal und Protest hatte er schon in »Im Schlaraffenland« (1900) in der Persiflage auf ein naturalistisches Stück dargestellt. In Italien fand Mann jene natürliche Beziehung von Kunst und Leben, die er erstmals voll entfaltete in der romanhaften commedia dell'arte der »Kleinen Stadt« (1909). Nachwirkungen dieser demokratisch, lateinisch empfundenen und modellhaft dargestellten Beziehung von Theater und Volk lassen sich noch bis ins Spätwerk (»Atem« — Marchese dell Grillo-Episode; »Zeitalter« — die Passagen über Puccini) nachweisen. **2** vergl. Schröter, op. cit. S. 59. Diderots »Paradoxe du Comédien«: Die *Schauspielerkunst ist eine Kunst der Nachahmung, und eine Empfindung kann man umso besser nachahmen, je weniger man sie selbst hat,* besitzt weit über die unmittelbare Beschäftigung Heinrich Manns mit der Bühne und dem Schauspieler hinaus entscheidende Bedeutung für seine Essayistik. *Wiederholung und Nachahmung* sind Schlüsselbegriffe für seine Analyse der politischen Entwicklung Deutschlands — wie auch der Typus des (Schmieren) Schauspielers seit dem »Weg zur Macht« zur Charakterisierung Napoleons, Wilhelm II. und Hitlers in »Kaiserreich und Republik«, »Der Haß«, »Zeitalter« herangezogen wird. *Nachahmung* wird schon zu Beginn der Reichsgründung von Mann diagnostiziert (»Kaiserreich und Republik«, München und Leipzig 1919, S. 211 f). In »Ein Zeitalter wird besichtigt« trägt neben mehrfacher Einzelerwähnung (vergl. »Zeitalter« Berlin 1946, S. 8 ff, 13, 16, 115) sogar ein Kapitel (S. 25 ff) den Titel: »Die Nachahmung«. Überhaupt zählen Wiederholung und Nachahmung auch zu den entscheidenden strukturellen erzählerischen Prinzipien des Alterswerks. Es sei nur auf die zahlreichen Wiederholungen des Vergangenen im Gegenwärtigen im »Empfang bei der Welt« und im »Atem« hingewiesen. Daß der Friedrich der »Traurigen Geschichte« sein Vorbild, den Sonnenkönig, nachzuahmen sucht — wie Mann in Friedrich und dem Fragment gebliebenen Dialogroman einen Gegenentwurf zum »Henri IV« versuchte —, wird weniger aus dem Fragment selbst deutlich, als aus dem Essay, der nach dem Abbruch an der szenischen Arbeit wenigstens in der essayistischen Form diese Gestalt umreißen wollte. Hier sind einer zukünftigen Heinrich Mann-Philologie Aufgaben gesetzt, die Einblicke in zentrale Probleme (und in die wichtige Problematik des Alterswerkes selbst) vermitteln könnten. **3** vergl. auch den Essay »Geist und Tat« (in »Macht und Mensch«, München und Leipzig, 1919, S. 2 f): *Dies Volk machte die Revolution nicht, solange es nur hungerte: es machte sie, als es erfuhr, daß es eine Gerechtigkeit und eine Wahrheit gäbe, die in ihm beleidigt seien.* **4** Ulrich Weisstein: »Heinrich Mann«, Tübingen 1962, S. 241 **5** W. Schröter: »Bildnis eines Meisters«, Wien 1931, S. 194 f. **5** Hysterische Züge im Charakter der Mann'schen Frauengestalten sind von Violante in »Die Göttinnen« über die »Branzilla« bis zu Lydia im »Atem« nachzuweisen. **7** Wenn Kantorowiez' Datierung für »Brabach« stimmt, dann ist ein Einfluß von Kaisers 1917 erstaufgeführtem Stück zweifelhaft. Zwar ist es 1912 entstanden, aber es blieb bisher unbekannt, ob Mann mit Kaiser verkehrte und schon das Stück vor der Veröffentlichung hätte kennen können. **8** vergl. auch Anmerkung 2. Ebenso Max Horkheimer »Zur Kritik der instrumentellen Vernunft«, Frankfurt 1967, S. 114 ff, besonders S. 116: *Die bösartige Anwendung des mimetischen Impulses erklärt bestimmte Züge moderner Demagogen. Sie werden oft als Schmierenkomödianten beschrieben.* Auch Thomas Manns Novelle »Mario und der Zauberer« versucht eine Kritik des faschistischen Demagogen mit verwandten Mitteln. **9** Vgl. Heinrich Mann: »Schauspiele«, Berlin 1956, S. 688. **10** In den thematischen Umkreis dieses Werkes gehören Erzählungen und Novellen wie »Liliane und Paul«, »Sie sind jung«, Romane wie »Die große Sache«, »Ein ernstes Leben«, die Essays: »Die jungen Leute«, »Der Bubikopf«, »Sie reichen sich die Hände«, »Jugend früher und heute«.

Ernst Hinrichs

Die Legende als Gleichnis

Zu Heinrich Manns Henri-Quatre-Romanen

Wir werden eine historische Gestalt immer auch auf unser Zeitalter be-
ziehen. Sonst wäre sie allenfalls ein schönes Bildnis, das uns fesseln kann,
aber fremd bleibt. Nein, die historische Gestalt wird, unter unseren Hän-
den, ob wir es wollen oder nicht, zum angewendeten Beispiel unserer Er-
lebnisse werden, sie wird nicht nur bedeuten, sondern sein, was die wei-
lende Epoche hervorbringt oder leider versäumt. Wir werden sie den Mit-
lebenden schmerzlich vorhalten: seht dies Beispiel. Da aber das Beispiel
einst gegeben worden ist, die historische Gestalt leben und handeln
konnte, sind wir berechtigt, Mut zu fassen und ihn anderen mitzuteilen.

Heinrich Mann »Gestaltung und Lehre«, 1939

Anders als die Alterswerke »Empfang bei der Welt« und »Der Atem«,
die bis heute nur einem kleinen Kreis von Verehrern Heinrich Manns bekannt sind, haben seine Romane über den französischen König Henri IV
auch in der Bundesrepublik ein verhältnismäßig breites Publikum gefunden. Eine wissenschaftliche Analyse dieses Publikums steht noch aus [1], doch
zeigen Rezensionen der Romane und Diskussionen mit einzelnen Lesern
sehr deutlich, daß der Gegenstand der Romane — die Lebensgeschichte
eines im Zeitalter der Religionskriege lebenden und handelnden Königs
— keinen geringen Anteil an ihrem Erfolg hatte. Heinrich Manns Themenwahl konnte der Zustimmung eines Publikums gewiß sein, dem die
Epoche der europäischen Religionskriege durch Gestalten wie Coligny,
Egmont, Katharina von Medici, Maria Stuart, Philipp II oder Wallen-
stein literarisch intim vertraut war.

Daß man im »Henri Quatre« jedoch keinen der üblichen, in der Zwi-
schenkriegszeit so beliebten ›historischen Romane‹ vor sich hatte [2], stellte
man nur zu bald fest; zu umfangreich war dies Werk, zu außergewöhn-
lich waren seine Stilmittel, zu offenkundig auch manche nur mühsam in
historische Gestalten, Kostüme oder Vorgänge verpackte Aussagen zur
Tagessituation. Nun brauchte ein solcher Tatbestand bei einem Autor wie
Heinrich Mann nicht zu überraschen, denn man wußte von seinem Ma-
nierismus, man wußte von seinem politischen Engagement, von seinen
sozialkritischen Romanen und politischen Essays, man wußte von seiner
Neigung *zur politischen und sozialen Utopie* (Monika Plessner). Doch
warum dann Henri IV? Warum eine so eigenartige, unkonventionelle
Sicht einer historischen Epoche, deren führende Gestalten seit langem
literarisch kanonisiert worden waren, deren Deutung man im Sinne der
vielen psychologisierenden, ›romanhaften‹ Lebensbeschreibungen, im
Sinne eines durch und durch bildungsbürgerlichen Zugangs zur Geschichte
und ihren ›großen Persönlichkeiten‹ für gesichert hielt? Unruhe machte
sich breit, Unsicherheit, wie man sie häufig den Romanen Heinrich Manns

— viel seltener denen seines Bruders — gegenüber empfand, die Frage nach dem ›historischen Wahrheitsgehalt‹ der Romane kam auf. War hier Geschichte, war hier Gegenwart? War das ein historischer Roman? — nicht eher ein Erziehungsroman, ein Bildungsroman, nicht gar ›nur‹ ein Liebes- oder Intrigenroman?

In dem eher spärlichen wissenschaftlichen und literarischen Echo auf die Romane klingen die Unruhe und Befangenheit ihres Publikums nach, zumal jeder Rezensent mit ganz unterschiedlichen Vorstellungen über die Geschichte und über den historischen Roman als eine Gattung sui generis an den »Henri Quatre« heranging. Wer, wie Georg Lukács[3], die Entwicklung des historischen Romans ganz aus dem 19. Jahrhundert heraus begreift und die Werke Heinrich Manns und Feuchtwangers an den von Scott, Balzac und Tolstoi gesetzten Normen mißt, wird seinen — trotz aller Sympathie für den Autor — negativen Bemerkungen über den »Henri Quatre« als historischen Roman folgen müssen. Man braucht nicht Anhänger einer Klassenkampftheorie zu sein, wenn man mit Lukács feststellt, daß in Heinrich Manns »Henri Quatre« *die großen gesellschaftlich-geschichtlichen Gegensätze, die den Inhalt des Kampfes der Menschheit um den Fortschritt bestimmen, zu einer fast anthropologischen Abstraktionen verdunsten.*[4] Und man kann Lukács' auch wieder recht abstrakte Beobachtungen durch beliebige Hinweise auf historische Ereignisse und Zusammenhänge konkretisieren, die Heinrich Mann hätte aufnehmen müssen, wenn er sich als Nachfahre Scotts, Balzacs oder Tolstois verstanden hätte.

So fehlt in den Romanen jegliche dichterische Gestaltung des Regierungssystems, das mit Heinrich IV in Frankreich zum Sieg gelangte: des monarchischen Absolutismus mit seinen anschaulichen bürokratischen Apparaturen und Mechanismen. Im Gegensatz etwa zu Balzacs »Cathérine de Médicis« fehlen historisch treffende Einblicke in die vielfältigen sozialen Konflikte in der Großstadt Paris mit ihrer breiten Schicht bürgerlicher Rentiers, deren Wohlverhalten gegenüber dem König und seinem ›Tyrannen‹ Sully einzig davon abhing, ob die Krone bereit war, ihnen die pünktliche Zahlung ihrer Renten zu garantieren. Bereits Schiller hatte in der »Belagerung von Antwerpen« eindrucksvoll dargestellt, wie sehr das politische Schicksal einer frühneuzeitlichen Handelsstadt von der wirtschaftlichen Interessenlage ihrer bürgerlichen Führungsschichten bestimmt wurde. Auch die sozialen Spannungen in der Landbevölkerung kommen in den Romanen nicht hinreichend zum Ausdruck: während der Reformation ging es in Frankreich wie in allen anderen Ländern nicht nur um Fragen der Religion und des Gewissens, sondern auch um Wandlungen in der Eigentumsstruktur, um den Abstieg und Aufstieg von Klassen, um steigende Preise, Arbeitslosigkeit, ja Proletarisierung und Bauernlegen. Nirgends bringt Heinrich Mann die neue soziale Kraft des Beamtentums zur Anschauung, die im Laufe des 16. Jahrhunderts in die Verwaltungspositionen des Feudaladels eindrang und sich von Heinrich IV ihr wirksamstes Kampfinstrument — Ämterkäuflichkeit und Ämtererblichkeit — gesetzlich bestätigen ließ. Und daß der ›gute König‹ Henri IV mehrfach in seiner Regierungszeit alle Mittel der ›douceur‹ und der ›force‹ einsetzen mußte, um Volksaufstände und Adelsfronden niederzuschlagen, erfährt man bei Heinrich Mann allenfalls, wenn große Herren (Biron) oder kapriziöse Mätressen (Henriette d'Entragues) ihre Hände im Spiel hatten. Viele der erwähnten historischen Zusammenhänge sind zwar erst nach dem Entstehen des »Henri Quatre« im Detail erforscht worden, doch in der anschaulichen Sprache der zeitgenössischen Quellen, die Heinrich Mann kannte, waren sie schon immer greifbar, und auch Ranke, dessen französische Geschichte im 16. und 17. Jahrhundert Heinrich Mann benutzt haben soll, hat vieles schon erkannt und beschrieben.

So darf man hinter die Beobachtungen Hans Mayers ein Fragezeichen setzen, der sagt: *Heinrich Manns Romanwerk ist vor allem einmal ein echter historischer Roman in dem Sinne, daß es hier wirklich um Henri Quatre geht und Katharina von Medici, um spanische, französische und englische Geschichtsentwicklung an der Wende des 16. zum 17. Jahrhundert. Zwar steht für Mayer hinter dem Werke ein großer geistiger Entwurf, der nach Heinrich Manns Willen die Beziehungen herstellt zwischen der Geschichte des Königs Heinrich und unserer Gegenwart*, unbestreitbar erscheint ihm jedoch, daß Heinrich Mann *Sorge getragen habe, daß der Leser wirklich die Welt des Henri Quatre miterlebt.* [5]

Andere Kritiker gehen in eine andere Richtung. Schon Mayer stellt seine eigenen Beobachtungen in Frage, wenn er den »Henri Quatre« insgesamt nicht als historischen Roman, sondern als Entwicklungs- und Bildungsroman interpretiert. Alfred Kantorowicz, der Heinrich Manns Quellenkenntnisse rühmt, sieht es *für den Leser der Henri-Quatre-Romane als müßiges Unterfangen an, der geschichtlichen Genauigkeit nachzuspüren, geschweige denn sie zum Wertmaßstab zu setzen — von speziell interessierten Historikern abzusehen.* Heinrich Manns berühmtes Wort ernst nehmend, der »Henri Quatre« sei *weder verklärte Historie noch freundliche Fabel: nur ein wahres Gleichnis*, sieht Kantorowicz in den Romanen ein *direktes und wahrhaftiges Gleichnis für die Verwirrungen und Kämpfe unserer Zeit.* [6] Edgar Kirsch schließlich, der Lukács' Einwände gegen Heinrich Manns Geschichtssicht, nicht aber seine gattungsgeschichtliche Konzeption aufnimmt, sieht in dem »Henri Quatre« in erster Linie einen politischen Roman, eine Gegenkomposition zur wilhelminischen Trilogie. [7]

Besondere Aufmerksamkeit erregte Heinrich Mann bei seinen Kritikern mit den vor allem in den ersten Band eingefügten Partien, welche die Geschichte Frankreichs nach der Bartholomäusnacht mit direkten, unmißverständlichen Anspielungen auf die Zeit der Weimarer Republik und der Nazis kommentieren. Hans Mayer spricht von einer *gelegentlichen Überakzentuierung, die den betreffenden Stellen des Romans nicht gut bekommen ist,* [8] Ulrich Weisstein von *falschen und zur Gesamtwirkung des Romans nichts beitragenden Analogien;* [9] selbst Kirsch, der sich so angestrengt um den politischen Charakter des »Henri Quatre« bemüht und ihn von der Unverbindlichkeit eines historischen *Kulturgemäldes* abheben möchte, sieht Heinrich Mann hier bis zum *Stilbruch* gehen, der *die politische Analogie greifbar* [10] machen solle.

Hier erscheint eine Bemerkung angebracht, die uns näher an die Kompositionstechnik Heinrich Manns heranführt und dabei auch seine Stellung zum historischen Stoff und dessen Integration in die Romanhandlung zu verdeutlichen versucht. Ist es richtig, die erwähnten, analogisierenden Abschnitte des Romans als ›Überakzentuierungen‹ oder ›Stilbrüche‹ aus dem Roman herauszuheben, sie gleichsam als mißlungene Kommentare des Erzählers aus einem ansonsten historisch zutreffenden biographischen Bericht zu entfernen? Ist ›Stilbruch‹ nicht vielmehr ein Stilprinzip des ganzen Romans? Ist nicht die gesamte Exposition der »Jugend« auf die in den Liga-Kapiteln vollzogene radikale Konfrontation zweier Welten hin angelegt — hier die helle, jugendliche, frische, neue, zukunftsträchtige, humane, aufklärerische Welt des jungen Königs, dort die verfallene, abstoßende, gespenstische des Louvre, der Liga und der Spanier? Anspielungen auf aktuelle politische Verhältnisse finden sich nicht nur gelegentlich, sie durchziehen den ersten Band von dem Moment an, wo der junge Heinrich von Navarra seine Gegenwelt betritt; sie beziehen sich nicht nur auf einzelne Personen und Ereignisse, sondern stellen parallele Geschichtsverläufe im 16. und im 20. Jahrhundert her.

So wird der Pfarrer Boucher schon in dem Gefangenschaftskapitel, d. h. lange vor dem historisch verbürgten Auftreten dieses führenden Predigers der Liga, als *ein Redner neuer Art* in den Roman eingeführt. Er tritt nach dem Mißerfolg der Bartholomäusnacht vor das Pariser Volk, predigt ihm mit *weibischem Gekreisch* den Haß gegenüber den *Gemäßigten*, kündigt an, *der Schmachfriede und aufgezwungene Vertrag mit den Ketzern würde ... zerrissen* und verkündet schließlich: *Das ganze System des Staates (ist) zwar verbrecherisch, aber Gott (hat) ihnen einen Führer gesandt.* [11] Das sind nicht flüchtige, gelegentliche Anspielungen, sondern ganz massive und bewußte Verzeichnungen, aus denen die Geschichte ebenso verschwunden ist wie aus dem Abschnitt »Totentanz«, in dem der Erzähler die Ergebnisse der Liga-Politik im Jahre 1588 zusammenfaßt — dabei immer mit dem Zeitraum von 14 Jahren spielend, der sich historisch kaum anbot, da die ligistische Agitation erst nach 1584 begann: *Das ist das Ergebnis der vierzehnjährigen Hetze und einer falschen Volksbewegung. Zuletzt kommt alles ans Ziel, es muß nur fest genug in die Köpfe gerammt sein: dann fügt sich die Wirklichkeit, sie verwandelt sich in den leibhaften Unsinn, und die lange genug gepredigte Lüge vergießt wirkliches Blut. Dabei sind dies Spießbürger, starren von Unwissenheit über die Religion, über den Staat, über alles Menschliche. Für sie ist der gutwillige Valois ein Tyrann, sein gesitteter Staat soll schändlich sein. Ihr Bund zur Ausplünderung und Auslieferung des Königreiches, sie schwören darauf, daß er die »Freiheit« bringt und bedeutet. Die Steuern abzuschaffen, fehlt ihnen noch, damit das Programm durchgeführt wird, wie es vierzehn Jahre lang gebrüllt worden ist über das Land.* [12]

Wenn solche Kommentare des Erzählers Anstoß erregten, so vor allem, weil die historische Verzeichnung, die Entfernung vom historischen Gegenstand hier ganz offen liegt. Sie bot sich jedoch an und wurde möglich, weil ihr die extreme Polarisierung der beiden Welten vorausging, die im »Henri Quatre« zum Kampf gegeneinander angetreten sind — auch sie eine massive Verzeichnung, eine Entfernung vom historischen Gegenstand. Im Gegensatz zu Mayer und Weisstein stößt sich darum Georg Lukács nicht erst an jenen *falschen Analogien*, sondern schon an dieser abstrakten, unhistorischen, als unwandelbar angesehenen Konfrontation von Gut und Böse, von heller und dunkler Welt. *Denn wenn diese Gegensätze keinen konkreten gesellschaftlich-geschichtlichen Charakter haben, sondern ewige Gegensätze zweier Typen der Menschheit sind — wie ist dann jener Sieg der Menschlichkeit und Vernunft möglich, deren bester und beredtester Vorkämpfer gerade Heinrich Mann ist?* [13]

Um diesen ›ewigen‹ Gegensatz im Romangeschehen deutlich zu machen, manipuliert Heinrich Mann den historischen Stoff nach Belieben, ordnet ihn völlig der Romankomposition unter, verlegt historische Ereignisse räumlich und zeitlich, läßt Personen zusammentreffen, die sich nie getroffen haben. Mit besonderem Geschick nutzt er dabei Anspielungen, Andeutungen, legendenhafte Berichte aus, von denen die zeitgenössische Memoiren- und Klatschliteratur überfließt. Wir erwähnen nur die Zusammenkunft zwischen Katharina von Medici und dem Herzog von Alba in Bayonne (1565). Sie ist für Heinrich Manns Henri IV ein Schlüsselereignis, denn der junge König hat sie — wie manche zeitgenössischen Quellen tatsächlich behaupten — belauscht und hat damit Einblick in die Vorbereitung der Bartholomäusnacht gewonnen. *Ainsi le jeune Henri connut, avant l'heure, la méchanceté des hommes ... C'est ce jour-là qu'il sortit de l'enfance,* [14] so faßt Mann die Eindrücke des Königs in der ersten ›Moralité‹ zusammen.

In Wahrheit deutet nichts darauf hin, daß in Bayonne derart weitreichende Themen besprochen wurden, wie es Heinrich Mann in dem »Zusammenkunft« betitelten Abschnitt darstellt. Und daß sich Katharina und Alba von einem zwölfjährigen Jungen belauschen ließen, erscheint gänzlich unwahrscheinlich. Bekannt ist nur, daß Heinrich von Navarra und seine Mutter Jeanne d'Albret das Gerücht schürten, sie hätten Kenntnis von bestimmten, folgereichen Beschlüssen in Bayonne erhalten, historisch nachweisbar ist auch, wie sehr die Protestanten in den Jahren nach Bayonne von solchen Gerüchten in Angst versetzt wurden. [15]

In der Romankomposition erhält dieses Ereignis jedoch seinen festen, ganz auf die persönliche Entwicklung des Königs bezogenen Platz. Am Ende des Kindheitskapitels, in dem Heinrich Mann anschaulich das Charakterbild des Königs aus seinen Kindheits- und Jugenderlebnissen zusammensetzt, wird nun das alles entscheidende, die Zukunft des Königs ein für allemal bestimmende Erlebnis beschrieben: der erste, für immer haftende Eindruck von jener anderen, bösen Welt. *Er ballte die Fäuste, die Augen gingen ihm über vor Zorn. Plötzlich schwang er sich auf einem Fuß herum, lachte hell und stieß einen munteren Fluch aus. Den hatte er von den Alten seiner Heimat, von seinem Großvater d'Albret, heilige Worte, die bis zur Unkenntlichkeit entstellt waren. Er rief, daß es hallte.* [16]

Groteske, phantastische, gespenstische Züge nimmt die Darstellung Heinrich Manns an, wenn er die Gegenwelt Heinrichs IV., die Welt Habsburgs, die Welt der Reichen und Besitzenden, der Klerikalen, der Feinde des Volkes charakterisiert. So in allen Louvrekapiteln, so in der großartigen Szene vor dèm Tod Gabrieles, deren mögliche, historisch nicht nachweisbare Ermordung Heinrich Mann zu einem gespenstischen Intrigenroman inspirierte, der mehr Raum im Gesamtwerk einnimmt als die Berichte über manches bedeutende politische Ereignis. So bei der Ankunft der *Bankierstochter aus Florenz* und neuen Königin von Frankreich, so vor allem in dem einzigen, Philipp II gewidmeten Abschnitt »Der Besiegte«. Der Weltmonarch, der große Bürokrat, dessen administrative Praktiken aller Welt (auch Heinrich IV zum Vorbild dienten — reduziert auf den senilen Lüstling; der Escorial — ein weltgeschichtliches Freudenhaus, in dem der Weltbeherrscher dienstbare Pfaffen mit dem *berühmten Fleisch* um den günstigsten Preis feilschen läßt.

Hermann Kesten hat in seiner von Thomas Mann gerühmten Besprechung des »Henri Quatre« dieses glitzernde Kunstprodukt, in dem *ungehemmte Manier und manirierte Meisterschaft herrschen,* und seine *ge*schichtsferne Komposition genau beschrieben: *Der Roman ist übrigens der Historie und den alten Chroniken sehr ferne, man kann nur flüchtige Weisheit, keine Wissenschaft darin finden. Da ist nur die Psychologie der Politik, nicht ihre Anlyse oder gar die Geschichte, da sind nur witzige Schattenspiele und nicht Ziffern, Tabellen, Soziologie und Ökonomie. Das Weltreich Spanien und das Haus Habsburg werden zum frömmelnden Gespenst, das von einem geldlüsternen Phantom die Lustseuche empfängt. Die Religion wird zum frommen Psalm und blutigen Vorwand. Frankreich sind fünfzig Schlachtfelder, fünfzig Lustplätze und der Louvre. Das Jahrhundert wird zur Romanze, zum Balladenbuch und zur Bildergalerie. Da geht es nicht um Historie. Was ist Historie?* [17] Und als wollte er Kestens Beobachtungen von der Arbeitsweise Heinrich Manns her belegen, bemerkt Feuchtwanger, er habe Heinrich Mann niemals bei einem wirklichen Quellenstudium angetroffen. *Sehr starke Anregungen gaben ihm Bilder und zeitgenössische Stiche. Seine Darstellung der Bartholomäusnacht ist z. B. orientiert nach einem solchen Stich ... um historische Genauigkeit kümmerte er sich nicht.* [18]

Daß der Maler Heinrich Mann zum Entstehen des »Henri Quatre« wesentlich beigetragen hat — wer wollte es bezweifeln; und doch schießt Feuchtwanger mit seinen Vermutungen ein gutes Stück über das Ziel hinaus. Wie immer die Arbeitsweise Heinrich Manns ausgesehen haben mag — der »Henri Quatre« hätte nicht entstehen können ohne ein intensives Studium zeitgenössischer Brief- und Memoirenliteratur, ohne die Durchsicht wichtiger Darstellungen Frankreichs im 16. Jahrhundert, ohne eine Lektüre des großen Werks Michelets; die geschickte Auswahl wörtlicher Quellenzitate, ihre Verknüpfung mit den erdachten Romandialogen lassen eher eine intime Vertrautheit mit dem Stoff vermuten als oberflächliche Kenntnisse.

Und auch Kestens Interpretation des »Henri Quatre« als eine Mischung aus Bildungs-, Intrigen- und Liebesroman bedarf der Korrektur — freilich in einem anderen, grundsätzlicheren Sinne. Daß es Heinrich Mann nicht um die Rekonstruktion von Geschichte, um Rankes Frage, *wie es eigentlich gewesen* sei, oder um einen historischen Roman im Sinne Georg Lukács' ging, heißt noch nicht, daß sein Werk nichts mit Geschichte zu tun hätte. Mann wählte einen historischen Gegenstand, der ihm nicht nur Vorwand war für ein *farbenstarkes, barockes Theater* (Kesten), sondern auch Vehikel eines *großen geistigen Entwurfs* (Mayer), formbarer, aber vorgegebener Stoff für *ein wahres Gleichnis.* Sollte dieses Gleichnis verständlich werden, sollte es ein Publikum finden oder das Publikum erreichen, für das es geschrieben wurde, so konnte der Autor seinen Roman zwar ohne Rücksicht auf die historische Stimmigkeit komponieren, nicht aber ohne die Einsicht, daß dieser Gegenstand selbst im Bewußtsein des Publikums auf ein bestimmtes Vorverständnis traf, das ebenfalls nicht ›historisch richtig‹ zu sein brauchte. Er mußte sich darüber im klaren sein, ein Feld zu betreten, *das bereits in sich gegliedert, artikuliert und stimmig gemacht, will sagen geschichtlich verstanden war* (Wolfgang Monecke). Daß es in dieser Hinsicht mit dem Gegenstand »Henri IV« seine besondere Bewandtnis hat, zeigt sich, wenn wir uns seine Bedeutung für das europäische, besonders aber das französische historisch-politische Bewußtsein kurz vergegenwärtigen, bevor wir uns den Vorstellungen Heinrich Manns selbst zuwenden, mit denen er in seinen Romanen Geschichte und Gegenwart, ästhetisierende und psychologisierende Historienmalerei und *kraftvolle Parteilichkeit des Tätigen* (Döblin) unlösbar miteinander verband.

Vom Zeitpunkt seines Todes (1610) an ist Heinrich IV von Frankreich und Navarra — hierin wohl nur von Saint-Louis erreicht und von Jeanne d'Arc übertroffen — ein Gegenstand der historischen Legende [19] gewesen. Bestimmte Ereignisse seiner Regierungszeit aus ihrem historischen Kontext herauslösend, formten sich die folgenden Jahrhunderte — zumeist aus politisch-propagandistischem Anlaß — die vielfältigsten Vorstellungen und Bilder von diesem König — alle immer ›irgendwo‹ in der Überlieferung verwurzelt und sie doch stets abwandelnd und verbiegend. Es begann im Grunde schon zu Lebzeiten des Königs. Heinrich IV verstand es meisterhaft — nur Richelieu erwies sich ihm darin überlegen —, die Waffe der Selbstdarstellung und Hofpropaganda für sich zu nutzen. Gegen Ende seiner Regierungszeit entstand unter der Aufsicht des Hofes eine förmliche Propagandaliteratur; ihr einziger Zweck war es, die Geschichte und Größe, das Mysterium des französischen Königtums zu preisen und so die Aufmerksamkeit von den großen Streitfragen der Vergangenheit abzulenken. Noch heute wird in der Literatur über Heinrich IV mit der — inzwischen auch von Walter Jens am Beispiel Caesars erprobten — Vermutung gespielt, der König habe sich ›zur rechten Zeit‹ ermorden lassen in der Erkenntnis, die vor ihm liegenden Kriege könnten seinem Ruf als *pacificateur* abträglich sein. [20]

Wie so häufig bei historischen Legendenbildungen, ließ sich auch die Geschichte Heinrichs IV für ganz unterschiedliche und entgegengesetzte Zwecke einspannen. Das zeigte sich schon bald nach den Dolchstößen Ravaillacs. Die sich immer mehr auf ihre italienischen Favoriten stützende, in den Sog innerer Macht- und Parteikämpfe geratende Königin und Regentin Maria von Medici bedurfte der nun weit mehr als zu seinen Lebzeiten anwachsenden Popularität ihres Gatten. Daß man in der Regentschaft Marias, die gern als Zeit der ›Devoten‹ bezeichnet wird, das

Bild des katholischen, devoten, dem Papst und den Jesuiten ergebenen Henri IV pflegte, wirkte sich bis an das Ende des 17. Jahrhunderts aus, denn nur so konnte er *Henri le Grand* werden, der Musterkönig Bossuets und Péréfixes. In den zunehmend zum ›italienischen‹ Hof in Opposition tretenden hohen Gerichtshöfen — der von humanistischen Juristen durchsetzten institutionellen Basis des neuen Amtsadels — entstand zur gleichen Zeit das ebenso lebenskräftige Bild des ›liberalen‹ Henri IV; sein tatsächlich durchaus nicht spannungsloses Verhältnis zu den Gerichtshöfen wurde jetzt zum Muster einer vertrauensvollen, auf den Grundgesetzen der Monarchie beruhenden, man ist versucht zu sagen ›konstitutionellen‹ Zusammenarbeit umgedeutet. Diesem Tatbestand verdankte Heinrich IV seine ungebrochene Popularität in der »Fronde«, der schwersten Krise der französischen Monarchie vor 1789.

Selbst in der Zeit Ludwigs XIV, als die Sonne von Versailles alle sich regenden Ansätze geistiger und politischer Autonomie zu versengen drohte, blieb das Bild Heinrichs IV strahlend wie eh und je. La Fontaine, Molière, die Libertins hielten es Ludwig XIV ebenso mahnend vor Augen wie Bossuet, sein Staatstheoretiker, oder Péréfixe, sein Erzieher, der Verfasser der ersten bedeutenden Lebensbeschreibung des Béarners. Neben diesen offiziösen Manifestationen der Legendenbildung Heinrichs IV. nahmen im 17. Jahrhundert auch jene Züge seiner Wirkungsgeschichte Gestalt an, die an bestimmte spektakuläre Handlungen und Aussprüche des Königs anknüpften und seine Beliebtheit bei der Stadt- und Landbevölkerung Frankreichs begründen sollten. Daß Heinrich IV bei der Belagerung von Paris (1592) unter der Hand die Versorgung der Stadt mit Getreide zuließ, wurde schon im 17. Jahrhundert zum Signum seiner Güte und Menschlichkeit; noch die Revolutionäre der Nationalversammlung von 1789 haben ihm hieraus einen Ruhmeskranz geflochten.

Bedeutsame inhaltliche Ausweitungen erfuhr die Legende Heinrichs IV. im 18. Jahrhundert, dem Jahrhundert, das mit seiner Henri-Quatre-Verehrung, mit seinem Henri-Quatre-Kult das Bild dieses Königs bis heute in vieler Hinsicht bestimmt hat. Mit dem Tod Ludwigs XIV (1715) hörte Henri IV auf, der ›aller-christlichste‹, devote, katholische König zu sein, er wurde nun — ein willkommenes Symbol für die Veränderung und Auflockerung der Sitten — zum Skeptiker, zum Deisten, zum Verächter der Dogmen, Kulte, der Jesuiten und des Klerus. Voltaire mit seinen kulturgeschichtlichen Studien und dem Epos »Henriade« war nur der literarische Gipfelpunkt, in seinem Schatten blühte so manche Blume aufklärerischer Henri-Quatre-Verehrung. [21] Das im 17. Jahrhundert geprägte Wort *Paris vaut bien une messe*, von protestantischer Seite häufig gegen den Machiavellisten Henri IV verwandt, wurde nun zu seinen Gunsten ausgelegt.

Zugleich rückte Heinrich IV in der Aufklärung immer mehr auf die Seite jener literarischen und politischen Gruppen und Zirkel, die außerhalb der sich verfestigenden Gesellschaftsordnung des Ancien Régime standen. Als Schöpfer des Edikts von Nantes wurde er nicht nur zum Gegenbild Ludwigs XIV, der eben dieses Edikt im Jahre 1685 (wohlgemerkt unter Berufung auf seinen *verehrten Großvater*) revoziert hatte, sondern zum strahlenden Helden all jener Kräfte, die in ihm die ewigen

Prinzipien der Toleranz und Gewissensfreiheit feierten und sie gegen die Intoleranz und Ungerechtigkeiten des bestehenden Systems ausspielten. Die Menschlichkeit Heinrichs IV, in unzähligen belegten und apokryphen Aussprüchen überliefert, seine starke *sensibilité* und seine Liebesfähigkeit wurden zu literarischen Topoi einer Zeit, die in den *passions* und in der Galanterie positive Werte sah.

Für die zahllosen Wirtschaftstheoretiker des 18. Jahrhunderts — auch sie zumeist in Opposition zur geltenden Rechts-, Wirtschafts- und Eigentumsordnung stehend — wurde die Epoche Heinrichs IV und Sullys gar zum goldenen Zeitalter des Wohlstands und der Prosperität. Frankreich erlebte seit der Mitte des Jahrhunderts eine wahre Flutwelle von ökonomischen Schriften. Vor allem die Landwirtschaft wurde zum Gegenstand heftiger Literaturfehden, welche die Probleme eines Landes spiegelten, das zum ersten Mal Fragen wie Bevölkerungsexplosionen, Preissteigerungen, Handelsfreiheit, Wirtschaftswachstum und Wirtschaftskrisen wissenschaftlich in den Griff zu bekommen versuchte. Heinrich IV, der neue Industrien eingeführt, die Landwirtschaft gefördert, die Steuerlasten der Bauern gemindert, den Adel zur Rückkehr auf das Land ermutigt und koloniale Experimente unterstützt hatte, wurde zum vielgelobten Helden dieser Literatur. Nicht nur François Quesnay und seine Physiokraten sahen in dem König und seinem Minister ihr großes Vorbild; auch ihre leidenschaftlichen Gegner, die für die Freiheit des Handels und die Förderung von Manufakturen kämpften, priesen den Beginn des 17. Jahrhunderts als das goldene Zeitalter des Handels und der Industrie.

Neben dem religiösen Skeptiker, dem Ökonomisten und dem *Vert galant* trat schließlich der Wohltäter der Menschheit auf die Bühne des 18. Jahrhunderts, der Friedenskönig, der Henri IV des *Großen Plans*, den man in Rousseaus Emile wiederzuerkennen glaubte. Ähnlich wie später Heinrich Mann, sah das 18. Jahrhundert in diesem Plan das Vermächtnis der Epoche Heinrichs IV, ihre historische Essenz. Hatte schon Péréfixe der Idee einer Förderation von europäischen Monarchien und Republiken, dem *Völkerbund zum ewigen Frieden,* größte Aufmerksamkeit geschenkt, so wurde sie nun von so verschiedenen Geistern wie Saint-Pierre, Pierre Bayle, Necker und Kant aufgenommen und weitergesponnen. Daß Voltaire der Historizität dieses Plans keinen rechten Glauben schenken mochte, konnte seinen Siegeszug nicht aufhalten, der bis zum Beginn unseres Jahrhunderts anhielt und die *réputation humanitaire* Heinrichs IV so nachhaltig begründete.

Einen letzten Höhepunkt fand die Wirkungsgeschichte Heinrichs IV zu Beginn der großen Revolution; und wieder identifizierten sich ganz verschiedene, einander bekämpfende politische Gruppen mit dem König. Ludwig XVI lenkte an den Pflegestätten des Henri-Quatre-Kults — am Pont-Neuf, in St. Denis und in La Flèche — einige Strahlen von dem Glanz des Vorfahren auf sein schwaches, gefährdetes Regiment. Die zur ›adligen Revolution‹ drängende Aristokratie wählte Heinrich IV zum Leitbild ihres Kampfes gegen den gleichmacherischen Despotismus. Der zum Bewußtsein seiner selbst kommende dritte Stand kleidete in seinen Beschwerdeheften für die Generalstände von 1789 seine tief verwurzelte

Sympathie für die Monarchie in die Gestalt des *bon roi Henri* und pries ihn noch von der Rednertribüne der Nationalversammlung herab.

Erst mit dem Sieg der Republik geriet auch Heinrich IV. in den Sog der sich überall im Lande regenden antiköniglichen Strömungen und Demonstrationen. Was sich 1792 an Unmut über die Institution Königtum und über ihren letzten, unglücklichen, unfähigen Vertreter entlud, ließ auch den ersten Bourbonen auf dem französischen Thron nicht ungeschoren. Die Königsgräber in St. Denis wurden geschändet, das Denkmal am Pont-Neuf verschwand. Daß ein anderes seit langem wieder dort steht — wahrlich keine Kultstätte mehr, weit eher eine historische Kuriosität —, verdanken wir dem 19. Jahrhundert. Es zog Heinrich IV noch einmal in den Wirbel politischer Meinungs- und Parteikämpfe, in deren Verlauf ihn Monarchisten und Republikaner, Orleanisten, Legitimisten und zeitweise selbst Sozialisten für sich beanspruchten. Doch je häufiger solche Versuche in die Nähe der politischen Karikatur gerieten, um so mehr verblaßte das Bild Heinrichs IV, wie es die Aufklärung überliefert hatte. Die Ereignisse der Revolution, die Gestalt Napoleons ließen Henri IV im 19. Jahrhundert in den Schatten treten. Eine Gesellschaft, die sich selbst historisch zu begreifen begann, suchte und fand andere Orientierungspunkte für ihre historisch-politische Standortbestimmung. Eine allmählich zu ihrer kritischen Methode findende Geschichtswissenschaft — auch sie bis heute nicht frei von legendenhaften Deutungen seiner Geschichte — schaffte Distanz zu dem König; was bisher in literarischer und mündlicher Überlieferung gepflegt worden war, wurde jetzt sorgsamer gewogen und geprüft.

Der Große Plan Heinrichs IV traf schon seit der Mitte des 19. Jahrhunderts auf wachsende Skepsis. Kurz vor der Jahrhundertwende war es dann so weit: der Plan entpuppte sich als Alterswerk des Ministers Sully, lange nach dem Tod des Königs niedergeschrieben und in seinem ideellen Gehalt weit mehr ein Produkt der Richelieu-Zeit als eine getreue Wiedergabe der politischen Ideenwelt Heinrichs IV. [22] Die Memoiren des Ministers, bis heute die bedeutendste Quelle für die politische und Wirtschaftsgeschichte der Zeit, erwiesen sich als höchst kompliziertes Gemisch aus Wahrem und Falschem, aus nüchternem Rechenschaftsbericht und übersteigerter Selbstdarstellung.

Der König Henri IV aber wurde vieler seiner großen Ideen beraubt, um deretwillen ihn das 18. Jahrhundert gefeiert hatte. Das Edikt von Nantes, größtenteils eine wörtliche Reproduktion früherer Edikte, wurde nicht zum Erfolg, weil es neue, bisher undenkbare Maßstäbe der Toleranz und Gewissensfreiheit gesetzt hätte, sondern weil der König, von dem Kampf mit dem allmählich erschöpft in sich zusammenfallenden spanischen Weltreich befreit, seine Umsetzung in praktische Politik einigermaßen sichern konnte — ein Versuch, den Katharina von Medici mit anderen Religionsedikten mehrfach sehr ernsthaft unternommen hatte. Das goldene Zeitalter Heinrichs IV nimmt sich aus der Distanz neuerer Forschungen weniger prächtig aus als es Quesnay und seine Gegner ahnen konnten. Die Popularität Heinrichs IV war im wesentlichen ein Werk seiner Nachfolger; der König besaß zu seinen Lebzeiten sehr viele Feinde, weil er zu häufig den Tyrannen spielen mußte. Der Große Plan schließlich — niemand weiß eigentlich so recht, was der König im Sinn hatte, als er 1610 einen militärischen Eingriff in den jülischen Erbfolge-streit vorbereitete; sicher etwas Antihabsburgisches; aber einen Völker-bund?

Heinrich Manns Henri-Quatre-Romane stellen den bedeutendsten Ver-such unseres Jahrhunderts dar, die vielfältigen Traditionen der Legende Heinrichs IV neu zu beleben. Und wie alle seine Vorgänger, die ihre politischen Wünsche und Hoffnungen in die Gestalt des *bon Henri* ge-kleidet hatten, verband auch Heinrich Mann mit diesem Versuch poli-tische Zielsetzungen. Aus seinen politischen Essays [23] nach 1933 und aus seinen Lebenserinnerungen »Ein Zeitalter wird besichtigt« [24], in die viele Bemerkungen zum Entstehen und Gehalt der Romane eingestreut sind, erfahren wir, daß der »Henri Quatre« nur in einem äußerlichen Sinne als Exil- oder Emigrationsroman bezeichnet werden kann, daß er keinesfalls ein Dokument des Rückzugs aus der Gegenwart in die Geschichte, ein Produkt der *Verzweiflung des Exils* war, in dem *deutsche Schriftsteller Trost und Rat in der Geschichte* [25] suchten.

Der erste Anstoß zu dem Plan kam nicht im Exil, sondern zu einer Zeit, als nichts darauf hinzudeuten schien, daß sich Heinrich Mann zu einer so überraschenden Themenwahl entschließen würde: 1925, bei einem Besuch in Pau, dem Schloß des guten Königs Henri. Der erste Kontakt wird in den Lebenserinnerungen zugleich privat und politisch motiviert: *Henri Quatre, oder die Macht der Güte. Die Mächte der Bosheit, der Dummheit und der leeren Herzen hatten X — wie sich Heinrich Mann im »Zeitalter« nennt — viel früher bewogen, sie darzustellen. Die Kennt-nis der Dritten Republik machte ihn empfänglich für ihre Herkunft: der einzige König meldete sich an. Es war im Schloß von Pau, am Fuß der-selben Pyrenäen, die X dereinst ersteigen wird, um sich zu retten ... 1925 war nur der eine Fremde einbegriffen in einen Schub französischer Touristen. Sie besichtigten das Schloß des guten Königs Henri. Alle kann-ten ihn, und nur ihn. »Der einzige König lebt bis heute bei — den Armen«, sagt ein Vers des achtzehnten Jahrhunderts sogar. X war sehr unruhig, blieb in den verlassenen Zimmern allein zurück, besann sich auf alte An-triebe, endlich fühlten sie ihre Befriedigung kommen. Was war es doch? Er wußte nicht, während es ihn verlangte.* [26]

Man muß die außergewöhnlichen politischen und psychologischen Um-stände der Frankreich-Besuche Heinrich Manns vor 1933 kennen, die Pierre Bertaux jüngst beschrieben hat, [27] um das Erlebnis seiner ersten persönlichen Begegnungen mit französischen Intellektuellen, mit fran-zösischer Landschaft und Geschichte zu begreifen, das noch in den Erin-nerungen nachklingt. Fand hier, in der entfernten, südlichen Region eine erste Distanzierung zur Gegenwart der deutschen Republik statt? War hier schon eine Vorahnung im Spiel vom *Zusammenbruch der deutschen Demokratie an ihrer eigenen Schwäche, an zuviel utopischem Gehalt*, die Heinrich Manns Interesse *auf merkwürdigen Umwegen der Selbstre-vision* [28] einer großen historischen Persönlichkeit zuwenden ließ? Oder deutete sich nicht doch eine Flucht in die Geschichte an, wenn Heinrich Mann bei der Begegnung mit Henri IV eine *wunderbare Ermutigung* empfand? — *die Ermutigung, leibhaftig zu sehen: der menschliche Reich-*

tum — nicht die gewohnte verkümmerte Natur ohne Wissen — kann
machtvoll sein. Ein Mächtiger kann auch lieben, wie dieser König seine
Menschen: trotz ihnen und in voller Kenntnis ihrer Gebrechlichkeit, nur
um seine weiß er ebenso gut. [29]

Der Plan blieb liegen, *wartete*, bis er 1932 in Berlin wieder aufgenommen und seit 1933 in Frankreich ausgeführt wurde. Heinrich Mann lehnt
im »Zeitalter« die Bezeichnung Exil für seinen Frankreichaufenthalt
nachdrücklich ab — mit einer bemerkenswerten Begründung: *Um seines*
Henri Quatre willen hatte auch er an dem Land, das kein Exil war, sei-
nen Anteil und sein Recht. Nicht viele mitlebende Franzosen haben für
Frankreich mehr getan als er mit seinem Roman. Von Frankreich emp-
fangen haben in aller Welt wohl mehrere: bliebe zu wissen, was. Es will
gestaltet sein. [30] Stand im Rückblick auf den Besuch 1925 noch das Erlebnis der Begegnung mit der Geschichte im Vordergrund, mit neuen, dem
Autor bis dahin unbekannten Erfahrungen, so wird die Wahl des Themas
»Henri Quatre« jetzt anders, aktueller motiviert. Auf dem Weg über
seinen Romanhelden identifiziert sich der Autor mit der gastgebenden
Nation, ja, er erhebt den Anspruch, etwas für sie *getan* zu haben. Der
politische Schriftsteller Heinrich Mann tritt wieder hervor, der sich in
Deutschland mit seinem Zola-Essay zum *anklägerischen nationalen Ge-*
wissen (Monika Plessner) aufgeworfen hatte, nur jetzt in einem anderen
Raum, mit anderen Aufgaben und einem anderen Gegenstand.

In seinen Erinnerungen gibt Heinrich Mann darüber Auskunft, was
es für ihn in Frankreich und für Frankreich ›zu tun‹ gab: *Ich betrat*
Frankreich 1933, da erwarteten es Leidenschaften, Untaten und großes
Weh. Die dünne Schicht der Reichen, ermutigt und erbost durch ihrer
aller Hitler, sollte beides, Mut und Bosheit, an der Gesamtheit der De-
mütigen auslassen. Die Schicht der Reichen hat ihrem fremden Vorbild
geglaubt, anstatt einem volkstümlichen Frankreich, das nicht mehr ihres
war; dem Vorbild hat die dünne Schicht es verraten. Die Dritte Repu-
blik ist erlegen: ein großes Weh. — Hier steht es von Grund auf anders
mit der deutschen Republik, die keine Geschichte, geschweige eine rühm-
liche hatte, als sie fiel. Sie war schamhaft geboren, ohne viel Ehre wurde
sie beigesetzt. Die französische Dritte Republik ist, kurz und entschieden,
ein Abschnitt, glänzender als die Regierung des Sonnenkönigs, erfolg-
reicher als Napoleon, und an innerem Wert von Sittlichkeit und Güte
nur vergleichbar dem besten aller Könige, Henri Quatre. [31] Überraschen-
de Aspekte in der Geschichtssicht eines Mannes, der in seinem Zola-Essay
von 1915 seinem Bruder und den Deutschen noch sein pathetisches *Keine*
zu großen Männer!... Keine Schicksalsmenschen und Genies! entgegenge-
schleudert hatte. Nicht mehr das französische 19. Jahrhundert und die
Geschichte der großen Revolution, die noch zur Analyse der deutschen
Situation Wesentliches beigetragen hatten, nicht Napoleon oder Ludwig
XIV — einzig die Regierung Heinrichs IV bietet den für diese Gegenwart angemessenen prinzipiellen moralischen Gehalt an, die Geschichte
des guten Königs, seine bereits stimmig gemachte Geschichte wohlgemerkt. Und der Roman über diesen König wird aus der Rückschau des Erinnerungsbuchs nicht nur allgemeines *wahres Gleichnis*, sondern vor allem
Aufruf zur Rückbesinnung, mahnende Erinnerung an unverlierbare Werte

der *Sittlichkeit und Güte,* die von der Nation bereits einmal erworben wurden. Er nimmt alle Züge der Legende Heinrichs IV — die Friedensidee des Großen Plans, die Menschlichkeit des Königs, seine nie aussetzende Verbundenheit mit Volk und Ständen — auf und aktualisiert sie zu einem Weckruf an Frankreich, zur Tröstung für eine Nation, die schon einmal erlebt hatte, was sich in den Ereignissen der Volksfrontzeit andeutete und 1940 dann Realität werden sollte, und die, weil sie sich damals retten ließ, auch diesmal nicht verloren war. *Das Frankreich des Königs Henri Quatre und des Generals de Gaulle ist durchaus das gleiche* — so kommentiert Heinrich Mann die Situation des besetzten Frankreichs. *Beide Male ist seine Vitalität augenscheinlich; sein Lebensgefühl steigt mit seiner Besinnung. Der König und der General haben gegen sich eine tote Masse, damals die Ligue genannt, jetzt der Faschismus.* [32] ›Überakzentuierungen‹, ›Stilbrüche‹, Verzeichnungen, aus der Erregung eines während des Krieges verfaßten Erinnerungsbuchs geboren — gewiß! Und doch belegen sie nur eine Geschichtssicht, die in den wenige Jahre zuvor vollendeten Romanen konsequent angelegt war. Die Dritte Republik ist eine geliebte, gefeierte und betrauerte Epoche. Heinrich Mann setzt ihren inneren Zerfall dem der Weimarer Republik gleich. Beide sind von dem gleichen Virus befallen, dem Virus des Kampfes zwischen guter und schlechter Welt, zwischen den Reichen und Demütigen, zwischen Faschismus und Volk. Doch in Deutschland befiel die Krankheit einen geschwächten Patienten, eine Republik, *die keine Geschichte hatte,* in Frankreich dagegen eine Nation, die zwar anfällig, im Grunde aber immun war, immunisiert nicht erst durch die Revolution, sondern schon durch Henri Quatre, der zu einem vorweggenommenen Teil dieser Revolution wird. *Sollte ich mißverstehen? Die Autorität — wird revolutionär. Eine Seltenheit; man hält sie fälschlich für unerhört, obwohl von den Königen Frankreichs gerade der eine fortlebt.* [33]

So erhält Henri IV wieder die Rolle, die er im 18. Jahrhundert so glänzend gespielt hatte. Ja, mehr noch, nicht nur die Volksnähe und Volksverbundenheit von politischer Autorität wird von Heinrich Mann als die lebendige Tradition Frankreichs in der Gestalt Heinrichs IV aktualisiert, nicht nur sein *Großer Plan* wird als das Muster einer internationalen Friedensföderation beschworen und mit den Plänen Roosevelts und Churchills in Parallele gesetzt; Henri IV wird für den *linken Intellektuellen* Heinrich Mann zu einem historischen Modell für ein Bündnis, das der kritische Analytiker des wilhelminischen Deutschland abgelehnt hätte und dessen Realisierung er in seiner lebenslangen Suche nach der Synthese von *Geist und Tat* doch immer erhofft hatte: das Bündnis von Intellektuellen und Autorität. Daß Frankreich und Europa gerettet werden würden, weil Intellektuelle an der Spitze der Mächte standen, die Hitler bekämpften, durchzieht sein Erinnerungsbuch als feste Gewißheit. *Soviel ist richtig: Figuren, nach der Art unserer ausdrucksvollsten heute, waren dem 19. Jahrhundert fremd. Sollte es ihresgleichen eine besessen haben, mißverstand es sie, weshalb es die Autorität hassen lernte.* [34]

Freilich läßt sich nicht übersehen, wie sehr die politisch-moralische Nutzanwendung des Beispiels Henri IV, wie Heinrich Mann sie in dem Erinnerungsbuch mit dem Blick auf Frankreich erkennen läßt, durch den französischen Zusammenbruch gefördert wurde. Jetzt, nach 1940, im erneuten, nun wirklichen Exil in Amerika, tritt die Sorge um die Rettung Frankreichs ganz in den Vordergrund. Während der Arbeit an den Romanen war zunächst vor allem Deutschland der ersehnte, nicht erreichbare Adressat der Botschaft Heinrichs IV, von deren gesamteuropäischer Bedeutung Heinrich Mann zutiefst überzeugt war. Im Jahr nach der Vollendung des zweiten Bandes erschien in der »Internationalen Literatur« ein kurzer Essay Heinrich Manns mit dem Titel »Gestaltung und Lehre«. [35] In ihm zeichnet der Autor noch einmal mit kräftigen, klaren Strichen die *Gestalt* Heinrichs IV, wie er sie sah, *und die Lehren, die ihr vielleicht zu entnehmen sind.* Der Essay wendet sich an die Deutschen, *die in ihrem Dritten Reich die Erlaubnis nicht haben, die beiden Romane von der »Jugend« und der »Vollendung« des französischen Königs zu lesen, sonst sollten die Romane ihnen sagen: Gebt euch nicht voreilig hin!* [36] Er macht deutlich, wie sehr auch in dieser Zeit noch der Autor des Zola-Essays zu den Deutschen spricht; wenn er zwischen 1914 und 1939 eine Selbstrevision vollzogen hatte, so die, daß der Zusammenbruch der Weimarer und der Dritten Republik sowie das Erscheinen *wahrer* und *falscher Größen* in der europäischen Politik den Dichter zu einem noch vor der Dritten Republik und vor der französischen Revolution liegenden Geschichtsbefund zu greifen zwangen, der seinen ungebrochenen Drang zur beispielhaften Nutzanwendung von Geschichte, *zur sozialen und politischen Utopie* befriedigen konnte.

Wir wissen nicht, wie Heinrich Mann mit der Einsicht fertig wurde, daß viele französische Intellektuelle schon vor 1940 nicht mehr bereit waren, das Beispiel Heinrichs IV so zu interpretieren, wie er es in seinen Romanen vermittelt hatte. Während der Arbeit an ihnen erschien das Buch eines französischen Historikers, der noch heute zu den führenden Repräsentanten der neuen französischen Geschichtsforschung zählt, die schon lange vor Ausbruch des zweiten Weltkriegs unter dem Einfluß der Nachbarwissenschaften Geographie, Ethnographie und Ökonomie eine der bemerkenswertesten Revisionen in der Geschichte der Geschichtswissenschaft eingeleitet hatte: fort von den ›Persönlichkeiten‹ — hin zu den ›Strukturen‹. Der Titel dieses 1935 erschienenen Buchs: »La légende de Henri IV«. [37] Wir wissen ebenso wenig, ob die Romane Heinrich Manns in Frankreich und Deutschland ein Publikum fanden, das ihm sein Gleichnis abzunehmen bereit war. In eben dem Buch, in dem Heinrich Mann seine Hoffnung mitteilt, dieses Gleichnis solle sich, ist die *Zeit der Schrecken* erst einmal überstanden, *als wahr und wirklich erweisen,* blickt er bereits resignierend zurück: *Das sind nunmehr Augen eines schon zurückgetretenen Daseins, diesen X blicken sie an, als wäre er es gar nicht. In den Schatten entlassen zu seinen ältesten Dingen sind auf einmal die kürzlich abgeschlossenen: sogar sein französisches Königsbuch.* [38] Daß es heute bei uns gelesen wird, mag als eine erfreuliche Korrektur dieses Satzes begriffen werden — wenn die Lektüre dieses ›historischen Romans‹ unser Interesse nicht nur auf seinen Gegenstand, sondern auch auf den Autor richtete, der uns einst nicht zu erreichen vermochte.

Anmerkungen

1 Lorenz Winter: »Heinrich Mann und sein Publikum. Eine literatursoziologische Studie zum Verhältnis von Autor und Öffentlichkeit«, Köln und Opladen 1965, klammert die Henri-Quatre-Romane leider aus **2** Vgl. Hans Mayer, in »Deutsche Literatur und Weltliteratur«, Berlin 1957, S. 682 **3** Georg Lukács: »Der historische Roman« (»Probleme des Realismus III«) = Georg Lukács: »Werke« Band 6, Neuwied und Berlin (Luchterhand) 1965. Vgl. vor allem das Kap. 4: »Der historische Roman des demokratischen Humanismus«, S. 305 ff.

4 loc. cit. S. 341 **5** Hans Mayer: »Deutsche Literatur und Weltliteratur«, Berlin 1957, S. 686

6 Alfred Kantorowicz: »Heinrich Manns Henri-Quatre-Romane«, in: »Sinn und Form« Bd. 3/1951, S. 39 f. **7** Edgar Kirsch: »Heinrich Manns historischer Roman ›Die Jugend und Vollendung des Königs Henri Quatre‹. Beiträge zur Analyse des Werks«, in: »Wissenschaftliche Zeitschrift der Martin-Luther-Universität Halle - Wittenberg, gesellschafts- und sprachwissensch. Reihe«, Band 5/ 1955/56; S. 623—636 u. 1161—1205, hier besonders S. 1183

8 Hans Mayer, loc. cit. S. 686 **9** Ulrich Weisstein: »Heinrich Mann. Eine historisch-kritische Einführung in sein dichterisches Werk«, Tübingen (Max Niemeyer Verlag) 1962, S. 163

10 Kirsch, loc. cit. S. 1183 **11** Heinrich Mann: »Die Jugend des Königs Henri Quatre«, zitiert nach der 3. Auflage der Ausgabe des Claassen-Verlags Hamburg, 1960, S. 439—442

12 »Jugend« S. 702 **13** Lukács, loc. cit. S. 341 **14** »Jugend«, S. 59

15 Pierre des Vaissière: Henri IV«, Paris 1928 S. 52

16 »Jugend«, S. 59 **17** Hermann Kesten: »Meine Freunde, die Poeten«, Fischer Bücherei Band 1076, S. 25 **18** Zitiert bei Kirsch, loc. cit. S. 629 **19** In folge hier Roland Mousnier: »L'Assassinat d'Henri IV«, Paris 1964 S. 226 ff., ein Buch, das 1970 im Propyläen Verlag in deutscher Übersetzung erschienen ist, und vor allem Marcel Reinhard: »La légende de Henri IV«, Saint Brieuc 1935 **20** Mousnier, loc. cit. S. 232 **21** Weitere wichtige Bemerkungen, vor allem zur literarischen Nachwirkung Heinrichs IV. in Deutschland, bei Klaus Schröter: »Heinrich Mann in Selbstzeugnissen und Bilddokumenten«, Reinbek b. Hamburg 1967 (rowohlts monographien Band 125), S. 127 **22** Charles Pfister: »Les ›économies royales‹ des Sully et le grand dessein de Henri IV«, in: »Revue historique«, Bände 54—56, Paris 1894

23 Vor allem im 1941 geschriebenen Essay »Der deutsche Europäer«

24 Geschrieben während des Krieges, 1946 zuerst in Stockholm erschienen, heute am besten greifbar in der Ausgabe des Aufbau Verlags Berlin 1947. Eine eindringliche Interpretation bietet Klaus Schröter: »Ein Zeitalter wird besichtigt. Zu Heinrich Manns Memoiren«, in: »Akzente«, 16. Jg., Heft 5/1969, S. 416—433 **25** Jürgen Rühle: »Literatur und Revolution. Die Schriftsteller und der Kommunismus«, München/Zürich (Knaur Paperback 10) 1963, S. 162

26 »Ein Zeitalter wird besichtigt«, Ausgabe des Aufbau Verlags, S. 486

27 Pierre Bertaux: »Der Anfang eines Versuchs. Zu den Briefen an meinen Vater«, in: »Akzente« 16. Jg. Heft 5/1969, S. 400—402 **28** Monika Plessner: »Identifikation und Utopie. Versuch über Heinrich und Thomas Mann als politische Schriftsteller«, in: »Frankfurter Hefte«, Bd. 16/1961, S. 812—826, das Zitat S. 823 **29** »Zeitalter«, S. 486 **30** »Zeitalter«, S. 485 f.

31 »Zeitalter«, S. 401 **32** »Zeitalter«, S. 432 **33** »Zeitalter«, S. 530 **34** »Zeitalter«, S. 530 f.

35 In »Internationale Literatur«, Jg. 9, Heft 6, Moskau 1939, S. 3—5

36 »Gestaltung und Lehre«, S. 5 **37** Von Marcel Reinhard; vgl. Anm. 19

38 »Zeitalter«, S. 485

Hans-Albert Walter

Heinrich Mann im französischen Exil

Der erste Schriftsteller, der 1933 aus Deutschland fliehen mußte, um
der Verfolgung durch den Faschismus zu entgehen, war Heinrich Mann.
Es verwundert nicht, daß gerade mit ihm der Anfang gemacht wurde.
Der Präsident der Sektion Dichtkunst in der Preußischen Akademie der
Künste war der prominenteste Repräsentant progressiver Strömungen
in der bürgerlichen deutschen Literatur. Nur konsequent also, daß er
nach dem 30. Januar 1933 das erste Opfer von Unterdrückungsmaß-
nahmen gegen die Literatur wurde.

Den Anlass hatte seine Beteiligung an einem Aufruf zu den Wahlen
vom 5. März 1933 gegeben. Im Februar 1933 hing ein Plakat, überschrieben »Dringender Appell!«, drei Tage an den Litfaßsäulen. Verlangt
wurde der *Aufbau einer einheitlichen Arbeiterfront, das Zusammenge-
hen der SPD und KPD für diesen Wahlkampf.* Unterzeichnet war das
Plakat unter anderem von Käthe Kollwitz, Heinrich Mann und Willi
Eichler. [1] Die kurz zuvor gleichgeschaltete preußische Regierung setzte
an der quasi offiziellen Funktion von Käthe Kollwitz und Heinrich Mann
an: an ihrer Mitgliedschaft in der Akademie. Nachdem der preußische
Kultusminister Rust vor Studenten eine ›Säuberung‹ der Akademie an-
gekündigt hatte, berief deren Präsident, der Komponist und Dirigent Max
von Schillings, zum 15. Februar 1933 eine Vollsitzung aller Sektionen
ein. Sie sollte Käthe Kollwitz und Heinrich Mann wegen *parteipoliti-
scher Betätigung* ausschließen. Den Verlauf der Sitzung referieren Loerke
in seinen Tagebüchern [2], Heinrich Mann in »Ein Zeitalter wird besichtigt« [3]. Der Sarkasmus, mit dem sich der Exmittierte des Vorgangs noch
nach fast einem Dutzend Jahren erinnert, deutet an, wie wenig er ihn
ernstgenommen hat. Damit übereinstimmend, berichtet Wilhelm Herzog,
Mann habe die Affäre nach seiner Flucht *gar nicht traurig, sondern eher
komisch dargestellt und seine Erzählung mit vielen amüsanten Einzel-
heiten begleitet, indem er die Art, wie der Kultusminister und der Herr
von Schillings ihn bearbeiteten, kopierte, sich immer durch Lachen über
die Komik dieser Herren unterbrechend.* [4]

Kein Zweifel, Heinrich Mann hat sich davon nicht warnen lassen und
an eine Gefährdung offensichtlich nicht geglaubt. Schon Wochen vorher
hatte ihm Wilhelm Herzog vergeblich zum Verlassen Deutschlands geraten. Mann hatte mit der Begründung abgelehnt, er müsse am 3. April
vor der Akademie einen Festvortrag zu Jakob Wassermanns 60. Geburtstag halten. Erst als ihn am 19. Februar, vier Tage nach der Akademie-
Affäre, auch der französische Botschafter André François-Poncet ver-
schlüsselt warnte, entschloß er sich zur Flucht. Zwei Tage später, eine
Woche vor dem Reichstagsbrand, verließ er Berlin und ging, unter Beachtung einiger Sicherheitsmaßregeln, nach Frankreich. *So sieht, will es
scheinen, der Rubikon aus. Hinter dem verhängnisvollen Fluß, den ich
wähle, liegt das Exil.* [5] Bald danach ist seine Berliner Wohnung durch-

sucht worden, und offenbar wurde fälschlich auch von seiner Verhaftung berichtet. Was man faktisch nicht hatte erreichen können, wurde in effigie vollzogen. Bei der Bücherverbrennung am 10. Mai 1933 brannten auch die Werke Heinrich Manns (*Gegen Dekadenz und moralischen Verfall! Für Zucht und Sitte in Familie und Staat! Ich übergebe der Flamme die Schriften von Heinrich Mann...*[6]). Am 26. August des gleichen Jahres stand sein Name auf der ersten Liste derer, denen die Regierung Hitler die deutsche Staatsangehörigkeit aberkannte.

René Schickele notierte nach einer Begegnung mit den beiden Brüdern, im Gegensatz zu Thomas Mann habe das Exil für Heinrich *keine große Veränderung* bedeutet, da er immer in der Opposition gewesen sei.[7] Seine Gelassenheit im Exil ist freilich nicht nur darauf zurückzuführen, sie resultiert zu einem Gutteil auch aus seiner besonders engen Verbundenheit mit dem Asylland Frankreich, das ihm seit je eine zweite Heimat gewesen war. *Gern gestehe ich, daß die sinnlose Sehnsucht nach einem zugrundegegangenen Deutschland mich in der Verbannung nie belästigt hat. Hitler-Deutschland hätte mich abgestoßen, wäre ich auch keines seiner vorgesehenen Opfer gewesen. Dagegen brachten mir die Atmosphäre Frankreichs und seiner Sprache gerade den Gewinn, der in diesem Zeitpunkt der willkommenste war. Ohne Vorausberechnung der Ereignisse und meiner veränderten Lage hatte ich unternommen, die Geschichte eines Königs von Frankreich zu schreiben.*[8] Gemeint ist der Roman »Die Jugend und die Vollendung des Königs Henri Quatre«, sein wohl bedeutendstes Werk. Dem Stoff hatte er sich schon Mitte der zwanziger Jahre genähert. Mit der Niederschrift begann er im Herbst 1932. Das Manuskript dürfte noch sehr schmal gewesen sein, als er Deutschland hatte verlassen müssen.

Es mag eigenartig berühren, daß der Exilierte sich nach dem Sieg des Faschismus, in einer Zeit extremer politischer Bedrohung mit einem historischen Stoff beschäftigte. Hier scheint ein Widerspruch zu bestehen zu seiner politischen Aktivität, die sich in Zeitungsartikeln, Reden und Aufrufen ebenso äußerte wie in seinen Bemühungen um das Zustandekommen einer deutschen Volksfront. Geht der Schriftsteller Heinrich Mann andere Wege als der Publizist? Wird die Literatur von der Politik getrennt?

Nein. Auch der historische Roman ist deutlich auf die Gegenwart bezogen. Man darf nur lediglich Zeitgenössisches nicht mit Aktuellen verwechseln, die Aktualität nicht vom Datum abhängig machen. Was er beim »Henri Quatre« anstrebte, hat Heinrich Mann in dem Essay »Gestaltung und Lehre« gesagt: *Wir werden eine historische Gestalt immer auch auf unser Zeitalter beziehen. Sonst wäre sie allenfalls ein schönes Bildnis, das uns fesseln kann, aber fremd bleibt. Nein, die historische Gestalt wird, unter unseren Händen, ob wir es wollen oder nicht, zum angewendeten Beispiel unserer Erlebnisse werden, sie wird nicht nur bedeuten, sondern sein, was die weilende Epoche hervorbringt oder leider versäumt. Wir werden sie den Mitlebenden schmerzlich vorhalten: seht dies Beispiel. Da aber das Beispiel einst gegeben worden ist, die historische Gestalt leben und handeln konnte, sind wir berechtigt, Mut zu fassen und ihn anderen mitzuteilen.*[9]

Damit setzte sich Heinrich Mann gründlich von den Methoden anderer exilierter Schriftsteller ab, die gleich ihm das Genre des historischen Romans gepflegt haben. Von der Notwendigkeit aktueller Bezüge gingen sie zwar fast alle aus. Der Unterschied liegt in der Art, den historischen Stoff zu behandeln. Eine oberflächliche Anschauung der eigenen Epoche wie der Geschichte wird beinahe zwangsläufig zu nur äußerlichen Analogien führen können. In der während des Faschismus geschriebenen deutschen Exilliteratur gibt es eine ganze Anzahl von Werken, die dafür den Beweis liefern. Es ist schließlich kein Zufall, daß sich ein Stoff wie die spanische Judenverfolgung des Mittelalters, Figuren wie Nero, Philipp II Napoleon I, Napoleon III oder Ignatius von Loyola bei exilierten Schriftstellern großer Beliebtheit erfreuen. Die Behandlung solcher Sujets erschöpft sich fast immer in dem Bemühen, aktuelle Ereignisse historisch zu illustrieren und zu illuminieren, sie in mehr oder minder passende historische Gewänder einzukleiden. Den Extrempunkt erreichte dabei Lion Feuchtwanger mit seinem Roman »Der falsche Nero«. Das Zeitgenössische wird hier in ein historisches Milieu mehr hineinkonstruiert als eingekleidet. Die Hauptfigur, der Töpfer Terenz, ist sehr schnell als Hitler, seine Freunde sind als Göring, Goebbels etc. zu identifizieren. Mit politischen Protagonisten und Komparsen wird auch das Kalendarium, der Ablauf der vordergründigen Ereignisse historisch kostümiert — beispielsweise macht Feuchtwanger aus dem Reichstagsbrand einen Deichbruch, den man politischen Gegnern zur Last legt, usw. Gerade da beginnen seine Schwierigkeiten mit der Umsetzung des Faktischen ins Fiktive. Über Vordergründiges und Äußerliches kommt er nicht hinaus. Das Beispiel dieses Romans zeigt gründlich, daß politische, ökonomische, gesellschaftliche und geistige Konstellationen einer Epoche nicht austauschbar sind, daß man sie nicht nach Belieben in eine andere transponieren kann.

Heinrich Mann hat diese Methode bewußt vermieden. Klaus Schröter wies darauf hin, daß Mann zu Anfang seiner Beschäftigung mit dem Henri-Quatre-Stoff eher von Henris Gegenspielern, von den spanischen Habsburgern und dem Verfall ihrer Macht angezogen worden sei. [10] Angesichts der politischen Umstände unmittelbar vor und im Exil hätte es gewiß nahegelegen, diese Linie weiterzuverfolgen. Nun verlagerte sich aber Heinrich Manns Interesse immer stärker auf Henri, und wenn man seine Theorie des historischen ›Beispiels‹ berücksichtigt, könnte gerade das eine auch politisch motivierte Ursache gehabt haben. Stand denn der Verfall der ›habsburgischen‹ Macht anno 1932 noch zur Debatte? Mußte nicht im Gegenteil gezeigt werden, wie man sich ihrer erwehren konnte? Und bot nicht Heinrich IV, der den französischen Nationalstaat aus Religionskriegen gerettet und seine Einheit gefestigt hatte, dazu ein überzeugendes Beispiel? Es zeigt also die ungleich weiteren Dimensionen seines Denkens, wenn Heinrich Mann, anders als so mancher seiner Freunde, den Akzent auf das Beispielhafte der historischen Gestalt legte.

Er ging von der Vergleichbarkeit des Handelns, von der Ähnlichkeit der Epochen und großen Konstellationen aus, nicht von scheinbar übereinstimmenden Details im Stofflichen. Sicherlich wich er mit seiner Konzeption da und dort von historisch Belegbaren ab, unterdrückte Charakterzüge einer Gestalt, hob andere stärker hervor, ließ Ereignisse weg und erfand andere Begebenheiten — er schrieb schließlich einen Roman, kein Werk der Geschichtswissenschaft. Wesentlich ist indes, daß er seine Fabel nicht aus zeitgenössischen Entsprechungen entwickelte oder an sie anpaßte. Weil er dies vermied, kam er zu einer viel gültigeren Gestaltung des Aktuellen, konnte er seine Epoche zugleich umfassender und vermittelter widerspiegeln.

Heinrich IV, König von Frankreich, ist das ›Beispiel‹ für die Volkstümlichkeit des Guten. Der junge Prinz vom Geblüt, der im kleinen Fürstentum als Hugenotte beginnt; der Lebensgefahr kennt und Gewissensunterdrückung erleidet wie der geringste der Franzosen; der an Katharina von Medicis Hof den Metzeleien der Bartholomäusnacht nur knapp entgeht und eine harte Schule der Verstellung und List zu absolvieren hat, bis er seines Lebens wieder einigermaßen sicher sein darf; dem das Volk zuströmt, als er das verrottete Königshaus der Valois, den machtsüchtigen Interessenklüngel der Liga bekämpft; Heinrich, der seiner protestantischen Religion abschwört, weil sie dem Frieden und der Einheit des Landes hinderlich ist; der als Katholik mit dem Edikt von Nantes den Hugenotten Anerkennung verschafft; der für sein Land die Periode der Religionskriege abschließt, die des friedlichen Wohlstands einleitet; der die Adelsrechte beschneidet, die der Bürger erweitert; der König schließlich, der mit seinem ›Großen Plan‹ die spanisch-habsburgische Tyrannei bekämpfen und die Freiheit in Europa stärken will: dieser König ist in der Tat ein Beispiel, das berechtigt, *Mut zu fassen und ihn anderen mitzuteilen.*

Henri ist ein Humanist, was Heinrich Mann einmal damit umschrieben hat, *daß nichts Menschliches ihm zu gering war* und: *Humanismus heißt, den Menschen kennen und von einer umfassenden Sympathie für das Leben erfüllt sein.* [11] Der Begriff Humanität schließt Toleranz und Vernunft ein. In einer Schlüsselszene des Werks stellt Henri seinem Lehrer und Freund Montaigne die Frage nach der wahren Religion. *Was weiß ich?* ist Montaignes Antwort. Die Lehre, die Henri da erhalten hat, wird an anderer Stelle verdeutlicht: *Wir sind als Menschen erschaffen worden von Gott, sind das Maß der Dinge, und nichts ist wirklich, als was wir anerkennen nach eingeborenem Gesetz ... Denn es ist die Erkenntnis ein Licht und wird ausgestrahlt von der Tugend. Schurken wissen nichts.* [12] Solche Wechselbeziehung zwischen moralisch-sittlicher Qualifikation und fortschrittlichem Denken ist eine Grundmaxime Heinrich Manns. Nur das Progressive wirkt humanisierend, nur der moralisch Integre ist nach seiner Ansicht der Vernunft und Einsicht fähig.

Im Falle des Königs Henri darf Einsicht wörtlich verstanden werden als ein Hineinsehen in sein Volk. Der König kennt es genau, weil er sein Leben, seine Leiden und Nöte geteilt hat, weil des Volkes Freuden die seinen sind. Aus dem Volk gewinnt er die Kraft zu seiner fortschrittlichen Politik. Was in den Menschen als unbewußte Sehnsucht lebt, führt er aus. Er faßt zusammen, setzt in Taten um, was die Besten der Zeit wissen, die Massen aber nur ahnen. In Freiheit und Toleranz betreibt er die Politik von Freiheit, Toleranz und sozialer Gerechtigkeit. Henri ist eine humanistische Führergestalt, und dazu gehört, daß er seine Macht weder erschlichen hat noch sie zu eigensüchtigen Zwecken nutzt. Er hat, wie Heinrich Mann es nennt, lange dienen und sich bewähren müssen, bevor sein Volk ihn anerkannte als ›seines gleichen‹, will sagen: bis das Volk ihm vertraute. Und diese Bewährung oder ›Vollendung‹ bestand eben darin — und war nur möglich weil Henri die Sache des Volkes führte, weil er d e s s e n Interessen zu den seinen machte — nicht umgekehrt. Das macht den wahren Volksführer aus, und der Gegensatz zu den selbsternannten von Heinrich Manns Zeit ist so schreiend wie offenkundig. Im Roman wird das konkret gezeigt an den zahllosen Begegnungen zwischen dem König und seinen Bürgern, Begegnungen von gleich zu gleich, denn Henri ist einer der ihren. *Ich bin Prinz vom Geblüt und bin Volk gewesen. . ., man muß das eine und das andere sein. . .* [13] Das sollte nicht als Floskel aufgefaßt werden. Es ist die treffendste Charakterisierung. Henri ist wirklich so lebensvoll, so einfach und klug, gewitzt und erfahren, auch verschlagen, ist listig, gütig, bescheiden, hitzköpfig und humorvoll, gelegentlich unbesonnen, zaghaft und wankelmütig wie ein Mann aus dem Volk, und doch überlegen, doch voller Weitblick und Größe: eine durch und durch natürliche Figur. Sie muß nicht künstlich vermenschlicht werden, damit ihr ethischer Anspruch Farbe, Fleisch und Blut bekomme. Vielmehr wächst aus den Vorzügen und Schwächen des Menschen Henri der ethische Anspruch, das moralische Element heraus. — Dies ist das ›Beispielhafte‹ der historischen Gestalt und des historischen Stoffs, und auf dieser Basis ist es dann höchst legitim, wenn sich Heinrich Mann — selten und sehr sparsam — jener Techniken als Charakterisierungsmittel bediente, die für Feuchtwanger Gestaltungsprinzip waren. Der Herzog von Guise etwa bleibt der Herzog von Guise, der Prediger Boucher tritt nicht aus seiner Rolle, auch wenn sie durch Zitierung Hitler'scher oder Goebbels'scher Verhaltensweisen gewissermaßen kenntlich gemacht, in ihrem eigenen Wesen verdeutlicht werden. Es sind Episoden, satirisch-groteske Anspielungen, nicht mehr. Von den großen Konstellationen, von der geistigen Problematik lenken sie nicht ab, sie erhellen sie vielmehr.

Die Konzeption des »Henri Quatre« bezeichnet eine strikte Gegenposition zur Nietzsche-Verehrung des jungen Heinrich Mann. Direkt angesprochen wird das in dem seit 1939 nicht mehr gedruckten Nietzsche-Essay. Cesare Borgia nennt Mann nunmehr die *Gestalt eines unglücklichen Abenteurers,* in die *der Erdichter des Übermenschen sich vergaffte.* Ihm stellt er den *wahren Fürsten der Renaissance* gegenüber — Heinrich IV. Nietzsches Anbetung der ›Starken‹ und ›Vornehmen‹, seiner Verherrlichung von Gewissenlosigkeit und Gewalt wird Henris Leitspruch von der Volkstümlichkeit des Gutseins entgegengehalten. [14] Indes wäre dieser Leitspruch ein im Idealen angesiedeltes, zur Folgenlosigkeit verurteiltes Zeugnis platonischen Gutseinwollens, hätte Heinrich Mann nicht auch gezeigt, daß Humanität nicht umsonst zu haben ist. Der Humanist muß aktiv werden und kämpfen, wenn er ihr zur Realität verhelfen will. Er darf sich nicht scheuen, sie wenn nötig auch mit Gewalt durchzusetzen. Mit einer Gewalt, die sich durch ihre Ziele rechtfertigt und so abgegrenzt ist von der des Gegners. So hat Henris Humanismus offensiven Charakter — nur weil er aktiv ist, kann der König sein Programm durchsetzen, nur deshalb vermag er sich zu vollenden und das Ziel nach dem Maß seiner Kräfte zu erreichen:

Das muß man wissen: wer denkt, soll handeln, und nur er. Dagegen gibt es das sittlich Ungeheure außerhalb der Grenzen der Vernunft. Das ist die Sache der Unwissenden, die gewalttätig werden durch ihre ausschweifende Dummheit. Ihre Versuchung und Gelegenheit ist die Gewalt. Seht den Zustand des Königreiches! Es verwahrlost, es wird ein Morast aus Blut und Lüge, und kein gerades, gesundes Geschlecht könnte auf einem solchen Boden noch heranwachsen, wenn nicht wir Humanisten auch ritten und zuschlügen. Des werden wir Sorge tragen. Verlaßt euch, daß wir reiten und zuschlagen! [15]

Die aktuelle Komponente ist unverkennbar: der Blick des Exilierten auf das *Königreich*, auf Deutschland, seinen *Morast aus Blut und Lüge*, auf seine faschistischen Machthaber, die *Unwissenden, die gewalttätig werden durch ihre ausschweifende Dummheit*. Auch markiert diese zentrale Stelle des Romans, daß sich bei Heinrich Mann ein entscheidender Bewußtseinswandel vollzogen hat. Man vergleiche sie nur mit dem, was er an anderer Stelle über sein und seiner Freunde Verhalten im vorfaschistischen Deutschland geschrieben hat: *Meinesgleichen hat bis an die Grenze der Kraft nie gehandelt: wir erkannten, was war, und ließen es zu. Wir haben kaum gekämpft.* [16] Bei Henri hingegen bilden Denken und Handeln eine Einheit, aus dem Erkennen folgt das Tun. In den Roman ist also eine starke Selbstkritik Heinrich Manns eingegangen. Sie beweist, wieviel er selbst in der Zwischenzeit gelernt, welche Folgerungen er aus seinen Irrtümern gezogen hat.

Doch nicht nur seine eigenen Anschauungen hat er korrigiert. Mit »Die Jugend und die Vollendung des Königs Henri Quatre« hat er der gesamten Exilliteratur ein ›Beispiel‹ gegeben. Das Genre des historischen Romans wurde im Exil vor allem von bürgerlichen Schriftstellern gepflegt. Bedingt durch die politischen Einflüsse der Zeit, hat es eine wichtige Entwicklung durchgemacht. Georg Lukács hat sie bereits 1938 nachgezeichnet [17] und dabei vier Werke als charakteristische Stationen genannt: Stefan Zweigs Erasmus-Biographie, Bruno Franks Roman »Cervantes«, Feuchtwangers »Josephus« und den »Henri Quatre«. Rückblickend läßt sich sagen, daß das wohl eine zu enge Umgrenzung gewesen ist. Vor den genannten müssen jene Werke betrachtet werden, die ausschließlich von der vermeintlichen Abbildung des Faschismus in historischen Gleichnissen zehrten.

Die Schöpfer dieser Napoleons und Loyolas, dieser Philipps, Ferdinande und Isabellen: über die mehr oder minder gelungene Stilisierung des Gegners kommen sie kaum einmal hinaus. Ein fatalistisches ›So ist es damals gewesen, so ist es heute‹ durchzieht viele dieser Werke. Da gibt es weder eine Perspektive in die Zukunft noch eine Alternative. Gebannt und gelegentlich auch untergründig fasziniert vom Schrecken, starrt der Verfasser auf diese Konfiguration des Bösen, sie allein zieht seinen Blick auf sich. Dieser untersten Entwicklungsstufe folgen jene Interpretationen, bei denen — wie in Stefan Zweigs »Triumph und Tragik des Erasmus von Rotterdam« — ein eskapistisches Verhalten dominiert. Der Humanismus ist da nicht mehr fatalistisch, gleichwohl bleibt er untätig. Für Stefan Zweig war Humanismus mit konsequentem Nicht-Handeln identisch, er definierte ihn als seinem Wesen nach nicht-revolutionär. Darauf folgen Werke, die den Humanisten als Rebellen zeigen. Bruno Franks Cervantes findet zu seiner Aufgabe und erfüllt sie, obwohl er sie rational nicht zu erfassen vermag. Die Ursache seiner leidvollen Erfahrungen macht er sich nicht bewußt, er rebelliert aus dem Gefühl, aus dem Verfasser höfisch gedrechselter Verse wird der Dichter des volksnahen Don Quijote. Einen ähnlichen Weg durchläuft Feuchtwangers Flavius Josephus.

Gemessen an »Die Jugend und die Vollendung des Königs Henri Quatre«, sind das alles Vorstufen. Henri lernt in der harten Schule des Leidens zu denken, er reflektiert seine Erfahrungen und vollendet sich zum Revolutionär, zum bewußten und planvollen Veränderer seiner Welt. In ihm hat der Humanismus seine Reife erlangt, ja, der Humanismus-Begriff selbst hat sich völlig gewandelt.

Das sieht man schon bei einem Vergleich der Fabeln. Bei den Romanen der untersten Stufe, etwa bei Kestens »Ferdinand und Isabella« oder bei seinem »Philipp II«, stehen die negativen, gegnerischen Gestalten im Zentrum. Sie allein handeln, bestimmen das Geschehen und sind übermächtig. Wer gegen sie antritt, unterliegt — wenn er es nicht überhaupt vorzieht, schicksalsergeben zu leiden und unterzugehen. Die Vertreter des Humanen in der Fabel — nach dem Selbstverständnis der Exilierten also die der eigenen Sache — sind selbstverständlich positiv charakterisiert, doch nie wirkliche Gegenspieler des ›Bösen‹. Kestens Egmont geht infolge eigenen Verschuldens zugrunde, sein Oranien erhält kaum recht Konturen, der Freiheitskampf der Niederlande wird in einem Wust anderer Fakten begraben, die Auseinandersetzung Phillipps II mit England, die Vernichtung der spanischen Armada tauchen im Roman überhaupt nicht auf. Man sieht, wie Hermann Kesten alle Möglichkeiten verschenkt hat, aus denen er eine Alternative hätte gestalten können. Im »Henri Quatre« dagegen wird der Unterdrückte und Verfolgte zum Kämpfer. Der Humanist erschöpft seine Tage nicht mehr im Dulden, er wächst in die Rolle des Handelnden hinein und bestimmt schließlich das Geschehen. Die positive Figur wird also nicht nur aus einer völlig anderen Perspektive gesehen, sie verkörpert die Alternative. Gewiss liegt das auch an der Verschiedenheit des Stoffs. Aber daß Heinrich Mann diesen gewählt, Kesten sich dem seinen zugewandt hat, das eben drückt etwas aus.

Die verschiedenen Perspektiven resultieren unmittelbar aus dem unterschiedlichen Bewußtsein der Autoren. Hier muß noch einmal daran erinnert werden, daß der historische Roman der Exilliteratur eine Domäne der bürgerlichen Schriftsteller gewesen ist. Für den Stand ihres politischen Bewußtseins sind diese Romane repräsentativ. Die Gestaltung einer humanistischen Alternative sagt also auch etwas darüber, wie diese Schriftsteller dem Faschismus entgegenzutreten in der Lage waren. Mit der Ohnmacht der humanen Gestalten in ihren Romanen korrespondiert fast durchweg die Hilflosigkeit der Verfasser, wenn es darum ging, mehr als nur eine abstrakte Gegnerschaft zum Faschismus zu entwickeln, also: ein überzeugendes Gegenkonzept vorzulegen. Wenn man indes sagt, mit dem »Henri Quatre« habe der historische Roman der Exilliteratur seine höchste Reife erreicht, so heißt das auch, daß Heinrich Mann diese bürgerliche Hilflosigkeit und damit das bürgerliche Denken weitgehend überwunden und hinter sich gelassen hat. Den Henri-Quatre-Stoff hat er nur deshalb so optimistisch (man soll das Wort brauchen, wenn es am Platze ist) gestalten können, weil er auch im Politischen eine Alternative zu dem *Morast aus Blut und Lüge*, dem *verwahrlosten Zustand des Königreichs* besaß — eine Alternative und nicht eine bloße Gegnerschaft. Dem Humanismus-Begriff des »Henri Quatre« samt den ihm immanenten politischen Konsequenzen wird man an anderer Stelle wiederbegegnen.

Für einen Mann seiner Herkunft, für einen bürgerlichen Schriftsteller, von dem Wilhelm Herzog zu Recht sagt, er sei noch 1933 ein *intellektueller Demokrat* [18], kein Sozialist, gewesen, ist Heinrich Mann in der Tat einen sehr ungewöhnlichen Weg gegangen. Von den geistigen Traditionen und der Denkweise seiner Klasse hat er sich niemals ganz getrennt, doch denkbar weit entfernt. Ohne Faschismus und Exil wäre diese Entwicklung vermutlich anders verlaufen, zumindest langsamer vonstatten gegangen; erst die aus beiden Phänomenen gewonnenen Erfahrungen setzten ihn in den Stand, seine politischen Anschauungen in einigen wichtigen Punkten zu revidieren. Wie am »Henri Quatre« läßt sich das auch an seiner sehr umfangreichen politischen Publizistik aus den Jahren nach 1933 abzulesen.

Bislang sind aus dieser Zeit rund 380 essayistische und journalistische Titel bibliographiert. Erschienen sind sie in fast allen wesentlichen Zeitschriften des Exils: in der »Neuen Weltbühne«, im »Neuen Tage-Buch«, in der »Sammlung«, in »Internationale Blätter/Deutsche Literatur«, im »Pariser Tageblatt« und dessen Nachfolgerin, der »Pariser Tageszeitung«, in der »AIZ« und der »Volks-Illustrierten«, in »Maß und Wert«, im »Gegenangriff« — die Liste läßt sich verlängern. Eine ganze Reihe dieser Arbeiten hat Heinrich Mann in deutscher und französischer Sprache geschrieben. Die französische Fassung erschien (meist vor der deutschen) in der linksbürgerlichen Tageszeitung »Dépêche de Toulouse«, die der radikalsozialistischen Politikerfamilie Sarraut gehörte. An der »Dépêche« hat Heinrich Mann bis zum Kriegsbeginn mitgearbeitet. Die große publizistische Regsamkeit hat indes auch materielle, nicht nur politische Gründe gehabt. Sie diente der Existenzsicherung des Exilierten. Bis jetzt ist nicht geklärt, ob er bei seiner Flucht aus Deutschland einen größeren Geldbetrag hat mitnehmen können. Gegen eine solche Möglichkeit spricht, daß die Abreise kurzfristig erfolgte und kaum mit großer Umsicht vorbereitet worden sein dürfte. Wilhelm Herzog vermerkt, Heinrich Mann habe von Nizza aus (wo er sich im Frühjahr 1933 für die gesamte Dauer seines französischen Exils niedergelassen hatte) versucht, einen ihm befreundeten Berliner Journalisten *telefonisch zu erreichen und ihn zu bewegen, einige geschäftliche Transaktionen für ihn vorzunehmen.* [19] Diese undatierte Angabe erlaubt wohl den Schluß, daß die finanziellen Mittel des Geflüchteten beschränkt gewesen sind. Als Indiz kann dafür auch herangezogen werden, daß seine Mitarbeit bei der »Dépêche« so früh begann — der erste Beitrag erschien bereits am 27. April 1933, nur zwei Monate nach der Flucht.

Zu diesem Zeitpunkt existierten noch kaum Exilzeitschriften und keiner der Exilverlage. Wie für alle exilierten Schriftsteller, war es auch für

Heinrich Mann noch völlig offen, wo künftig seine Bücher verlegt werden, wovon er leben würde. Nach Gründung der deutschsprachigen Abteilung des Querido-Verlags (Amsterdam) schloß deren Leiter Fritz Landshoff mit Mann Verträge über eine Essay-Sammlung [20] und über den »Henri Quatre«. Durch das von Landshoff konzipierte, der materiellen Lage der exilierten Autoren angepaßte Rentensystem [21] gelangte Heinrich Mann zu monatlichen Verlagszahlungen von 250 holländischen Gulden. Es dürfte das einzige größere und regelmäßige Einkommen gewesen sein, mit dem er auf längere Sicht rechnen konnte. Diese, wenn auch minimale Sicherung war umso notwendiger, als mit dem Entzug der deutschen Staatsangehörigkeit die Konfiskation des gesamten in Deutschland befindlichen Vermögens verbunden war. [22]

Wie der monatliche Beitrag in der »Dépêche« honoriert wurde, konnte bis jetzt nicht festgestellt werden. Die Exilzeitschriften haben ihren Mitarbeitern außerordentlich wenig gezahlt, und das ist auch gar nicht weiter verwunderlich, wenn man sich die optimalen Verbreitungsmöglichkeiten dieser Blätter vor Augen hält. Gelegentlich kamen Einnahmen aus Übersetzungen der Bücher — der »Henri Quatre« beispielsweise wurde in Frankreich, England, den USA und der Sowjetunion gedruckt. Die russischen Übersetzungen hatten teilweise hohe Auflagen, doch folgte die Sowjetunion bei den Exilierten ihrer üblichen devisensparenden Praxis, wonach Honorare aus Übersetzungen nicht ins Ausland überwiesen wurden. Sie mußten im Lande verbraucht werden. Lediglich bei besonders großen Guthaben wurden kleine Ratenbeträge — 300 Goldrubel im Vierteljahr — ins Ausland transferiert. [23] In den ersten Jahren seines amerikanischen Exils (nach 1940) hat Heinrich Mann solche Zahlungen empfangen; ob auch schon zuvor im französischen, ist unbekannt. Wenn er jedenfalls später schreibt, in Frankreich habe er sein übliches Einkommen gehabt, so stellte, wie dieser Exkurs zeigt, das Wort ›üblich‹ eine Stilisierung dar.

Die große Verbreitung seines publizistischen Œuvres in fast allen wichtigen Exilblättern ist freilich auch ein Beweis für das Ansehen, das er allgemein genoß. Im Oktober 1933 wurde er zum Ehrenpräsidenten des in Paris (wieder)gegründeten »Schutzverbandes Deutscher Schriftsteller im Exil« (SDS) und zum Ehrenmitglied des britischen PEN-Clubs gewählt. Er vertrat die Sache der Exilierten vor dem Völkerbund, leitete die Sitzungen eines internationalen Schriftstellerkongresses, saß dem Ausschuß zur Schaffung einer Deutschen Volksfront vor, kurz — bis zum Kriegsbeginn war er das unbestrittene geistige Oberhaupt der Exilierten. Ludwig Marcuse umschreibt seine Geltung treffend, wenn er ihn für 1935 bereits *das (noch ungekrönte) Haupt nach Zusammenbruch des Milleniums* nennt. [24] Nur unmittelbar nach dem ersten Weltkrieg dürfte seine Popularität noch größer gewesen sein. Thomas Mann hat in diesen Jahren stark im Schatten seines Bruders gestanden. Erst während des Krieges in USA wurde er, aufgrund seines Weltruhms, zum Wortführer der exilierten Literatur.

Ihren größten Umfang erreichte Heinrich Manns publizistische Tätigkeit zwischen 1933 und 1939. Sucht man unter seinen politischen Arbeiten eine thematische Ordnung herzustellen, so fällt zunächst auf, daß sie zum überwiegenden Teil von Deutschland handeln, von den inneren und äußeren Wirkungen des Faschismus. Eng damit verknüpft sind die Aufsätze zum Selbstverständnis, zu den Aufgaben und Problemen der Exilierten. Heinrich Mann spricht als Stimme des *anderen Deutschland,* worunter er, ob zu Recht oder Unrecht, sei vorläufig dahingestellt, die stumm gemachte und entrechtete Mehrheit seiner Bewohner verstand. Da nur noch die Exilierten die Möglichkeit hatten, sich frei zu äußern, fiel ihnen nach seiner Ansicht die Aufgabe zu, für den unterdrückten Teil des deutschen Volkes zu sprechen. In der 1934 erschienenen und seitdem nicht mehr gedruckten Schrift »Der Sinn dieser Emigration« wird dieses Selbstverständnis ausdrücklich proklamiert. Es gibt jenen Aufgaben die Basis, die Heinrich Mann den Verbannten zuweist:

Die Emigration ist eingesetzt vom Schicksal, damit Deutschland das Recht behält, sich zu messen an der Vernunft und an der Menschlichkeit! Ohne die Emigration könnte es dies heute nicht, sie allein ist übrig als ein Deutschland, das lernt, denkt und Zukunft erarbeitet. Eine Emigration, die sich behauptet, wird ihre leidvoll und kämpfend erworbene innere Zucht einst übertragen auf ihr ganzes Volk, dem so sehr, so sehr zu gönnen wäre, daß es die Gegend der Katastrophen verläßt und seinen Frieden mit der Welt macht. [25]

Es ist sehr bezeichnend für Heinrich Mann, daß er aus den vielen Bereichen politisch-geistiger Tätigkeit der Exilierten gerade diesen heraushebt. Gewiß führte er die Polemik gegen den Faschismus mit Verve, Hohn und Verachtung, und gleich den meisten Exilierten unternahm er mit im Laufe der Zeit steigender Intensität den Versuch, das Ausland (und vor allem die Westmächte) über die Expansions- und Kriegsabsichten Hitler-Deutschlands aufzuklären. So wichtig und zahlreich derartige Artikel bei ihm sind, so aufschlußreich ist es, daß er sich darin nicht erschöpft und es nicht bei Anklage und Polemik, Aufklärung und Warnung bewenden läßt. Bei der Beschäftigung mit den deutschen Zuständen ist primäres Thema vielmehr der Entwurf eines Gegenbildes, der Ausblick auf ein künftiges Deutschland. An diesem Ziel orientiert sich der politische Publizist Heinrich Mann, darauf konzentriert er seine unmittelbare politische Tätigkeit.

Auch seine Rückblicke auf Deutschlands historische Misere müssen in diesem Zusammenhang gesehen werden. Ohne daß er es ausspräche, mißt er die deutsche an der so völlig anders verlaufenen französischen Entwicklung. Anklänge an die aus dem Henri-Quatre-Stoff resultierenden Erfahrungen lassen sich unschwer feststellen: Frankreich vollendet die staatliche Einheit und verwirklicht das friedliche Nebeneinander der Religionen — in Deutschland dient der religiöse Zwist als Deckmantel feudaler Rivalitäten und verhindert so den Nationalstaat. In »Die deutsche Lebenslüge« folgert er: *Eine unglückliche Geschichte ist nicht auszulöschen. So lebendig ist keine andere geblieben wie die unglückliche Geschichte Deutschlands. Sein Volk büßt heute Versäumnisse, die vierhundert Jahre alt sind. Es zehrt an überlebten Mißerfolgen. Eine historische Scheelsucht ist der eigentliche Boden seines merkwürdigen nationalen Bewußtseins. Dieses Volk hängt an Mythen, die seine Lebenslügen sind.* [26]

Der Faschismus hat von solchen Lebenslügen ebenso profitiert, wie er die Folgen nationaler Fehlentwicklungen für seine Zwecke auszubeuten wußte. Heinrich Mann ist indes nicht in den Irrtum verfallen, ihn allein aus der deutschen Geschichte oder einem immer zweifelhaft bleibenden ›Nationalcharakter‹ ableiten zu wollen. Erst recht hat er ihn nicht als deren unausbleibliche Konsequenz gedeutet. Das blieb Anderen vorbehalten. So wenig er in dieses Extrem verfiel, so wenig hat er den Faschismus als plötzlich hereingebrochene, historisch unvorbereitete Katastrophe gesehen. Er benannte die historischen Ursachen, aus denen er mitgewachsen ist. So ist es zu verstehen, wenn er in einigen der historischen Aufsätze Vorläufer benennt. Die Nationalisten der Befreiungskriege rechnet er ebenso dazu wie die Burschenschafter, den Turnvater Jahn und Wilhelm II — der der gleiche Parvenü gewesen sei wie Hitler. Sie alle charakterisiere der Haß auf den Intellekt. Die Nationalsozialisten, so schreibt er, stellten somit *keinen neuen Typ dar, wie sie sich einbilden. Sie haben, mit ihrem Haß gegen das höhere Denken und gegen ein freies Volk, hundert Jahre lang heimlich schlecht gerochen und dürfen jetzt offen stinken.* [27]

Zum Endpunkt solcher historischen Untersuchungen wurde die untergegangene Republik. Ihre Bilanz hatte er bereits in dem Ende 1932 geschriebenen Essay »Bekenntnis zum Übernationalen« gezogen. Um die Argumente richtig einzuschätzen, muß man dieses Datum im Auge behalten. Der hier schrieb, war noch der *intellektuelle Demokrat,* von dem Wilhelm Herzog gesprochen hat, an der Aufklärung und am Idealismus ausschließlich orientiert. Geistigen Strömungen gab er den Vorrang vor ökonomischen Fakten, der Nationalismus war in seinen Augen vor allem eine Frucht des Irrationalen; daß er mit nationalwirtschaftlichen Konkurrenzkämpfen, mit dem expandierenden Kapitalismus etwas zu tun haben könne, blieb außerhalb des Blickfeldes. Oft genug hinderte ihn die nicht-materialistische Denkweise daran, bis zu den Ursachen der von ihm so scharf kritisierten gesellschaftlichen Unrechtszustände vorzudringen. Seine Kritik galt den richtigen Erscheinungen, ohne Zweifel. Doch zielte sie vielfach nur auf den geistigen und psychischen Widerschein der konkreten Verhältnisse. So, wenn es heißt:

Eine Aufgabe der höchsten Vernunft, aber eine Atmosphäre keuchender Leidenschaften, die vom Krieg nur ermüdet, nicht gesättigt sind: das war die Lage der entstehenden Republik und ist ihre Entschuldigung, wenn sie unterlegen ist. Niemand hat damals und später etwas anderes von ihr verlangt, als daß sie das zusammengebrochene Kaiserreich ablöste und es mit ihren schwächeren Kräften ersetzte. Die bisherigen Feinde machten nur die Bedingung, daß sie ungefährlich sei. Die Deutschen waren schon zufrieden, wenn nur das Reich blieb. Aber jede Republik erhält innere Berechtigung als Erscheinungsform eines durchaus neuen geistigen Zustandes ... Eine verspätete Nachahmung der ›westlichen Demokratien‹ rechtfertigte keineswegs die deutsche Republik. Sie hatte den Inhalt ihrer Zeit aufzunehmen, ihn sogar vorwegzunehmen. Das Geringste wäre gewesen, wenn sie soziale Fortschritte verwirklichte ... Diese Republik erfüllte nicht einmal im Sozialen ihre selbstverständliche Pflicht, um so weniger handelte sie zeitgemäß im Internationalen ... Der nationalistische Auftrieb geschah nicht gegen die Republik, sondern mit ihr, das ist die Wahrheit, was auch immer sonst behauptet wird. Die Republik hat nur wenige Tage ihres Lebens anders gehandelt als das vorige, kriegerische Reich gehandelt haben würde nach einer unfreiwilligen Verkürzung seiner Machtmittel; und den Versuch, anders zu handeln, machte ein einzelner, Stresemann. Aber nichts folgte . . . [28]

Diesen Perspektiven läßt Heinrich Mann die Details folgen: das, was er als soziale Ungerechtigkeit bezeichnet; die unentschiedene Haltung der Regierungen, die antirepublikanische der Staatsbürokratie, der Justiz, der Reichswehr und der Universitäten. Die Institutionen klagte er an, nicht das Volk; es sei auf *gutem Wege* gewesen und nur *aufgehalten worden von seiner wirtschaftlichen Not.* Verbesserungen des Wahlrechts; Veränderungen an der Staatsspitze; eine Durchdringung der Verwaltung mit *republikanischem Geist;* vor allem aber Entschiedenheit beim Verteidigen der Republik: damit, so glaubte er noch Ende 1932, hätte Weimar geholfen werden können.

In diesem Essay bleibt alles seltsam abstrakt. Es ist, als würde die Wirklichkeit nur durch Schleier gesehen. Die Kriterien sind unscharf und gleiten von ihrem Gegenstande ab. Was ist der *Inhalt ihrer Zeit,* den die Republik aufzunehmen gehabt hätte? Was ihr *Sinn?* Was gar republikanischer *Geist?* Sucht man nach Konkretem, so bleibt einem, bei aller Konkretheit mancher Beobachtungen und Teildarstellungen, nicht viel mehr in den Händen als die Forderung, Deutschland und Frankreich möchten sich verständigen, als die Hoffnung auf einen wirklichen Völkerbund. Gelegentlich ist nicht einmal richtig, was Heinrich Mann im Sachlichen behauptet. Niemand habe etwas anderes von der Republik verlangt als Ablösung und Ersetzung des Kaiserreichs? Und Spartakus? Und Liebknecht? Rosa Luxemburg? Eisner (dem er doch eine Gedenkrede gehalten)? Sie alle allein in der Geburtsstunde der Republik, von Späterem nicht zu reden. Das ist nur ein Punkt, und so könnte an manchen in diesem Essay angesetzt werden.

Damit korrespondiert seine Reaktion auf Kurt Hillers im Februar 1932 gemachten Vorschlag, ihn, Heinrich Mann, als Kandidaten der vereinigten deutschen Linken zur Reichspräsidentenwahl aufzustellen. Er lehnte ab, was richtig war, denn Hillers Vorhaben ging an der Realität völlig vorbei. Dabei ließ er es jedoch nicht bewenden, sondern empfahl statt seiner den Kandidaten Paul von Hindenburg: auf ihn müßten sich die Stimmen derer vereinigen, die Hitler den Weg versperren wollten. [29] Das war die Haltung der noch demokratischen bürgerlichen Parteien und der SPD gewesen. Man muß sie illusionär nennen — wie die Hoffnungen in »Bekenntnis zum Übernationalen«.

Die Erfahrungen des Exils haben ihn gelehrt, daß er damals mit seiner Kritik nur an den Symptomen angesetzt hatte. Vier Jahre später, in »Der Weg der deutschen Arbeiter«, geht sein Blick tiefer. Das Vergangene wird konkreter betrachtet. Die Schleier sind von der Realität weggezogen, der Faschismus hat das besorgt und damit einige Illusionen dieses Republikaners zerstört. Was früher als das ›Soziale‹ bezeichnet und als Teilaspekt gesehen worden war, rückt jetzt ins Zentrum: das Ökonomische. »Wirtschaft, Horatio!« ist ein charakteristischer Aufsatz-Titel aus der zweiten Hälfte der dreißiger Jahre. 1932 war die Sozialdemokratie von Heinrich Manns Kritik nur gestreift worden, 1936 steht sie in deren Mittelpunkt. Ihr gibt er die Schuld an der Niederlage der Republik — der Niederlage bereits an ihren Anfängen:

Frühzeitig fiel mir auf, welch bestimmte Abneigung die deutschen Sozialdemokraten gegen die Revolution hatten. Deutschland wäre nach der militärischen Niederlage wahrscheinlich eine Monarchie oder eine Kette von Monarchien geblieben, wenn es nur an ihnen gelegen hätte. Die Verwaltung würden sie gern übernommen haben. Eigentlich stand es 1918 derart, daß die Gewerkschaftsführer schon Deutschland verwalteten... Unaufhörlich zogen die alten Behörden die Gewerkschaften hinzu, und 1918 überließen sie ihnen den Platz allein. Die Sozialdemokraten waren hoch erstaunt, als sie sich im Besitz der Macht sahen. Was fängt man unter solchen Umständen mit der Macht an? Nur nichts Umwälzendes. Die Industrie war am Ende des Krieges zu weit unten, nach Ansicht der Sozialdemokraten konnte sie nicht sozialisiert werden. Vielmehr sahen sie es als ihre Pflicht an, die Radikalen niederzuwerfen, gerade weil diese ›Spartakisten‹ und künftigen Kommunisten wirklich sozialisiert hätten. Daher das bekannte Zerwürfnis der beiden sozialistischen Gruppen. Es schien damals unheilbar und hat unaufhaltsam zum Sturz der Republik geführt. Indessen kein Machthunger der Sozialdemokraten spielte dabei mit: nur ihre kleinbürgerliche Ängstlichkeit und Ordnungsliebe. Bei mehr Sinn für die Macht wären sie selbstverständlich mit den Linksradikalen gegangen, denn was ihnen von rechts her drohte, war schlimmer. Durch ihre Partei-Koalitionen wurden sie im Politischen zu Handlangern der Nationalisten — immer bei sorgfältigster Verwaltung des Staates... Das geistige Grundgesetz des Proletariats — und aller Republikaner — blieb die Legalität: aber für wen gilt die? Nur für die Schwachen unbedingt. Wer stark ist durch eine wirtschaftliche Überlegenheit, die niemand anrührt und beseitigt, wird seine Macht bald auf das Politische erstrecken. Dies ist in der ungeahntesten Weise geschehen, und das Proletariat, das an der Gesetzlichkeit hing, ist gerade darum entrechtet worden bis auf den letzten Rest... Die Zerstörung der sozialistischen Einheitsfront gleich anfangs erklärt vollauf eine politische Tatenlosigkeit ohnegleichen, den Verzicht der Republik, sich durchzusetzen... Eine nie gesehene Entmutigung, sie ist das Bild der Republik in ihren letzten Zeiten. Keine Niedergeschlagenheit aus greifbaren Anlässen. Die Wirtschaft versagte auch anderswo. Wer Mut gehabt hätte, wendete das gegebene Mittel an, trat der nationalsozialistischen Bewegung entgegen und sozialisierte die größten Betriebe. Die nationalistische Bewegung schwankte und war zweifellos besiegbar, sobald man wollte. Man konnte nicht wollen: Eine Demokratie hat soviel Willen zur Macht, als sie Sinn für Freiheit hat; hier war keiner. [30]

Das klingt erheblich anders als 1932. Gewiß wird noch immer der *republikanische Geist* beschworen, und Heinrich Mann scheint nicht erkannt zu haben, daß solche abstrakt-republikanischen Ideen aus bürgerlichen Revolutionen erwachsen und so an das Bürgertum gebunden waren; daß sie zwangsläufig in dem Maße an Bedeutung verloren, in dem der Citoyen sich zum Bourgeois entwickelte: mit dem Anwachsen seiner gesellschaftlichen Macht. Doch das ist letztlich nur ein formaler Einwand. Geblieben ist da nur eine Denkhülse. Den republikanischen *Geist der Freiheit und des kollektiven Machtwillens* [31] definiert Mann nun ganz anders als die Bourgeoisie, und auch die Metapher Republik hat nichts mehr mit der bürgerlichen Demokratie gemein. Er erfüllt die Begriffe mit neuen Inhalten; bei aller Zurückhaltung im Vokabular kann man sie nicht anders als sozialistisch nennen. Das Geburtsgebrechen der Republik von Weimar ist erkannt: die Übernahme der Gesellschaftsordnung und Besitzverhältnisse des Kaiserreichs bei minimalen Schönheitskorrekturen wie Achtstundentag, Koalitionsfreiheit, Wohlfahrtspflege, Sozialtarife usw. In »Bekenntnis zum Übernationalen« hatte der Staat für ihn noch erkennbar über den Klassen gestanden. Jetzt geht er bei seiner Argumentation davon aus, daß der Staat der wirtschaftlich stärkeren Klasse als Instrument dient. Da er ökonomische Zusammenhänge besser als zuvor durchschaut, kommt er zu einem anderen Urteil über den Nationalismus. Er wird auch als psychologische Umsetzung politischer Interessen, nicht mehr ausschließlich als Teil des Irrationalen angesehen. Nach wie vor war Weimar für ihn der bislang beste deutsche Staat — nur daß das jetzt noch relativer zu verstehen war als vorher. Ganz klar wurde die neue Einschätzung Weimars, als Mann im Oktober 1937 auf eine Aufforderung Georg Bernhards antwortete, zur Feier der Revolution von 1918 eine Rede zu halten:

Lieber, verehrter Freund Bernhard,
...eine Rede für die ›Revolutions‹-Feier am 11. November? Erstens, war denn das eine Revolution? Noske kann ich doch nicht feiern. Die Kapitalsmächte, durch deren Gnade die Republik bestanden hat, bis es genug war, kann ich auch nicht feiern. Und soll ich zum Abschluß Papen oder Severing feiern? Sie sind einer des andern wert, und der Hindenburg des Hitler, den ich gleich mitfeiern müßte... Ich beschwöre Sie: keine Feier für Weimar! ...Was wir anstatt dessen tun müßten? Einen Erlaß in das Land schicken: Nie wieder Weimar, diese Gelegenheit eines erstbesten Auchtyrannen und sein gefundenes Opfer. Nur die gesicherte Freiheit! Nur die Volksfront! ... [32]

Von Verteidigung und Rettung oder, der veränderten Situation entsprechend, Wiederherstellung der Republik ist nicht mehr die Rede. Das ›Prinzip‹ Weimar, nämlich die gesellschaftliche Struktur dieses Staats, wird entschieden verworfen. In Zukunft sollte verhindert werden, daß *Degenerierte im Auftrag des Kapitals es fertig bringen, ein modernes Volk seiner Freiheit zu berauben.* [33] Bei vielen Gelegenheiten spricht er aus, daß die Freiheit besser gesichert sein müsse als nur durch ein Verfassungspapier: gesichert durch das, was er *Normalisierung* der Wirtschaft nennt, durch die Enteignung der wirtschaftlich Übermächtigen. Wenn in dem zitierten Brief an Georg Bernhard die *gesicherte Freiheit* mit der Volksfront identifiziert wird, so hat Heinrich Mann seine Alternative zu Weimar genannt und das Mittel, das sie politisch realisieren sollte. Das Exil hatte aus dem intellektuellen Demokraten einen revolutionären Sozialisten (sehr eigener Prägung) gemacht, der trotz manch trüber Erfahrungen in der Praxis an der Idee der Volksfront immer festgehalten hat. Ja, man kann sagen, daß seine politisch-publizistische Tätigkeit im französischen Exil von diesem Begriff überhaupt nicht getrennt werden kann.

Um Heinrich Manns theoretische Position und seine praktischen Bemühungen richtig einschätzen zu können, ist es erforderlich, eine zwangsläufig grobe Skizze der damaligen politischen Konstellation vorauszuschicken. Trotz des faschistischen Sieges in Deutschland, trotz der Niederlage der Linken dauert das *bekannte Zerwürfnis der beiden sozialistischen Gruppen* auch im Exil fort. In seiner ersten politischen Periode (1933—1935) bekämpften sich beide Seiten eher mit verstärkter als verminderter Intensität. Zusätzlich wurde die Situation dadurch kompliziert, daß beide Arbeiterparteien in einer höchst bornierten Selbstgerechtigkeit verharrten, anstatt die Ursachen und ihren schuldhaften Anteil an der Niederlage selbstkritisch zu untersuchen. Daß der deutsche Faschismus bald *abwirtschaften* und — je nach der Position des Prognostikers — der sozialistischen [34] oder kommunistischen [35] Revolution das Feld überlassen werde: diese These gehörte zu den Gemeinplätzen der geschlagenen linken Führungskader. Das resultierte zunächst einmal aus den Selbsterhaltungsversuchen der Parteiapparate; denn es versteht sich, daß das Eingeständnis so grundlegender Fehler zu personellen Konsequenzen hätte führen, daß die derart kompromittierten Parteispitzen hätten ausgewechselt werden müssen. Eng damit verknüpft ist die Tatsache, daß die falsche Prognostik auch auf theoretische Fehleinschätzungen des Faschismus zurückging, auf eben jene Theorien, die bereits zu dem falschen Verhalten vor und unmittelbar nach der Machtübergabe an den Faschismus geführt hatten. Von der Korrektur dieser Theorien hing also die realistischere Einschätzung der deutschen Situation ebenso ab wie die Annäherung der verschiedenen antifaschistischen Gruppen im Exil. Und damit schließt sich der Kreis.

So haben in dieser ersten Phase Einheitsangebote vorwiegend propagandistischen Charakter, wenn sie nicht — wie die kommunistische Losung einer *Einheitsfront von unten,* d. h., unter Umgehung des SPD-Parteiapparates — überhaupt nur darauf abzielten, dem Kontrahenten Anhänger abzuwerben, seine Massenbasis zu schwächen. Einheitsmahnungen Außenstehender waren vollends zur Erfolglosigkeit verurteilt, erst recht, wenn sie mit kritischen Bemerkungen über das bisherige Verhalten der Parteien verbunden waren. So hat Heinrich Mann im »Sinn dieser Emigration« die Einheit gefordert und die verschiedenen Gruppen ob ihres Egoismus herb kritisiert. Er wurde deshalb auch prompt von kommunistischer Seite attackiert. [36]

Erst als die fortschreitende Zeit alle obligaten Theorien von einer Krise des Faschismus ad absurdum führte, erst als dessen innere Konsolidierung und sein — vorerst noch kleiner — außenpolitischer Terraingewinn sichtbar geworden waren: erst da wichen diese Einschätzungen unter zum Teil beträchtlichen innerparteilichen Auseinandersetzungen einer nüchterneren Perspektive. Indes zeigte sich der Umschwung nicht zuerst innerhalb des deutschen Exils, sondern in Frankreich. Dort kam es zu einer Annäherung von Kommunisten und Sozialisten, die das vorwegnahm, was Georgi Dimitroff auf dem VII. Kongreß der Kommunistischen Internationale (Juli/August 1935, Moskau) zum Programm der kommunistischen Parteien erhob: die Volksfront. Genauer: das Bündnis mit den vordem bekämpften und als ›Sozialfaschisten‹ bezeichneten sozialdemokratischen Parteien und mit den politischen Vertretungen des fortschrittlichen Bürgertums. In Spanien und Frankreich schlossen sich diese Gruppen zu Volksfronten zusammen. Nach ihren Wahlsiegen im Februar (Spanien) bzw. Mai 1936 (Frankreich) bildeten sie die Regierungen. Die kommunistischen Parteien gehörten diesen Kabinetten nicht an, unterstützten sie jedoch im Parlament. Im deutschen Exil machte Hermann Budzislawski die seit dem 15. März 1934 unter verdeckt kommunistischen Auspizien von ihm geleitete »Neue Weltbühne« zum Forum der Einheitsdiskussion. Nachdem er selbst mit mehreren Leitartikeln die Debatte publizistisch vorbereitet hatte, erschienen im Hochsommer 1934 die ersten Aufsätze von Parteivertretern. Für eine oppositionelle Gruppe in der SPD sprach Siegfried Aufhäuser, für die KPD Walter (Ulbricht). Der Prager Sopade-Vorstand, die offizielle Repräsentanz der SPD, beteiligte sich an dieser um Fragen politischer Strategie und Taktik und um theoretische Differenzen kreisenden Debatte nicht.

Das war die Situation, als Heinrich Mann im Dezember 1934 ebenfalls in der »Neuen Weltbühne« mit einer Artikelserie begann, in der er, unabhängig von den Auseinandersetzungen der Parteien, seine Vorstellungen von Aufgaben und Zielen der Volksfront entwickelte. Zur Lösung der Aufgabe, die er der Emigration gestellt hatte — für Deutschland zu lernen und Zukunft zu erarbeiten —, hat er hier seinen Teil beizutragen versucht. Wie ein vom Faschismus befreites Deutschland (zu hoffen, daß es sich selbst befreien würde, war damals noch keine Vermessenheit) nach seiner Ansicht im Ökonomischen aussehen sollte, ist bereits gesagt worden. Wenn in diesen Artikeln von einer *revolutionären Demokratie* die Rede ist, muß man diese Veränderungen an der wirtschaftlichen Basis immer miteinbeziehen. Damit ist auch klargestellt, daß für ihn nicht irgendeine Spielart der bürgerlichen Demokratie in Frage kam: *Die künftige Form der menschlichen Freiheit wird sozialistisch sein müssen, und der Sozialismus wird sich auseinanderzusetzen haben mit dem ewig Menschlichen, Freiheit genannt.* [37] Indes mißtraute er allen Vorstellungen, die wissen wollten, mit ökonomischen Veränderungen sei das Wesentliche bereits getan. Ausdrücklich gibt er zu bedenken, *ob es genügt, eine wirtschaftliche Doktrin zu haben; ob selbst ihre Verwirklichung genügen würde.* [38] Vor das richtige Handeln setzt er das richtige Denken und definiert seine revolutionäre Demokratie folgerichtig als ein *Regime der sittlichen Erziehung.* Der Aspekt des Lernens und Umdenkens taucht immer wieder auf. Der Artikel über die *deutsche Lebenslüge* mündet in die Forderung, man müsse in Deutschland lernen, *endlich einmal einfach und wahr zu werden* [39]; Erörterungen über Deutschlands künftige Gesellschaftsstruktur folgt als einschränkende Voraussetzung das Diktum: *In Deutschland muß, bevor ein wahrer Volksstaat bestehen kann, ungeheuer viel gelernt werden, mehr als jemand sich träumen läßt . . .* [40] Nach solchen Bekundungen überrascht es nicht, daß er, von der Idee eines *Regimes der sittlichen Erziehung* ausgehend, die Forderung erhob, die Führung der sozialistischen Revolution müsse bei Intellektuellen liegen. Er bezog sich dabei nicht nur auf Erfahrungen aus den vorangegangenen

Revolutionen *(Jede Revolution, die sich hielt und fortwirkte, ist von Intellektuellen gemacht worden . . .* [41]), er stützte sich vor allem auf die Einsicht, daß nur lehren kann, wer selbst viel gelernt hat. Bezeichnenderweise verdeutscht er das Wort Intellektualismus mit *geistige Zucht* — sie werde um so größer sein, je mehr zuvor gelernt worden sei. *Der Sozialismus ist bestimmt, die Menschenwürde wiederherzustellen. Seine Bestimmung wäre nicht so groß, wenn es nicht diese wäre. Das ist der Grund, darum sollen Intellektuelle die Revolution führen. Diese wäre dunkel und schwer ohne sie . . .* [42] Man sieht, daß der Begriff Volksfront für Heinrich Mann unendlich viel mehr gewesen ist als nur die Umschreibung eines strategischen oder gar taktischen Bündnisses verschiedener antifaschistischer Gruppen. Mehr auch als nur die Basis eines gesellschaftlich neu organisierten Deutschland. Für ihn umfaßte der Begriff neben diesen Selbstverständlichkeiten eine neue Art demokratischer Praxis, eine Versittlichung und Humanisierung der Menschen, einen *sozialistischen Humanismus* [43] — dieses Ziel wird an zentraler Stelle genannt. Die neue Definition des Intellektuellen, die in diesem Zusammenhang gegeben wird, prognostizierte im übrigen die Lösung eines alten Widerspruchs. Geist und Tat — ihre Trennung sollte hier allgemein so überwunden werden, wie Heinrich Mann sie für seine Person überwunden hatte.

Doch ehe von seiner politischen Tätigkeit in der Volksfront die Rede ist, verlohnt es sich, von seiner politischen Publizistik einen Blick auf den »Henri Quatre« zu werfen. Man wird zur Gegenüberstellung geradezu verführt. In Deutschland, so heißt es in einem der Volksfront-Artikel, sei niemals ganz verwirklicht worden, daß man *einander achtet und sogar versteht,* und von den Anhängern der Volksfront verlangt Heinrich Mann: . . . *die Vorurteile, die Verständnislosigkeit und Überhebung sind ehrlich abzulegen.* [44] Montaignes Antwort auf Henris Frage nach der ›wahren‹ Religion meint auch nichts anderes als solche Toleranz. — Im Roman wird ein aktiver Humanismus gezeigt, *Humanisten, die reiten und zuschlagen;* die Aufgabe, *die Menschenwürde wieder herzustellen,* weist der politische Essayist einer von der Volksfront getragenen sozialistischen Revolution zu. — Die Volksfront müsse in Deutschland ein Regime der sittlichen Erziehung errichten — warum, erfährt man im »Henri Quatre«: *Denn es ist die Erkenntnis ein Licht und wird ausgestrahlt von der Tugend.* — *Wer denkt, soll handeln,* und nur er, heißt es im Roman; daß die sozialistische Revolution von Intellektuellen geführt werden müsse, liest man in den Aufsätzen zur Volksfront. Hier Henris Beschneidung der Adelsrechte und Erhöhung der Bürger, dort die *Normalisierung der Wirtschaft,* hier des Königs *großer Plan,* alle bedrohten Mächte Europas, gleich welcher Konfession und Art, gegen Habsburg-Spanien zusammenzuschließen, dort — die Volksfront. So findet sich in der Literatur das aktuell Politische auf eine den Tag überdauernde Art. Politik und Literatur sind hier nahezu identisch, Geist und Tat fallen zusammen.

Daß es in der Praxis der Volksfront so ideal nicht zugehen konnte wie in diesen Aufsätzen oder bei der geglückten Entwicklung des Königs Henri, dieser Hinweis ist ebenso angebracht wie jener, daß Heinrich Mann daran keine Schuld trifft. Er verkörperte gewissermaßen das reine

und beste Wollen der deutschen Volksfront, doch von seinem ethischen
Überbau ihrer Bemühungen führte so leicht kein Weg zum Wirken der
Parteipolitiker und Strategen. Seine Aufsätze sind von solch moralischer
Sauberkeit und Integrität, sie zeugen von soviel Anstand und Gesittung,
daß sie sich auf dem Hintergrund der realen Situation recht naiv und
realitätsfern ausnehmen. Zunächst sagt das weniger über sie als über die
Atmosphäre, in der die Volksfrontverhandlungen stattfanden. Es geschah
aus gegebenem Anlaß und war von Anfang an dringend geboten, daß
Heinrich Mann davor warnte, die Volksfront als ein bloß taktisches Manöver und Bündnis zu betrachten, als er mahnte, die Partner nicht nur
so lange zu tolerieren, als es den gemeinsamen Feind gebe; nicht nur so
zu tun, als ob Übereinstimmung bestünde: ... *mit einem ›als ob‹ kann
nicht gesiegt werden.* [45] Denn das Prinzip des ›als ob‹ beherrschte die
Praxis.

Keineswegs war das Mißtrauen zwischen den Gruppen überwunden,
keineswegs Aufrichtigkeit auf allen Seiten gewährleistet, ja nicht einmal
die Bereitschaft zur Mitarbeit. Die Geschichte der deutschen Volksfront
ist noch nicht geschrieben. Hier kann wiederum nur in groben Zügen gesagt werden, wie die Entwicklung verlief. Von Anfang an war es mehr
als nur ein Schönheitsfehler, daß sich der exilierte sozialdemokratische
Parteivorstand an den Vorbereitungsgremien nicht beteiligte. Nach einer
Unterredung mit Walter Ulbricht und Franz Dahlem, den Vertretern des
ZK der KPD, hatten die Sopade-Vorstandsmitglieder Hans Vogel und
Friedrich Stampfer für ihre Partei eine Beteiligung an der Volksfront
unter Einschluß der Kommunisten abgelehnt. Bei dieser Entscheidung hat
sich der unter den exilierten Sozialdemokraten höchst umstrittene Parteivorstand zu einem Gutteil von partei-internen Erwägungen, wenn nicht
gar von sehr persönlichen Macht-Überlegungen leiten lassen. (Wobei natürlich hinzugefügt werden muß, daß das Mißtrauen dieser sozialdemokratischen Funktionäre gegen die KPD durchaus echt und keineswegs
nur vorgeschoben gewesen ist — die Wels, Vogel und Stampfer wären ja
sonst nicht sie selbst gewesen.) Sozialdemokraten, die sich dennoch an den
Volksfrontberatungen beteiligten, zum Beispiel Breitscheid, Hilferding
oder Böchel, taten dies nur für ihre Person, bestenfalls als Beobachter der
Partei. So hatten sich zwar linke Liberale, progressive Katholiken, die
Vertreter sozialistischer Splittergruppen und die der KPD, daneben nicht
parteigebundene Schriftsteller, Wissenschaftler und Journalisten zusammengefunden; doch die Repräsentanten der trotz Absplitterungen noch
immer stärksten linken Partei fehlten. Heinrich Mann hat sich schon seit
Oktober 1935 um das Zustandekommen der Volksfront bemüht. Als am
6. Februar 1936 im Pariser Hotel Lutetia die Gründungsversammlung
eines Ausschusses zur Schaffung der Deutschen Volksfront tagte, wurde
er zu dessen Vorsitzendem gewählt. Babette Gross schreibt zudem, er sei
maßgeblich an der Redaktion des Manifestes dieser Versammlung beteiligt gewesen. [46]

Ludwig Marcuse, der diesem Treffen und wohl auch anderen bei-
gewohnt hat, charakterisiert Mann als *eine Art Dach-Organisation für
alle, die sich unter einem gemeinsamen Dach streiten wollten.* [47] Von einer
politisch so heterogen zusammengesetzten Gruppe konnte unter den ge-

schilderten Voraussetzungen in der Tat auch kaum etwas anderes erwartet werden als eben die gemeinsame Gegnerschaft gegen den deutschen Faschismus. Die Arbeit der Volksfront-Gremien blieb überall da ergebnislos, wo über diese Basis hinaus eine für alle vertretbare gemeinsame Alternative hätte gefunden werden müssen. Verbale Übereinstimmungen wurden gewiß erzielt. Wenn es aber darum ging, diese Begriffe inhaltlich zu füllen und konkret zu definieren, traten die zum Teil sehr gegensätzlichen Interessen der Bündnispartner ans Licht und verhinderten das Zustandekommen auch nur eines Minimalprogramms. Der im politischen Tageshandwerk völlig unerfahrene Heinrich Mann hat bei solchen Kontroversen stets auszugleichen und zu vermitteln versucht — *Ich hatte viel Streit zu schlichten . . .* schreibt er in seiner Autobiographie.[48] Seine Bemühungen waren vergebens, wären es wohl auch gewesen, wenn er nicht erst *den politischen Verkehr* hätte lernen müssen, *mehr oder weniger begabt dafür.* Hätte er ihn freilich schon beherrscht, so wäre ihm kaum der Gedanke gekommen, ihn für *ein Fach, wie Musik oder Algebra*[49] zu halten, und vielleicht würde er auch gesehen haben, daß er Idealismus und Verantwortungsbewußtsein an eine Sache wendete, um deren Realitätschancen es nicht sehr gut bestellt war. Denn was er für die Verhandlungen mitbrachte, war das reine Ethos seiner Volksfront-Aufsätze und des »Henri Quatre«, war die Kraft eines unbedingten sittlichen Wollens und die daraus erwachsende moralische Autorität. Dieses Wollen war so groß und ihm so selbstverständlich identisch mit dem Notwendigen, daß er das in einer sehr komplizierten Realität konkret Mögliche mit seinem Blick nur streifte.

Die Moskauer Prozesse waren die erste große Belastung der westeuropäischen Volksfront-Politik. Auch innerhalb der deutschen Emigration führten sie zu heftigen Auseinandersetzungen und vertieften eine Spaltung, die zu überwinden man sich gerade erst zusammengefunden hatte. Die nichtkommunistischen Teilnehmer der Volksfront bezweifelten mit wenigen Ausnahmen über kurz oder lang die ehrliche Absicht der Kommunisten, nach Hitlers Sturz ein demokratisches Deutschland mit aufzubauen. Einige prominente Vertreter des Bürgertums, so Leopold Schwarzschild und Konrad Heiden, verließen die Volksfront. Nicht so Heinrich Mann. Er hat zu den Moskauer Prozessen schon sehr früh, einen Monat nach dem ersten Prozeß, Stellung genommen und Partei ergriffen. Er billigte das Geschehen, zwar voller Bedauern, doch ausdrücklich: *Die Moskauer Prozesse und die Erschießung von sechzehn alten Revolutionären haben geschadet; sie beeinträchtigen die vorteilhafte Meinung der angelsächsischen Welt, daß Moskau schon tief in der Normalisierung wäre. Wenn aber — zum Schaden der Revolution — Verschwörer auftraten, mußten sie, zum Nutzen der Revolution, schnell und gründlich verschwinden. Ich bin mehrmals aufgefordert worden, zu protestieren. Ich kann nur Bedauern äußern — und vermuten, daß dasselbe Bedauern niemandem, gerade in Moskau, ferngelegen hat: weder denen, die das Urteil herbeiführten, noch den Gerichteten, die es reumütig hinnahmen . . . De Brouckère und Citrine haben das Moskauer Urteil verworfen. Rolland hat nicht protestiert, ich kann es auch nicht. Vielleicht haben wir mehr Phantasie, wovon manches abhängt. Wir halten gegenwärtig, daß die Revolution unteilbar ist, und ich bitte meine Kameraden, nie zu vergessen: sie ist unteilbar.* [50]

Wenn dieser Text eines verrät, so dies: Heinrich Mann hat keinen Augenblick an der Wahrheit der Prozeßberichte und sonstigen offiziellen Moskauer Angaben, an der Berechtigung des Prozesses gezweifelt. Er war zu arglos und gutgläubig, als daß er die Monstrosität des Vorgangs hätte durchschauen können. Und waren es nicht auch die Gegner der Volksfront, die die Sowjetunion wegen der Prozesse angriffen? Die Repräsentanten des Appeasement und die heimlichen Faschisten? Waren diese Angriffe nicht Teil einer Verleumdungskampagne, die jene Jahre beherrschte, *als der sogenannte Antibolschewismus den zeitweiligen Triumph Hitlers im Voraus begründete?* [51] Die Bemerkung von der Unteilbarkeit der Revolution spricht das aus. Einzig in der Sowjetunion hatten die exilierten Deutschen in der Periode des Appeasement eine verläßliche Stütze für ihre Politik. Selbst die französische Volksfrontregierung hatte der kurz zuvor von Francos Aufstand bedrohten spanischen Republik — ihrer benachbarten Volksfront übrigens — den Beistand verweigert, hatte sich auf eine vage Nichteinmischung festgelegt, die de facto die Aufständischen und ihre deutsch-italienischen Hintermänner begünstigte. Der Faschismus expandierte und bereitete sich auf den großen Krieg vor. Es mochte gut sein, war sogar mehr als wahrscheinlich, daß man in Berlin nichts unversucht ließ, auch die Sowjetunion zu Fall zu bringen. Warum nicht durch eine Verschwörung mit alten Revolutionären? Ernst Bloch hat derlei Hypothesen seinerzeit in der »Neuen Weltbühne« breit hingemalt, Heinrich Mann sie lakonisch vorweggenommen mit dem Satz von der unteilbaren Revolution.

Und doch ist das nicht alles. Denn ohne Zweifel wäre er zu einem anderen Urteil gelangt, hätte er nur zu durchschauen vermocht, welches Zerrbild der Stalinismus aus dem Kommunismus gemacht hatte. Eben das hat er nicht gesehen und infolge der politischen Umstände, seines Charakters und vor allem infolge seiner geistigen Konstitution auch gar nicht sehen können. Was ihn daran hinderte, war paradoxerweise das gleiche, was ihn von materialistischer Weltsicht, vom Marxismus trennte: der von ihm stets behauptete Primat des Geistigen. Noch in »Ein Zeitalter wird besichtigt« bekennt er: *Das Geistige erscheint mir als das Primäre, es hat in der Geschichte den Vortritt. Dies behaupte ich mit Einschränkungen und bleibe auf ein vernünftiges Entgegenkommen bedacht.* [52] Über die Art dieser Einschränkungen wird noch zu reden sein, vorläufig kommt es aufs Prinzipielle an. Das ist das Denken der Aufklärung, mehr französischer Rationalismus als deutscher Idealismus, insgesamt aber bürgerliches Erbe. Das Vorrecht des Geistes hat sich in den politischen Essays gezeigt und vielleicht noch deutlicher in dem Satz des »Henri Quatre«, wonach die Erkenntnis ein Licht sei, das ausgestrahlt werde von der Tugend: *Schurken wissen nichts.* Genau das ist der blinde Fleck im Auge des Denkers Heinrich Mann: die unreflektierte Verbindung, ja Gleichsetzung von Rationalität und Progressivität mit moralischer Integrität.

Ein anderes Beispiel als das hier zur Debatte stehende bietet sich ebenfalls zum Exempel an: Manns oft zitierte, selten verstandene Altersneigung für Bismarck: *Er war ein Mann der Gesittung und des Maßes, ebenso fein als stark* ... — *Er schrieb, wie in den besten Augenblicken der Sprache geschrieben worden ist* ... — ... *wünschte für Deutschland das Vernünftige* ... Die Elemente sind beisammen: Gesittung, guter Stil (der klares Denken voraussetzt), Vernunft. Und die Folgerung lautet: ... *ist undenkbar als Kanzler des Dritten Reiches. Aber wahrscheinlich stände er an der Spitze der sozialistischen Republik.* [53] So leicht fügte sich das. So gläubig wurde da gedacht. Man liest es mit schmerzlicher Rührung.

Die Parallele zum Urteil über die russischen Vorgänge ist einfach zu ziehen. Die Revolution verkörperte das ›Geistige‹ — zu Recht. Hier kulminierte der Fortschritt, die Vernunft der Geschichte offenbarte sich in diesem Ziel. Die Rationalität und Progressivität des »Prinzips« Revolution wurde nun gleichgesetzt mit der moralischen Integrität derer, die diesem Prinzip zu dienen, es zu sichern vorgaben. Sie konnten gar nicht anders als integer sein, die Stalin, Jeshow, Jagoda — *Schurken wissen nichts*, können also nie auf der Seite des geistigen Prinzips, nie auf der Seite der Revolution zu finden sein. Da war kein relativierendes Zwischenglied, das die Abstraktion gemildert und ans Konkrete angenähert hätte — etwa derart, daß die Verteidiger der Vernunft auch vor dem *sittlich Ungeheuren* nicht gefeit sind, ihre *Versuchung und Gelegenheit* bei der Gewalt sehen und dennoch, objektiv und nach außen, das *sittlich Ungeheure* bekämpfen. Das ungefähr war die Situation, vor der sich Klarblickendere fanden, Brecht beispielsweise. Ein solches Verhalten setzte dialektisches Denken voraus — und Heinrich Mann dachte idealistisch.

Denn so viele Illusionen er im konkret Sachlichen auch überwunden, so viele neue Einsichten er gewonnen hatte, seine Denkweise hat sich dabei nie geändert. Trotz unzähliger materialistischer Teileinsichten — dies die Einschränkungen, von denen er sprach — ist er ein idealistischer Denker geblieben. So wurde der Primat des Geistigen nie von einem Zweifel angetastet, die Identität von Denken und Moral blieb seine Grundmaxime. Wer die Sache der Vernunft führte, konnte nicht anders als integer sein — Stalin, der im »Zeitalter« konsequenterweise und durchaus im hohen Sinn des »Henri Quatre« und der Volksfront-Essays als Intellektueller apostrophiert wurde. Wie andererseits der Integre keine unvernünftige Sache verfechten konnte — Bismarck. Das ist die Kehrseite einer Rationalität, die direkt aus dem achtzehnten in unser Jahrhundert gekommen zu sein scheint. Tut das der Größe Heinrich Manns Abbruch? Es zeigt nur seine Grenze, und warum sie ihm gezogen war. Seine Forderungen und Lehren werden von ihr nicht berührt.

Es war also kein Quentchen Selbsttäuschung, nicht einmal Verdrängung im Spiel, wenn er sich solcherart die Prozesse erklärte. Die Richtigkeit der Volksfront-Idee wurde von ihnen nicht betroffen, wohl aber die Volksfront selbst. Ihr erstes Manifest im Februar 1936 hatte noch 118 Unterschriften getragen. Im Januar 1937 veröffentlichte die »Neue Weltbühne« einen Aufruf »Für die deutsche Volksfront«, unter dem nur mehr 70 Namen standen. Die Basis war erkennbar schmäler geworden, einmal infolge der Prozesse, zum andern wegen der Unmöglichkeit, sich auf ein

Programm zu einigen, das über Gemeinplätze hinausging. Insgesamt bedroht wurde die Volksfront, als die KPD im Laufe des Jahres 1937 ihren Vertreter Willi Münzenberg aus dem Ausschuß zurückzog und durch Walter Ulbricht ersetzte. Münzenberg war mehr gewesen als ein äußerlich flexibler Verfechter starrer Dogmen, mehr auch als nur ein kluger Propagandist und Organisator. Die von ihm wesentlich mitinitiierte Bewegung hat er zwar im Hinblick auf ihren möglichen Erfolg eher skeptisch betrachtet; als politische Chance hat er sie sehr ernst genommen. Wie fast alle Teilnehmer ist auch er wohl von den anfänglichen Erfolgen der französischen und spanischen Volksfronten beeindruckt worden. Mag sein, daß das ZK der KPD in seiner Art, die Verhandlungen zu führen, eine Abweichung gesehen [54] und Walter Ulbricht beauftragt hat, den Standpunkt der Partei deutlicher zu machen. Man darf aber auch nicht übersehen, daß sich die politische Szenerie bei Münzenbergs Ablösung erheblich anders präsentierte als noch ein Jahr zuvor. Das Klima war für die Volksfront in ganz Westeuropa ungünstiger geworden.

In der Folge jedenfalls hat Walter Ulbricht (und sicherlich nicht eigenmächtig) versucht, die deutsche Volksfront unter die Hörigkeit der KPD zu bringen, sie auf deren politische Linie festzulegen. Er hat dabei mit formalen Tricks gearbeitet und auch mit zum Teil böswilligen Unterstellungen nicht gespart. So wurde versucht, Heinrich Mann gegen sozialdemokratische und bürgerliche Mitglieder des Volksfrontausschusses auszuspielen, so daß Mann sich schließlich weigerte, mit Ulbricht zusammenzuarbeiten [55] und deshalb beim ZK der KPD vorstellig wurde. Carola Stern zufolge hat Münzenberg diese Beschwerden nach Moskau weitergeleitet, was die Abberufung Ulbrichts aus Paris zur Folge gehabt habe. [56] Der Volksfrontausschuß geriet durch diese Auseinandersetzungen in eine Krise, die nicht beigelegt werden konnte. Er brach auseinander. Ein Jahr später, vor und nach dem Münchener Abkommen, während der Kriegsgefahr im Frühherbst 1938, kam noch einmal ein »Burgfriede« zustande. Heinrich Mann stellte sich erneut als Mittler zur Verfügung. Auch dieser Einigungsversuch scheiterte. Was übrigblieb, war eine unter wechselnden Namen auftretende Rumpffraktion aus Kommunisten und wenigen Parteilosen, unter ihnen Mann. Wenn er sich auch nach diesem offenkundigen Zusammenbruch noch solch kräftezehrenden Einigungsversuchen widmete, so einzig um der Sache willen — wegen der erhofften Selbstbefreiung des deutschen Volkes vom Faschismus. Nachträglich erscheint es mehr als verwegen, daß man im Exil noch zu dieser Stunde an eine Liquidierung des Regimes von innen geglaubt hat. Solche Hoffnungen waren indes weit verbreitet. Sowohl Heinrich als auch Thomas Mann haben sie noch im Mai 1939 gehegt. *Die deutsche Erhebung muß dem Krieg zuvorkommen*, liest man in einem Brief Heinrichs an den Bruder, und er fährt fort: *Die Deutschen bereiten sich innerlich vor . . .* [57] Was natürlich die bare Illusion gewesen ist. Zu fragen ist, wie es dazu kommen konnte.

Zu Anfang des Exils hatte er den Gedanken an eine Rückkehr nach Deutschland entschieden von sich gewiesen, selbst *wenn dies alles vorbei wäre. Denn den Menschen würde ich nicht mehr glauben, daß es wirklich vorbei ist.* [58] Auf die Dauer hat er ihnen doch und so sehr geglaubt, daß er stets auf ihre Erhebung hoffte und noch in den letzten Friedenstagen die Chance einer Revolution zu erblicken meinte. Erst der Krieg hat ihn belehrt. Genährt wurden solche Hoffnungen zunächst von den Berichten, die die Exilierten von den Illegalen erhielten. Nachrichten über Widerstandsgruppen, nicht selten schon von den Berichtenden übertrieben und aufgebauscht, wurden draußen weit überbewertet. Anderseits haben die Exilierten die Herrschaftsapparatur des faschistischen Staates unterschätzt. Schon deshalb mußten wenigstens die nicht unmittelbar parteipolitisch Tätigen zu einem falschen Urteil über die Chancen einer innerdeutschen Opposition kommen. Oft genug hat sich Heinrich Mann in seinen Artikeln und noch in der Autobiographie auf solche Berichte aus der Illegalität berufen.

Als gleich wichtiges psychologisches Moment tritt zu diesem Irrtum die faktische Ohnmacht der Exilierten. Ihre eigene Aktivität mußten sie in dem Maße überschätzen, in dem sie von jeglicher Wirkung ausgeschlossen blieben. In »Ein Zeitalter wird besichtigt« wurde das offen ausgesprochen: *Besonders aber ist anzuerkennen, daß nichts leichter täuscht als handeln — und wir handelten. Noch naiver wird der Selbstbetrug, wenn beträchtliche Gruppen, getragen von wirklichen Volksmassen, eine Handlung inszenieren, und sie hat Erfolg, sie schafft Bewegung, scheinbar verändert sie Tatsachen.* [59] Unmittelbar bezieht sich die Feststellung auf Kundgebungen, die er mit französischen Intellektuellen während der Volksfront-Periode gehalten hatte. Das Gefühl übertrug sich aber auch auf die Aktivitäten der Volksfront selbst, von der er rückblickend notiert: *Die Mannschaften traten fleißig zusammen, was hatten sie sonst auch zu tun.* [60] Ohnmacht, absorbiert durch Aktivität: der Eindruck wächst noch, wenn man die außenpolitischen Erfolge des Faschismus in der Vorkriegszeit (Saarabstimmung 1935, Spanischer Bürgerkrieg 1936, Annexion Österreichs 1938, Annexion der CSR 1938/9) und die Situation der Exilierten in den westlichen Gastländern betrachtet. Die britisch-französische Politik des ›Appeasement‹ begünstigte ja nicht nur den Faschismus, sie wirkte sich nahezu zwangsläufig auf die deutschen Flüchtlinge und besonders auf deren publizistische Tätigkeit aus. Bereits im Oktober 1935 konstatierte Heinrich Mann: *... wer in seinem eigenen Lande der Macht verdächtig ist, wird es jeder Macht* [61] und im Dezember 1938 befürchtete er, man könne ihm in Frankreich die Erlaubnis zu politisch-publizistischer Betätigung entziehen. Es waren Daladier und Bonnet, die regierten, nicht mehr die Volksfront. Seine Besorgnis verwundert umso weniger, da die Exilierten und er mit an erster Stelle die Motive der Appeasement-Politik beim Namen genannt haben: *Der sogenannte Antikommunismus wird von Mächten, die gar nicht vom Kommunismus, aber um so mehr vom Faschismus bedroht sind — nun, er wird nicht immer nur aus Gefälligkeit und Schwäche gegen einen Monomanen gemacht. Man paßt sich noch eher seinen Interessen an als seinem Wahn. Man hofft hier und dort, mit ihm zu verdienen; und den Angriff auf den Bestand Europas, auf den er doch angewiesen ist, man meint trotz dem Augenschein, der Angriff wäre ihm abzukaufen.* [62] — Der das geschrieben hatte, mußte bei einer Wendung der Dinge in der Tat mit der *begreiflichen Neigung* rechnen, *uns manches entgelten zu lassen.* [63]

Die Veränderung trat ein mit der Niederlage Frankreichs. Im Sommer 1940 begann die gleichgeschaltete französische Presse gegen ihn zu polemisieren, und jene offen oder latent faschistischen Kräfte, die er zuvor bekämpft hatte, stellten die Regierung Frankreichs. Diese hatte dem § 19 des deutsch-französischen Waffenstillstandsvertrags zugestimmt, der das Asylrecht aufhob und Frankreich auferlegte, jede von Deutschland benannte Person auszuliefern. Die Bestimmung richtete sich eindeutig gegen die Exilierten. Der 1933 Ausgebürgerte war zwar 1936 tschechoslowakischer Bürger geworden, doch seit März 1939 war die CSR kein Staat mehr. Auch die Tatsache, daß er im von deutschen Truppen unbesetzten Südfrankreich lebte, verlor angesichts des § 19 an Bedeutung. Dennoch hat er sich gesträubt, Frankreich zu verlassen. Es ist offenbar Lion Feuchtwanger gewesen, der ihm die Notwendigkeit einer zweiten Flucht klargemacht hat: über Spanien und Portugal nach den USA. Ihre Schwierigkeiten sind kaum zu überschätzen. Auf legale Weise konnte er Frankreich nicht verlassen. Der Versuch, ein Ausreisevisum zu erlangen, wäre mit der Gefahr sofortiger Verhaftung verbunden gewesen. Überdies durfte er, der mit Entschiedenheit die spanische Republik unterstützt hatte, das Spanien Francos nicht unter seinem wahren Namen durchqueren. Er wäre zurückgewiesen oder verhaftet worden. Der in Marseille noch amtierende tschechoslowakische Konsul beschaffte ihm ein echtes Papier auf den Namen Heinrich Ludwig. Für Schiffskosten und Einreiseerlaubnis in die USA sorgte Thomas Mann, der bereits seit 1938 dort lebte. Am 12. September 1940 begann in Marseille die Flucht. Sie führte mit der Bahn zur französischen Grenze, von da zu Fuß über die Pyrenäen, von Barcelona mit dem Flugzeug (ironischerweise der Deutschen Lufthansa, die in Spanien den Liniendienst versah) nach Lissabon. Dort erkämpfte Nelly Mann Schiffsplätze. Am 13. Oktober 1940 legte der griechische Dampfer »Nea Hellas« in New York an. Die Lebensgefahr war überstanden, doch was ihm an persönlichen Schicksalen bevorstand, war beinahe noch schlimmer. Nicht das im amerikanischen Exil entstandene Werk, das Leben ist gemeint, wenn er in der Autobiographie über den »Abschied von Europa« schrieb: *Der kalte Hauch meines Aufbruchs von Marseille befremdete eigentümlich. Ohne weiter zu insistieren, brachte er Nachricht aus künftigen Tagen, die nichts mehr von Belang zu melden hatten.* [64]

Anmerkungen

1 »Heinrich-Mann-Bibliographie. Werke«. Bearbeitet von Edith Zenker. Aufbau-Verlag, Berlin und Weimar 1967, S. 161 — Das Plakat war vom Internationalen Sozialistischen Kampfbund (ISK) herausgegeben 2 Oskar Loerke: »Tagebücher 1903—1939«. Herausgegeben von Hermann Kasack. Verlag Lambert Schneider, Heidelberg/Darmstadt 1956, 2. Auflage, S. 261 f.

3 »Ein Zeitalter wird besichtigt«, Aufbau-Verlag, Berlin 1947, 31. — 40. Tsd., S. 367

4 Wilhelm Herzog: »Menschen, denen ich begegnete«, Francke Verlag, Bern 1959, S. 260

5 »Ein Zeitalter wird besichtigt«, a. a. O., S. 372 6 »Die Zerstörung der deutschen Politik. Dokumente 1871—1933«. Herausgegeben und kommentiert von Harry Pross, Fischer-Bücherei Frankfurt am Main 1959, S. 102 7 René Schickele: »Werke in drei Bänden«. Dritter Band. Verlag Kiepenheuer & Witsch, Köln—Berlin 1959, S. 1049 f. — Um ein Bild von Heinrich Manns Privatleben in den ersten Jahren des französischen Exils zu gewinnen, sind besonders die Tagebucheintragungen des sehr genau und sorgfältig beobachtenden René Schickele zu empfehlen, ferner die entsprechenden Hinweise in Ludwig Marcuses Autobiographie (siehe Anm. 24).

8 »Ein Zeitalter wird besichtigt«, a. a. O., S. 191 9 »Internationale Literatur/Deutsche Blätter«. Verlag für Schöne Literatur, Moskau, 9. Jg., H. 6, Juni 1939, S. 3

10 Klaus Schröter: »Heinrich Mann in Selbstzeugnissen und Bilddokumenten«, Rowohlt-Taschenbuchverlag, Reinbek bei Hamburg 1967, S. 120 11 »Internationale Literatur/Deutsche Blätter«, a. a. O., S. 5 12 »Die Jugend des Königs Henri Quatre«, Aufbau-Verlag, Berlin 1960, S. 491

13 »Die Vollendung des Königs Henri Quatre«, Aufbau-Verlag, Berlin 1960, S. 877

14 »Maß und Wert«, Zweimonatsschrift für freie deutsche Kultur. Herausgegeben von Thomas Mann und Konrad Falke. Verlag Oprecht, Zürich. 2. Jg., H. 3, Januar/Februar 1939, S. 295 f.

15 »Die Jugend des Königs Henri Quatre«, a. a. O., S. 551 f.

16 »Ein Zeitalter wird besichtigt«, a. a. O., S. 463 17 Georg Lukács: »Der Kampf zwischen Liberalismus und Demokratie im Spiegel des historischen Romans der deutschen Antifaschisten«, in: »Internationale Literatur/Deutsche Blätter«, 8. Jg., H. 5, Mai 1938, S. 63—83

18 Wilhelm Herzog, a. a. O., S. 256 19 a. a. O., S. 261

20 »Der Haß. Deutsche Zeitgeschichte«, Querido-Verlag, Amsterdam 1933 — Der Band enthält Aufsätze, die z. T. in der Exilpresse erschienen sind, ferner das noch in Deutschland erstveröffentlichte »Bekenntnis zum Übernationalen«. Heinrich Mann bemerkt im »Zeitalter«, die Anregung, ihn zusammenzustellen, sei von Félix Bertaux ausgegangen. Als der Band in Frankreich keine Wirkungen ausgelöst habe, sei er, HM, von der Tatsache des Appeasement überzeugt gewesen. Immerhin bewirkte er aber Drohungen der deutschen Presse gegen die Niederlande. Möglicherweise haben die niederländischen Behörden auch dem Querido-Verlag Zurückhaltung nahegelegt, denn als drei Jahre später Manns Lesebuch »Es kommt der Tag« (Anm. 26) für den Verlag zur Debatte stand, kündigte er zwar das Erscheinen vorher an, verlegte das Buch aber nicht. Auch die dritte Essaysammlung »Mut« erschien nicht bei Querido, sondern in einer Schriftenreihe der Internationalen Schriftsteller-Vereinigung (Paris 1939).

21 Siehe meinen Aufsatz: »Die Helfer im Hintergrund. Zur Situation deutscher Exilverlage 1933 bis 1945«, Frankfurter Hefte, 20. Jg., H. 2, Februar 1965, S. 121—132

22 Durch Intervention der tschechoslowakischen Behörden wurde Heinrich Manns Bibliothek und Mobilar gerettet und nach Prag gebracht, wo seine geschiedene Frau Mimi und seine Tochter lebten 23 »Die neue Weltbühne«, Prag, 33. Jg., Nr. 34, 19. 8. 1937, S. 1080 (Brief Lion Feuchtwangers an die Redaktion). Ob auch Zeitschriftenhonorare in diese Regelung einbezogen waren, geht aus Feuchtwangers Zuschrift nicht hervor. Im Falle Heinrich Manns wäre das von Bedeutung, denn die Internationale Literatur hat »Die Vollendung des Königs Henri Quatre« vorabgedruckt

24 Ludwig Marcuse: »Mein 20. Jahrhundert. Auf dem Weg zu einer Autobiographie«, Paul-List-Verlag, München 1960, 6.—8. Tsd., S. 205 25 Heinrich Mann und Ein junger Deutscher (d. i. Paul Roubiczek): »Der Sinn dieser Emigration«, Verlag des Europäischen Merkur, Paris 1934, S. 42 f.

26 »Es kommt der Tag. Deutsches Lesebuch«, Europa-Verlag, Zürich 1936, S. 81 f.

27 a. a. O., S. 207 f. 28 »Der Haß«, a. a. O., S. 21 ff.

29 Kurt Hiller: »Köpfe und Tröpfe. Profile aus einem Vierteljahrhundert«, Rowohlt-Verlag, Hamburg—Stuttgart 1950, S. 42 30 »Internationale Literatur/Deutsche Blätter«, 6. Jg., H. 11, November 1936, S. 3 ff. 31 a. a. O. 32 »Ein Ausweg: Der europäische Völkerbund. Briefe Heinrich Manns aus der Emigration an Max Braun, Georg Bernhard, Alfred Kantorowicz und Arnold Zweig. Mit einer Einleitung von Alfred Kantorowicz«. FAZ v. 29. 3. 1958

33 »Es kommt der Tag«, a.a.O., S. 18 34 Lt. Bracher-Sauer-Schulz: »Die nationalsozialistische Machtergreifung«, 2. durchges. Aufl., Westdeutscher Verlag, Köln-Opladen 1962, S. 198 f., verkündete Otto Wels noch im August 1933 auf der Pariser Konferenz der 2. Internationale, daß Deutschland wahrscheinlich trotz allem das Land sein werde, *das als erstes in Europa die sozialistische Revolution erleben werde.* 35 Die entsprechende Stellungnahme des ZK der KPD lautete: *Der Sieg der konterrevolutionären Partei des Faschismus hat die Arbeiterklasse und ihre Partei vorübergehend zum Rückzug gezwungen. Aber nur Kapitulanten und Opportunisten können davon reden, daß die Arbeiterklasse im Kampf gegen den Faschismus geschlagen sei, daß sie ›eine Schlacht verloren‹ und ›eine Niederlage erlitten‹ habe.* (»Rundschau über Politik, Wirtschaft und Arbeiterbewegung«, Basel, 2. 6. 1933), zitiert in Babette Gross: »Münzenberg« (siehe Anm. 46). Vgl. auch die Auswahl aus dem reichhaltigen Material gleichen Tenors in: Theo Pirker: »Komintern und Faschismus 1920—1940«, Deutsche Verlagsanstalt, Stuttgart 1966, S. 175—181

36 So von Karl Schmückle unter dem Titel »Von der Freiheit und ihrem Trugbild« in »Internationale Literatur«, 4. Jg., H. 3 (1934), S. 3—25 (Schmückle beschäftigt sich auch mit Feuchtwanger,

Hans-Albert Walter

Kesten u. a.). — Auch die lange Pause in Heinrich Manns Mitarbeit an der »Neuen Weltbühne« — zwischen dem 3. 5. und dem 6. 12. 1934 erschien dort kein Beitrag von ihm — geht auf politische Differenzen zurück. Als Hermann Budzislawski im März 1934 die Redaktion übernahm, hatte er in den Verhandlungen mit Edith Jacobsohn (die Witwe Siegfried Jacobsohns hielt damals die Hauptanteile des Exilblattes) auch kritische Einwendungen gegen Heinrich Mann erhoben; dieser sei politisch von Willi Schlamm beeinflußt gewesen — dem vorigen Redakteur des Blattes. Schlamm stand damals Leo Trotzki nahe und verlangte in seinen Artikeln von der KPD vor allem eine selbstkritische Untersuchung ihres Anteils an der Niederlage. Nach seinem Eintritt in das Blatt habe Budzislawski auch Werner Türks Rezension zu »Der Sinn dieser Emigration« entsprechend inspiriert. Das alles sei Heinrich Mann zu Ohren gekommen, worauf eine Pause in seiner Mitarbeit eingetreten sei. Erst nach längeren Verhandlungen habe er dann eine Vereinbarung über seine ständige Mitarbeit getroffen, die im Dezember 1934 wieder begann. So Horst Eckert in: »Die Beiträge der deutschen emigrierten Schriftsteller in der Neuen Weltbühne von 1934—1939. Ein Beitrag zur Untersuchung der Beziehungen zwischen Volksfrontpolitik und Literatur«, Dissertation. Typoskript. Berlin (DDR) 1961, S. 58 — Siehe ferner: René Schickele, a. a. O., S. 1084
37 »Es kommt der Tag«, a. a. O., S. 209 f.   38 a. a. O.   39 a. a. O., S. 211   40 a. a. O., S. 209
41 a. a. O, S. 218   42 a. a. O., S. 221   43 a. a. O., S. 224   44 a. a. O., S. 235   45 a. a. O.
46 Babette Gross: »Willi Münzenberg. Eine politische Biographie« Deutsche Verlagsanstalt, Stuttgart 1967, S. 293   47 Ludwig Marcuse, a. a. O., S. 205   48 »Ein Zeitalter wird besichtigt«, S. 417
49 a. a. O.   50 »Die neue Weltbühne«, 32. Jg., Nr. 39, 24. 9. 1936, S. 1216   51 »Ein Zeitalter wird besichtigt«, S. 417   52 a. a. O., S. 207   53 »Es kommt der Tag«, a. a. O., S. 27 f.
54 Babette Gross, a. a. O. — Die Verfasserin bezieht sich auf das unveröffentlichte Ms. von Herbert Wehners Erinnerungen (1957); Wehner habe während der Volksfrontverhandlungen Münzenbergs Verhalten als opportunistische Grundsatzlosigkeit bezeichnet.
55 Der von Alfred Kantorowicz — siehe Anm. 32 — veröffentlichte Brief Heinrich Manns an Max Braun, datiert vom 25. Oktober 1937, enthält u. a. folgende Sätze: Lieber Freund Max Braun, Ihre Mitteilungen vom 23. Okt. zeigen mir, daß Ulbricht tatsächlich eine eigene Volksfront, die ihm unterstehen soll, ins Werk setzen möchte. So ungern ich Mitglieder der deutschen Opposition als Gegner ansehe, einige wollen es offenbar nicht anders. Ich bin daher gegen eine Zusammenberufung des Gesamtausschusses, solange U. als Hauptvertreter oder auch nur als ein Vertreter seiner Partei dort erscheinen darf. Mit Ihnen hoffe ich, daß die Krise sehr schnell überwunden wird. Wenn aber nicht, müssen wir selbst entscheiden, was zu tun ist... — Man sollte indes mit einem Urteil über das Scheitern der Volksfront vorsichtig sein. Obwohl in der Endphase der stalinistische Parteiapparat der KPD die Krise auslöste, ist die Schuld nicht nur auf einer Seite zu suchen. Bei der tief zerklüfteten Vielfalt allein der linken Exilgruppen wäre eher ein anderes Resultat erstaunlich gewesen. So müßte bei der Untersuchung des Themas generell gefragt werden, ob unter den gegebenen Voraussetzungen des Exils und der speziellen deutschen Misere ein solches Bündnis politisch z. T. extrem divergierender Kräfte »überhaupt einen Erfolg versprechen konnte.
56 Carola Stern: »Ulbricht. Eine politische Biographie«, Büchergilde Gutenberg, Frankfurt am Main, o. J., S. 90   57 Thomas Mann — Heinrich Mann: »Briefwechsel«. S. Fischer Verlag, Frankfurt am Main, 1968, S. 185   58 a.a.O., S. 145 — Die Äußerung datiert vom 25. 12. 1933
59 »Ein Zeitalter wird besichtigt«, a. a. O., S. 415   60 a. a. O., S. 409   61 »Briefwechsel«, a. a. O., S. 155   62 »Die neue Weltbühne«, 33. Jg., Nr. 49, 2. 12. 1937, S. 1537   63 »Briefwechsel«, a. a. O., S. 196   64 »Ein Zeitalter wird besichtigt«, a. a. O., S. 473

140

Klaus Schröter

Deutsche Germanisten als Gegner Heinrich Manns

Einige Aspekte seiner Wirkungsgeschichte [1]

Heinz Nicolai mit Glückwünschen zum sechzigsten Geburtstag.

Der Widerspruch, den einige methodische und ideologische Anmerkungen in meiner Untersuchung der »Anfänge Heinrich Manns« hervorgerufen haben, läßt es nicht überflüssig erscheinen, auf diese noch einmal zurückzugreifen, sie zu vervollständigen und im Zusammenhang vorzutragen. [2] Von der Sache her bleiben dabei unserem Thema enge Grenzen gezogen. Das liegt daran, daß die Germanisten Heinrich Mann im Ganzen von jeher vernachlässigt haben. In den wenigen Fällen jedoch, in denen sie sich seinem Werk zuwandten, ist das mit einer verblüffenden Einseitigkeit geschehen und unter Bloßlegung einer derart konstanten Haltung, daß man eine ganze Symptomreihe aufdeckt, wenn man das Phänomen der literarwissenschaftlichen Rezeption Heinrich Manns betrachtet. Diese symptomatischen Aspekte sind es denn auch, die unserem Gegenstand Interesse geben.

Die Bemühungen der zeitgenössischen Literatur*kritik* um Heinrich Manns Werk können wir übergehen. Auch die gründlichsten der Rezensionen, die jede Neuerscheinung Heinrich Manns begleitet haben, erreichen weder eine sogenannte *werkimmanente* Interpretation oder Analyse der Bauformen noch zeigen sie den Versuch einer literarhistorischen Einordnung: sie dienen der Ankündigung und Bekanntmachung. Das ist bis zuletzt so geblieben. Und auch einige frühe monographische Arbeiten [3] erweisen sich, wissenschaftlich besehen, als belanglos. Sie entstanden als Huldigungen an Heinrich Mann — für eine kritische Leistung nicht immer der beste Ausgangspunkt.

Unter den Literaturhistorikern war es der Außenseiter Albert Soergel, der in seiner ersten Darstellung der »Dichtung und Dichter der Zeit« im Jahr 1911 Heinrich Mann einen Abschnitt widmete. Ganz richtig wird sein Werk hier der nachnaturalistischen Literatur eingereiht; ganz richtig hat Soergel eine gewisse Entwicklung Heinrich Manns erkannt und sie mit den literarhistorischen Stichworten *von d'Annunzio ... weg ... zu Balzac und Flaubert hin* bezeichnet, womit er Heinrich Manns Weg aus der Décadence, der Analyse ästhetizistischer Lebenshaltungen und der Existenzprobleme *einsam verfeinerter, neurasthenisch überreizter Künstler* [4] zum Gesellschafts- und Zeitroman hinreichend andeutet. Ja in einem Punkt hat Soergel in dieser frühen Darstellung alle Nachfolger übertroffen, indem er, wenn auch noch so kurz, auf das Jugendwerk Heinrich Manns, die *ersten Romane und Novellen* vor der Jahrhundertwende, eingeht und ihren *lehrhaft psychologischen Erzählerton* [5] von Paul Bourget herleitet.

Was Soergel bot, war eine wohlwollende Nachzeichnung dessen, was ihm als Werk Heinrich Manns vorlag. Noch die »Kleine Stadt« (1909) hat er jener Linie *von d'Annunzio weg zu Balzac hin* zuweisen können, hat ihren politisch-symbolischen Gehalt — in kleinem Kreis *dieselben Kräfte an der Arbeit zu zeigen, die weltgeschichtliche Umwälzungen hervorrufen* [6] — völlig richtig bezeichnet, es aber dann doch vorgezogen, die *Kompositionskunst* dieses Romans, die *technisch sichere Darstellungsart* Heinrich Manns zu betonen und durch die Rubrizierung der »Kleinen Stadt« unter den *sozialen Experimentalroman* [7] die eigenen Einsichten in einer pseudo-sachlichen Katalogisierung gleichsam aufzuheben. Zweifellos wäre Soergels Darstellung anders ausgefallen, hätte er noch die beiden ersten kulturpolitischen Essays von Heinrich Mann aus dem Jahr 1910 beachten können, die wir heute als das sichtbarste Zeichen seines beginnenden gesellschaftsbildnerischen Engagements erkennen, die aber damals an wenig beachteter Stelle erschienen: »Voltaire — Goethe« und »Geist und Tat«. [8]

Die Essays enthalten Heinrich Manns Bekenntnis zur republikanischen Staatsform nicht weniger als sein allgemeines weltanschaulich-politisches Credo; sie enthalten zum ersten Mal in begrifflicher Sprache, was seine letzten beiden Romane »Zwischen den Rassen« und »Die kleine Stadt« im Bild gegeben hatten: die Abwendung von dem gesellschaftsfeindlichen Kritizismus und Individualismus seiner frühen Zeit, die Hinwendung zu einer gesellschaftlich-verbindlichen demokratischen Moral — eine Wendung, die, wie nicht oft genug betont werden kann, unter den Schriftstellern der wilhelminischen Ära mit dieser Konsequenz von Heinrich Mann allein vollzogen worden ist.

1925 hat Soergel in seiner nun zweibändigen Ausgabe das Kapitel über Heinrich Mann neu bearbeitet und auch einem neuen Zusammenhang eingeordnet, da er ihn nun als einen der *Vorbereiter und Vorläufer* des *Expressionismus* aufführt. Diesem (lediglich stilkritisch zu begründenden) Akzent braucht hier nicht nachgegangen zu werden. Dagegen sind einige andere Neubewertungen zu beachten. Doch zuvor ein Wort zu den veränderten Umständen, unter denen Soergel jetzt über einen der sichtbarsten Repräsentanten der deutschen Literatur urteilte: Heinrich Manns »Untertan«, vor Kriegsausbruch, im Juni 1914 abgeschlossen, lag zu demselben Zeitpunkt als Buchausgabe vor, da das Deutsche Kaiserreich nach der Niederlage im Krieg liquidiert und an die Stelle der Monarchie die republikanische Staatsform getreten war. Daß sie vom konservativen Bürgertum nicht gestützt wurde, daß im Gegenteil bei ihrer Einsetzung die Machtbefugnisse der Obersten Heeresleitung auf die weitgehende Erhaltung des monarchistischen Apparates sahen, daß auf Seiten der Militärs von Loyalität zum neuen Staat keine Rede war und daß mit der Übernahme des alten Beamten- und Justizpersonals der Reaktion von Anfang an Tür und Tor geöffnet war, wird von der Geschichtsschreibung heute mehr und mehr aufgedeckt. [9] Heinrich Mann selbst hat das mindestens seit 1923, dem Jahr der Hochinflation, deutlich erkannt und dann in immer stärkeren Warnungen auch ausgesprochen. Er hatte sich gleichwohl der neuen Regierung sofort zur Verfügung gestellt. Er hatte im Dezember 1918 im Münchener Politischen Rat geistiger Arbeiter über

»Sinn und Idee der Revolution« gesprochen, hatte im März 1919 die Gedenkrede auf Kurt Eisner, den ermordeten Ministerpräsidenten der bayerischen Räterepublik, gehalten; er hatte sich im Oktober 1923 in einem offenen Brief an Gustav Stresemann gewandt und sich angesichts des nationalen Ausverkaufs zugunsten der Großindustrie für wirtschaftliche Zwangsmaßnahmen der Reichsregierung eingesetzt, für eine soziale »Diktatur der Vernunft«. Er war endlich im selben Jahr 1923 als offizieller Festredner zur Feier der republikanischen Verfassung in der Dresdener Staatsoper aufgetreten und hatte an dieser Stelle daran erinnert, daß noch einige Artikel der Weimarer Verfassung zu verwirklichen seien: die Sozialisierung der Bodenschätze und Grundindustrien.

Es sind genau diese Unternehmungen und Programmpunkte Heinrich Manns, die Albert Soergel in dem Nationalismus, wie seine Biederkeit ihn versteht, verletzen. Er greift sie auf, prangert sie an und sieht in Heinrich Mann nun einen *westeuropäischen Demokraten, keinen Schöpfer aus Herz und Seele, sondern einen Hirnmenschen, keinen Idealisten, sondern einen Ideologen, keinen Ethiker, sondern einen ›Intellektuellen‹...*[10] Man erkennt eine ganze Synonymenreihe, in der irrationale Antithesen mit einem eindeutig politischen Begriff (dem des *westeuropäischen Demokraten*) auswechselbar auftreten. Und hier wird es nun klar, daß Soergel den ersten demokratischen Roman Heinrich Manns »Die kleine Stadt« unter dem neutralen Gattungstitel eines *sozialen Experimentalromans* noch hatte hinnehmen können, daß ihm aber die verbindliche Satire und Wirklichkeitstreue des »Untertan« so unannehmbar erscheint, daß er im Eifer der Ablehnung seine Urteilskategorien vermischt und zu einfachen Behauptungen greift: *blinder Haß* habe die Gestalt des »Untertans« *verzeichnet* und *Einbrüche aus Manns sexualpsychologischer Periode reißen das Werk aus allen Fugen.*[11]

Damit hat Soergel seiner Aversion ein bequemes Mittel des Angriffs verschafft: er gibt die literarischen Kriterien auf und trägt einen sachfremden Begriffsapparat an ein erzählerisches Werk heran: die *Sexualpsychologie,* die er offenbar perhorresziert. Man braucht nur kurz daran zu erinnern, daß ohne sie ganze Werkkomplexe der modernen Literatur — von Schnitzler, dem frühen Musil, Thomas Mann, Döblin bis zu Hans Henny Jahnn — nicht entstanden wären, um eine Beschränktheit Soergels zu erkennen, die für Nutzen und Vorteil einer unpsychologischen, der sogenannten *Heimatkunst* (Lienhard, Frenssen usw.) viel Sinn entwickelt und die konsequenterweise bereits gegen Ende der zwanziger Jahre im völkischen Lager landet.

Ein besonderes zeitgeschichtliches Moment hat Soergels Aggressivität gegen Heinrich Mann bestärkt: Das ist Heinrich Manns Eintreten für eine deutsch-französische Verständigung. Mit ihr setzte er sich in den Jahren der französischen Ruhrbesetzung heftigen Angriffen aus. Und so erhält denn Soergels Vorwurf, daß man sich in Heinrich Mann vor einem *westeuropäischen Demokraten* zu hüten habe, mit direktem Bezug auf das, was er *den Ruhreinbruch* nennt[12], eine besondere Verschärfung durch ein Beiwort, das zweifellos der verjährten Kriegspropaganda entnommen ist, dem Nationalisten aber immer noch geläufig zur Verfügung steht: Heinrich Mann sei unwandelbar *ententegläubig.* [13] Dies prägt Soergel seinen Lesern dreimal ein; und nachdem er so den Deutschen Heinrich Mann als Feind in den eigenen Mauern angeprangert hat, kann er seine Scheltrede mit der Bemerkung schließen, daß Heinrich Mann *im Menschlichen bettelarm ist.* [14]

So weit, so gut. Denn man kann es immerhin *gut* nennen, wenn ein Aggressor seine Beweggründe so offen erkennen läßt, wie Soergel. Ihm paßt Heinrich Manns Politik nicht, und demgemäß opponiert er gegen Heinrich Manns politische Dichtung. Dennoch haben auch seine Attacken mit Literaturbetrachtung nicht nur durch ihren Gegenstand etwas zu tun: hinter aller politischen Polemik verbirgt sich bei Soergel eine ganz spezifische Vorstellung von »Dichtung« und »Dichter«. Sie ist uns mittelbar entgegengetreten in seinen Umschreibungen *Schöpfer aus Herz und Seele, Idealist, Ethiker,* und man könnte andere, ähnliche Bestimmungen hervorsuchen, wie *schöpferische sehende Liebe* [15] oder dergleichen. Indessen brauchen wir uns hier nicht weiter zu bemühen. Denn was Soergel nicht leistet: die dichtungstheoretische Definition und ihre Anwendung, das bieten zwei Literaturwissenschaftler, die sich kurz nach ihm mit Heinrich Manns Werk befaßt haben: Fritz Strich und Walther Rehm. Indem wir uns ihren Ausführungen zuwenden, blicken wir in Sphären, wo jeder Vorwurf des Politischen, scheinbar, entkleidet und wo unter spekulativ-ideeller Argumentation desto infamer agitiert wird. Es ist das Kapitel der *ideengeschichtlichen Interpretation,* der *Geistesgeschichte* in *der deutschen Literaturwissenschaft,* das hier zu berühren ist.

In seiner Studie »Dichtung und Zivilisation« hat Fritz Strich Heinrich Mann zum ersten Mal in eine geistesgeschichtliche Konstruktion ganz erstaunlichen Umfangs eingegliedert: *Man wird in den Abläufen der Geschichte,* so hebt Strich an, *drei Zustände des menschlichen Daseins finden, die immer wiederkehren, im Altertum wie in den neuen Zeiten anzutreffen sind und also typisch menschlich scheinen ... Sie verhalten sich zueinander wie Erwartung, Erfüllung und Entstellung ... Ich meine die Zustände der Natur, der Kultur und der Zivilisation.* [16] Man mag hier an Kleists dreigliedriges Schema in dem Aufsatz »Über das Marionettentheater« oder auch an Kants Entwicklung dieser Dreischrittsvorstellung denken, die in der Romantik geradezu zur Modeerscheinung in philosophischen und ästhetischen Theorien depraviert wurde [17] und also keineswegs über Hegels spekulative Ausbildung zur d i a l e k t i s c h e n Triade weiterzuwirken brauchte. Spenglers, später Toynbees Geschichtskonstruktionen haben mit Hegels Dialektik wenig zu tun, gründen aber ganz in dem romantischen Dreischrittsgedanken von Entstehung — Reife — Verfall, von der ewigen Wiederkehr dieses Prozesses und von seiner Gleichartigkeit unter den verschiedensten historischen Bedingungen in der antiken und neuzeitlichen Welt. Hierhin gehört Strich, hierhin gehören vor allem sein Kulturpessimismus ebenso wie seine idealistische Vorstellung von einer *ewigen und wesenhaften Menschlichkeit,* einem *Urbilde des Menschen und der ihm eingeborenen Gestalt* usw. [18] An diesem *ewigen Urbild* mißt er seine drei Stadien, und es muß kaum noch aus seinem Text belegt werden, in welch abwertendem Sinne ihm die Stufe der *Entstellung,* die *Zivilisation* erscheint. Ihre Bestimmungen ergeben sich als Antithese zu seinem *Kultur*-Begriff, und dieser nötigt zu genauerer Betrachtung.

Kultur, so legt Strich dar, ... *hat mit der Natur noch dies gemeinsam: daß alles hier wie dort gewachsen, ganz organisch, innerlich notwendig ist.* [19] Bei aller Neigung, solche Glaubenssätze, die von materiellen Bedingungen kultureller Phänomene nichts wissen oder wissen wollen, zu übergehen — ihre Beachtung ist nötig, um erkennen zu können, wie Strichs Dichtungsbegriff von seiner Kulturvorstellung gefüllt wird, ja mit ihr identisch ist: *Volksgemeinschaft, heilige Satzung* und *Mythos* seien die Bindungen innerhalb der *Kultur* [20] und nichts anderes als diese drei sind denn auch, nach Strich, Inhalt der Dichtung: *Denn sie ist die gesammelte Kraft und die Stimme einer Volksgemeinschaft und nährt sich vom Blute der Landschaft ... Mythos, Sage und Legende ist ihre natürliche Welt, und sie selbst verwandelt und verewigt die Geschichte ihres Volkes zu Mythos, Sage und Legende. Sie fühlt aus religiöser Allverbundenheit die schaffenden Kräfte der Welt in sich zusammenströmen und zu Sprache und Gesang sich verdichten. Der Dichter also ist der Seher und Prophet, der Künder und der Priester Gottes* [21].

Man hat längst bemerken können, welcher Geheimlehre Strichs Satzungen entstammen: es sind die Georgeschen Sanktionen. Strich beruft sich ausdrücklich auf diesen und nennt dessen *Auffassung von der Sendung des Dichters* ganz uneingeschränkt *die größte, heiligste und ... unantastbar.* [22] Er ist nicht nur der *Führer* [23], sondern, nach der typischen Lebensvorstellung der Jahrhundertwende, er schließt in sich *die gesammelte Kraft des ganzen Lebens,* ist *seine letzte Steigerung und Weihe;* ja das Leben — im Bereich der *Kultur* — ist nicht denkbar ohne *Dichtung.* [24]

Die politische Relevanz dieses Kultur- und Dichtungsbegriffes darf bei alledem nicht übersehen werden. Sie tritt in Strichs völkischen Vorstellungen deutlich hervor. Sie zeigt ihre im allgemeinen reaktionären Züge in seiner Gleichsetzung von *Traditionen* mit *Satzung* und Brauchtum, und man muß nur eine Quelle aus dem George-Kreis, die Strich paraphrasiert, heranziehen, um den ganzen elitären Dünkel dieser Spekulationen in seiner Gefährlichkeit wahrzunehmen: Friedrich Wolters' exegetisches Brevier »Herrschaft und Dienst« von 1913, das, bezeichnend genug, 1923 neu aufgelegt wurde. Hier wird eben jenem Kultur- und Dichtungsbegriff das Wort geredet, pro domo, namentlich für George allein, wie sich versteht. Und wenn schon Strichs Auslassungen ihre nach rückwärts, zum *Mythos* hingewandte Tendenz aus einer Gegenstellung gegen die gesellschaftlich-politischen Realitäten ihrer Zeit gewinnen, so gehen Wolters' rasende Wunschbilder 1923, angesichts der eingesetzten Demokratie in Deutschland, bis zu Abschlachtungshoffnungen der *Massen* zugunsten der wenigen. [25]

Es wird hier auf George und seine Gefolgschaft nicht nur aus polemischem Mutwillen verwiesen. Denn was uns bisher als kulturpolitische Position entgegentrat, hat, im George-Kreis wie in Strichs Vorstellungen, auch seine entschiedene Negation. Und mehr noch an ihr zeigt sich die politisch-weltanschauliche Aggressivität dieser Richtung: an ihrem Begriff der *Zivilisation,* die sie als ein Erbübel bekämpfen.

Klaus Schröter

Man muß die aus dem George-Kreis hervorgehenden, seit 1910 erscheinenden »Jahrbücher für die geistige Bewegung« lesen, um zu erkennen, wie hier der reaktionäre Kulturbegriff auf Deutschland und deutsches Wesen eingeengt, wie mit seiner Hilfe hier auf chauvinistische Weise die Vorrangstellung des Deutschtums in der Welt propagiert wird. Man tritt ein für *Geist und Kultur* [26], man macht Front gegen die *Zivilisation* (George zu Albert Verwey). [27] Und es ist nun höchst aufschlußreich, wie diese Geheimbündler den *Zivilisations*-Begriff von Anfang an mit einem spezifischen politischen Inhalt füllen: ihre Erhöhung Deutschlands geht Hand in Hand mit scharfer Polemik gegen die westlichen Demokratien, gegen die *fortschrittliche Verseuchung*, gegen das *Gehen- und Geltenlassen jeder beliebigen Art Mensch.* [28]

Es ist dieser antidemokratische Zivilisationsbegriff, der nun bei Strich, als Komplement seiner Kulturvorstellung, zur Basis der heftigsten Kritik an Heinrich Mann gemacht wird. Gleichgültig, wie man die Akzente setzen mag, ob politisch oder philosophisch, ob man im völkischen Denken, im Antidemokratismus oder im Irrationalismus den Beweggrund der Intellektfeindlichkeit Strichs und seiner Gruppe sehen will, sie bekämpfen mit der Zivilisation zugleich den Willen zur *Sittigung, Vernünftigung, Vergeistigung.* [29] Mit einem Wort: sie erweisen sich als Gegner der *Vernunft*, des Rationalismus. So wären unter andern Antinomien, die bei ihnen im Gebrauch sind, wie Seele/Geist, Schauen/Wissen, Unbewußtsein/Bewußtsein, Mythos/Gesellschaft usw., immer weitere Folgerungen aus ihrer Grundvorstellung von Kultur contra Zivilisation abzuleiten. Erst vor diesem Hintergrund ist die ganze Schwere des Vorwurfs zu begreifen, den Strich gegen Heinrich Mann, den *Führer des deutschen Aktivismus* erhebt, wenn er zusammenfaßt: *Der Kampfruf des Aktivismus lautete: Vernunft! Vernunft ist Freiheit. Freiheit ist Gleichheit ... Es war das westliche Ideal der Aufklärung, der französischen Revolution, der Zivilisation, das hier verkündet wurde.* [30] *International, kosmopolitisch und freizüglerisch* [31] sind andere Worte für den Geist der Zivilisation und ihrer *Literaten.* [32]

Nur kurz sei im Anschluß an Strich die ein Jahr nach seinem Aufsatz erschienene motivgeschichtliche Studie »Der Renaissancekult um 1900 und seine Überwindung« von Walther Rehm herangezogen. Rehm ging aus von der nicht näher begründeten und — wie ich an anderer Stelle nachgewiesen habe [33] — fälschlichen Auffassung, daß Nietzsches Renaissance-Ideal Heinrich Mann im Frühwerk die willkommene ›weltanschauliche‹ Stütze für ein schrankenloses Sichausleben ohne Zucht und Verantwortung [34] geboten habe. Da er nun aber dergleichen auch bei anderen Schriftstellern um und vor der Jahrhundertwende, bei Ricarda Huch etwa, bei Wedekind, feststellen muß, setzt er der *zuchtlos schwachen Lebensverkündigung Heinrich Manns* den *starken, moralisch untergründeten Schönheitswillen Wedekinds* entgegen, der *auf Zucht und Rasse hinarbeitet.* [35] Von diesen ihrerseits bereits sehr deutlich weltanschaulichen Behauptungen geht Rehm dann zur politischen Attacke über. Denn er erwähnt zwar den Wandel Heinrich Manns vom *Ästhetizismus* zu den *ethischen Maßstäben* seines politisch-demokratischen Weltbildes [36] und hebt, wie Strich, seine führende Rolle in der aktivistischen

Richtung des Expressionismus hervor, doch trennt er auch hier mit rassistisch-völkischer Spitzfindigkeit Heinrich Manns *politischen Radikalismus* von dem seiner Anhänger: *denn es stehen sich hier innerlich erlebtes und durch Blut besiegeltes neues Gemeinschaftsethos, das den neuen und guten Menschen will, und zivilisationsliterarische, ästhetizistische Begeisterung für europäische Völkergemeinschaft gegenüber. An Stelle der hysterischen Renaissance tritt die hysterische Demokratie.* Und der *hysterische Demokrat* wende sich — letzter Vorwurf Rehms — in seinem *Fanatismus* dem *Fernen und Nichtheimischen* zu: *Frankreich.* [37]

Da wir auf die Voraussetzungen und gemeinsamen Wurzeln des apolitischen Denkens dieser Geisteswissenschaftler hingedeutet haben, überrascht es uns nicht, in ihren Schriften mit penetranter Monotonie stets dieselben Glaubenssätze als Ausgangspunkt ihrer Polemik wiederzufinden. Ihr Weltbild ist geschlossen in idealistisch-romantischen Überlieferungen, ihre literarische Betrachtung dreht sich um einen realitätsfremden Raum *reiner Dichtung* (Strich), in den hineininterpretiert wird, was ihren unpolitischen Bedürfnissen entspricht [38], und aus dem unerbittlich hinausgewiesen wird, was sich mit dem Menschlichen als gesellschaftlicher Erscheinung befaßt und darüber hinaus die historisch-politischen Bedingungen der Gesellschaft kritisch aufdeckt. Es ist das *Toxin der billigen Synthese,* es sind die *Haschisch-Wirkungen einer unverpflichteten geisteswissenschaftlichen Spekulation,* die so methodenbewußte Gelehrte wie der Romanist Leo Spitzer [39] noch nach dem zweiten Weltkrieg im Rückblick mit einer Art Grauen verurteilt haben, die uns in den germanistischen Expektorationen der zwanziger Jahre entgegengetreten sind. Wir könnten die Akten zu Heinrich Mann damit schließen, wenn nicht noch ein betrübliches Detail nachzutragen wäre:

In allen Arbeiten, die wir herangezogen haben, findet sich die Berufung auf eine Quelle, der mit der Grundkonstruktion der Kultur/Zivilisations-Antithese auch j e d e s der anderen Argumente gegen Heinrich Mann entnommen werden konnte und entnommen worden ist: es sind Thomas Manns »Betrachtungen eines Unpolitischen«, eine haßvolle Kampfschrift gegen den Bruder, den *Zivilisationsliteraten,* wie Thomas Manns Ausdruckskunst den Älteren zu bezeichnen beliebte. Diese Schrift war 1918 erschienen, sie lag also zu Strichs und Rehms Zeiten zehn Jahre zurück. Sie hatte für Thomas Mann eine Epoche durch retrospektive Selbstbetrachtung abschließen helfen; er selbst hatte, in Angleichung an die bürgerlich-demokratischen Positionen seines Bruders, seither ein liberales Welt- und Menschenbild entwickelt, hatte die vormaligen Schmähworte *Zivilisation, Literat* und *Schriftsteller* umfunktioniert und war, zu Ende der Zwanziger Jahre, bereits in einer sich mehr und mehr vertiefenden Auseinandersetzung mit dem Germanisten und Georgianer begriffen, der ihn zuzeiten der »Betrachtungen« mit Materialien und *Citanda* für sein *kulturkonservatives* Denken versehen hatte: Ernst Bertram. Thomas Mann kannte das *politische Virulentwerden* eines *Germanisten Romantismus,* einer *Ergebenheit an einen Blondheitsmythos und Edel-Nationalismus* [40] jener Epoche aus nächster Nähe. Und so ergriff er, aus Anlaß von Heinrich Manns sechzigstem Geburtstag 1931, die Gelegenheit, an vielbeachteter Stelle, in der Preußischen Akademie der

Klaus Schröter

Künste zu Berlin, die nationalistisch-kulturpolitischen Anwürfe gegen Heinrich Mann, zu denen die eigenen Diatriben der »Betrachtungen« so reichhaltiges Material geboten hatten, öffentlich zu liquidieren.

Es sollte unserer Fachwissenschaft zur Beschämung gereichen, daß noch nach dem Zweiten Weltkrieg die verjährte Heinrich Mann-Kritik wieder hat aufleben können [41], unverändert in ihrer geistesgeschichtlichen Methode. Zur selben Zeit, 1960, da während eines übernationalen Kongresses, der die politische, Kultur- und Literaturgeschichte der Zwanziger Jahre verhandelte, kein einziger deutscher Germanist das Werk Heinrich Manns auch nur erwähnte — es war ein Franzose, Maurice Colleville, der die Versammlung schließlich an Heinrich Mann erinnerte [42] —, traten Edgar Lohner und Curt Hohoff mit Gesamtdarstellungen Heinrich Manns hervor, in denen dieser noch einmal — wiederum gemessen an jenem kulturpolitisch fixierten *Dichtungs*-Begriff — zum *politischen Pamphletisten* (Lohner) [43] und zum *verspäteten Kind der europäischen Aufklärung* (Hohoff) [44] erklärt wurde.

Nicht zuletzt ist es die Zählebigkeit einer methodischen Unvernunft, die unseren Widerspruch weckt. Und wenn wir kaum hoffen dürfen, daß zeitgeschichtliche Belehrungen einen durchgehenden ideologischen Wandel der Literaturwissenschaft bewirkt haben, so nehmen wir jedenfalls an, daß die gegen Heinrich Mann gerichtete ideengeschichtlich tingierte Polemik endlich verächtlich wird, weil ihre Ergebnislosigkeit ganz unmäßig langweilt.

Anmerkungen

1 Den Ausführungen liegt ein Vortrag zugrunde, der auf Einladung der Fachschaft Germanistik an der Universität Hamburg im Januar 1968 gehalten wurde   **2** »Anfänge Heinrich Manns. Zu den Grundlagen seines Gesamtwerks«, Stuttgart 1965. (»Germanistische Abhandlungen«, 10.) Vgl. dort S. VIII f., 95 ff., 180 ff. Jakob Tholund (»Mitteilungen des Deutschen Germanisten-Verbandes«, 13, 1966, Nr. 3), John Osborne (»Modern Language Review«, 1967, S. 759) und Ulrich Weisstein (»Journal of English and Germanic Philology«, 1967, S. 319; »Germanistik«, 1967, S. 198) bemängelten gleichermaßen die *scharfe Polemik* gegen Walther Rehm, Fritz Strich usw. als *unnötig* oder *unangebracht*, ohne doch sachliche Einwände vorzubringen. Demgegenüber haben Edgar Kirsch (»Weimarer Beiträge«, 9, 1963, S. 801), Michel Vanhelleputte (»Revue Belge de Philologie et d'Histoire«, 1967, S. 923) und Rolf N. Linn (»The German Quarterly«, 1968, S. 263) sowohl die Schärfe als auch die Richtung der Polemik der Sachlage angemessen gefunden   **3** Rudolf Leonhard: »Das Werk Heinrich Manns«, in: »Der Neue Roman. Ein Almanach«, Leipzig 1917, S. 79 bis 108. Hermann Sinsheimer: »Heinrich Manns Werk«, München 1921. Walter Schröder: »Heinrich Mann. Bildnis eines Meisters«, Wien 1931   **4** Albert Soergel: »Dichtung und Dichter der Zeit«, Leipzig 1911, S. 800, 801   **5** Ebd. S. 798   **6** Ebd. S. 800   **7** Ebd.   **8** »Voltaire — Goethe« zuerst u. d. T. »Französischer Geist« in: »Freiheit und Arbeit«, hgb. vom Internationalen Komitee zur Unterstützung der Arbeitslosen. Leipzig 1910; ein vielbeachteter Abdruck erfolgte im 2. Jg. der »Aktion«, 1912. — »Geist und Tat« in: »Pan« 1 (1910)   **9** Vgl. Helmut Heiber: »Die Republik von Weimar«, (2. Aufl. München 1966). (»dtv-Weltgeschichte des 20. Jahrhunderts« 3.) S. 11 ff. **10** Soergel: »Dichtung und Dichter der Zeit«, Neue Folge. 4. Aufl. Leipzig 1927. S. 81 **11** Ebd. S. 80   **12** Ebd. S. 83   **13** Ebd. S. 83, 84   **14** Ebd. S. 85   **15** Ebd. S. 80   **16** Fritz Strich: »Dichtung und Zivilisation«. In: Strich: »Dichtung und Zivilisation«, München 1928. S. 192 **17** Vgl. Horst Steinmetz: »Die Trilogie. Entstehung und Struktur einer Großform des deutschen Dramas nach 1800«, Heidelberg 1968. (»Probleme der Dichtung«, 11.) S. 82 ff. **18** Strich S. 192 **19** Ebd.   **20** Ebd. S. 193   **21** Ebd. S. 195   **22** Ebd. S. 210   **23** Ebd. S. 197   **24** Ebd. S. 196 **25** Friedrich Wolters: »Herrschaft und Dienst«, 3. Aufl. Berlin 1923. S. 6   **26** »Jahrbuch für die geistige Bewegung«, hgb. Friedrich Gundolf, Friedrich Wolters. Berlin 1910. S. III **27** Albert Verwey: »Mein Verhältnis zu Stefan George. Erinnerungen aus den Jahren 1895 bis 1928«, Leipzig 1936. S. 53   **28** »Jahrbuch für die geistige Bewegung«, Berlin 1912. S. IV

29 Strich S. 202   **30** Ebd. S. 198   **31** Ebd. S. 193   **32** Bis in die Mitte der dreißiger Jahre wurden Strichs Anwürfe fortgesetzt. Vgl. Wolfgang Paulsen: »Expressionismus und Aktivismus. Eine typologische Untersuchung«, Bern 1935. — Erwähnt sei, daß eine Dissertation bei Josef Nadler dessen völkisch-rassistische Doktrin auf Heinrich Mann anzuwenden versucht hat — ohne das mindeste sachliche Ergebnis. Vgl. Mally Untermann: »Das Groteske bei Wedekind, Thomas Mann, Heinrich Mann, Morgenstern und Wilh. Busch«, Diss., Königsberg Pr. 1929   **33** »Anfänge Heinrich Manns«, S. 95 ff.   **34** Walther Rehm: »Der Renaissancekult um 1900 und seine Überwindung« in: Zeitschrift für deutsche Philologie«, 54 (1929), S. 296—328. — Zitat S. 298 f.
35 Ebd. S. 318, 319   **36** Ebd. S. 322   **37** Ebd. S. 327   **38** Denn Wedekind — weil Friedrich Gundolf ihn kanonisiert hatte — als Antipoden Heinrich Manns herauszustellen, wie Strich und Rehm es taten, ist reine Willkür   **39** Nach Werner Krauss: »Studien und Aufsätze«, Berlin (1959). (»Neue Beiträge zur Literaturwissenschaft«, 8.) S. 21   **40** »Thomas Mann an Ernst Bertram, Briefe aus den Jahren 1910—1955« (hgb. von Inge Jens. Pfullingen 1960), S. 195
41 Vgl. auch die von Rehm angenommenen, von seiner Studie über den Renaissancekult durchaus abhängigen Dissertationen von Gerhard Lutz: »Zur Problematik des Spielerischen. Eine Erörterung unter besonderer Berücksichtigung der Romane und Novellen des frühen Heinrich Mann«, Diss., Freiburg i. Br. 1952. Und Georg Specht: »Das Problem der Macht bei Heinrich Mann«, Diss., Freiburg i. Br. 1954. — Zu deren Kritik vgl. »Anfänge Heinrich Manns«, S. 180 ff.
42 »Die Zeit ohne Eigenschaften. Eine Bilanz der zwanziger Jahre«, hgb. von Leonhard Reinisch, Stuttgart (1961). S. 203   **43** Edgar Lohner: »Heinrich Mann«, in: »Deutsche Literatur im 20. Jahrhundert«, hgb. von Hermann Friedemann und Otto Mann. Bd. 2. 4. Aufl. Heidelberg (1961). S. 94
44 Curt Hohoff [Neubearbeitung von:] Albert Soergel: »Dichtung und Dichter der Zeit«, Bd. 1. Düsseldorf (1961). S. 850

Klaus Schröter und Helmut Riege

Bibliographie zu Heinrich Mann

Die Bibliographie enthält die für eine wissenschaftliche Beschäftigung mit Heinrich Mann relevante Literatur. Dissertationen über Heinrich Mann sind vollständig erfaßt. Überholte Bibliographien und Hilfsmittel werden nicht genannt. Zeitungsartikel und kleinere Aufsätze sind nur in Ausnahmefällen aufgenommen.

Die Materialien zu einer Wirkungsgeschichte Heinrich Manns — eine Zusammenstellung aller Rezensionen und Würdigungen der Einzelwerke sowie die Behandlung Heinrich Manns in übergeordneten Sachzusammenhängen — wird der von Edith Zenker im Auftrag der Deutschen Akademie der Künste zu Berlin bearbeitete zweite Band der Heinrich Mann-Bibliographie liefern. Vorläufig findet man hierzu bibliographische Angaben bei Manfred Hahn und André Banuls (vgl. unter I, Bibliographien).

I. BIBLIOGRAPHIEN, HILFSMITTEL

Heinrich-Mann-Bibliographie. Werke. Bearb. von Edith Zenker. Berlin, Weimar 1967. VIII, 267 S.

Brandis, E. P. und G. P. Dmitrieva: *Genrich Mann. Bio-bibliografičeskii ukazatel.* Moskva 1957.

Hahn, Manfred: *Literatur-Verzeichnis.* In: Hahn: *Das Werk Heinrich Manns von den Anfängen bis zum »Untertan«.* Diss. Leipzig 1965. Hekt. Bl. 519—560.

[Darin: *Arbeiten über Heinrich Mann (1889—1914),* Bl. 532—542. — Für diesen Zeitraum vollständiger als Sussbach, vgl. unter V 4, Untersuchungen, Wirkung.]

Banuls, André: *Bibliographie.* In: Banuls: *Heinrich Mann. Le poète et la politique.* Paris 1966. S. 621—675.

Serebrov, N. N.: *Bibliografija.* [Bibliographie der in russischer Übersetzung erschienenen Werke Heinrich Manns.] In: Serebov: *Genrich Mann. Očerk tvorčeskogo puti.* Moskva 1964. S. 286—290.

Weisstein, Ulrich: *Heinrich Mann in America: A Critical Survey.* In: *Books Abroad* 33 (1959), S. 281—284.

Eggert, Rosemarie: *Vorläufiges Findbuch der Werkmanuskripte von Heinrich Mann (1871—1950).* Berlin 1963. 244 Bll. *(Deutsche Akademie der Künste zu Berlin. Schriftenreihe der Literatur-Archive. 11.)* [Hekt.]

II. WERKE

1. Gesamtausgaben

Gesammelte Werke. 4 Bde. Berlin (Paul Cassirer) 1909. [Bd. 1—3. *Die Göttinnen oder Die drei Romane der Herzogin von Assy.* — Bd. 4. *Im Schlaraffenland.]*

Gesammelte Romane und Novellen. 10 Bde. Leipzig (Kurt Wolff) 1917.

Gesammelte Werke. 13 Bde. Berlin, Wien, Leipzig (Paul Zsolnay) 1925—1932.

Ausgewählte Werke in Einzelausgaben. Hg. im Auftrag der Deutschen Akademie der Künste zu Berlin von Alfred Kantorowicz; [Bd. 13:] Hg. von der Deutschen Akademie der Künste zu Berlin. Besorgt von Heinz Kamnitzer. 13 Bde. Berlin (Aufbau-Verlag) 1951—1962.

[Bd. 1. *Im Schlaraffenland. Professor Unrat.* — Bd. 2. *Zwischen den Rassen.* — Bd. 3. *Die kleine Stadt.* — Bd. 4. *Der Untertan.* — Bd. 5. *Eugénie oder Die Bürgerzeit. Ein ernstes Leben.* — Bd. 6. *Die Jugend des Königs Henri Quatre.* — Bd. 7. *Die Vollendung des Königs Henri Quatre.* — Bd. 8—9. *Novellen.* — Bd. 10. *Schauspiele.* — Bd. 11—13. *Essays.*]
Ergänzung zu dieser Ausgabe:
Empfang bei der Welt. Berlin (Aufbau-Verlag) 1956. *Die Göttinnen oder Die drei Romane der Herzogin von Assy.* Mit einem Nachwort von Alfred Kantorowicz. Berlin (Aufbau-Verlag) 1957.
Die Jagd nach Liebe. Berlin (Aufbau-Verlag) 1957.

[*Ausgewählte Werke in Einzelausgaben.*] 10 Bde. Hamburg (Claassen) 1958 ff.

[*Im Schlaraffenland. Professor Unrat.* — *Die Göttinnen oder Die drei Romane der Herzogin von Assy.* — *Die Jagd nach Liebe.* — *Der Untertan.* — *Eugénie oder Die Bürgerzeit. — Ein ernstes Leben. — Die Jugend des Königs Henri Quatre. — Die Vollendung des Königs Henri Quatre. — Empfang bei der Welt. — Der Atem. — Novellen. — Essays.]*
Ergänzung zu dieser Ausgabe:
Die kleine Stadt. Hamburg (Claassen) 1960 *(Die Bücher der Neunzehn. 65.)*

150

*Die traurige Geschichte von Friedrich dem
Großen. Ein Fragment.* — *Der König von
Preußen. Ein Essay.* Hamburg (Claassen) 1962.

Gesammelte Werke. Hg. von der Deutschen
Akademie der Künste zu Berlin. Redaktion:
Sigrid Anger. [Bearbeiter einzelner Bände:
Sigrid Anger, Manfred Hahn, Edith Zenker.]
Berlin, Weimar (Aufbau-Verlag) 1965 ff.
[Bisher erschienen: Bd. 1. *Im Schlaraffenland.
Ein Roman unter feinen Leuten.* — Bd. 2.
*Die Göttinnen oder Die drei Romane der
Herzogin von Assy.* — Bd. 3. *Die Jagd nach
Liebe.* — Bd. 4. *Professor Unrat oder das
Ende eines Tyrannen.* — Bd. 7. *Der Unter-
tan.* — Bd. 11. *Die Jugend des Königs Henri
Quatre,* — Bd. 12. *Die Vollendung des Königs
Henri Quatre.* — Bd. 14. *Empfang bei der
Welt.* — Bd. 15. *Der Atem.* Vgl. hierzu: Sig-
rid Anger: Über den Plan einer neuen Hein-
rich-Mann-Ausgabe. In: *Neue Texte, Alma-
nach für deutsche Literatur* 3 (1963), S. 398—
402.

2. Buch-Erstausgaben

a) *Romane*

In einer Familie. München (E. Albert) 1894.

*Im Schlaraffenland. Ein Roman unter feinen
Leuten.* München (Albert Langen) 1900.

*Die Göttinnen oder die drei Romane der Her-
zogin von Assy.* München (Albert Langen)
1903.

Die Jagd nach Liebe. München (Albert Langen)
1903.

*Professor Unrat oder das Ende eines Tyran-
nen.* München (Albert Langen) 1905.

Zwischen den Rassen. München (Albert Langen) 1907.

Die kleine Stadt. Leipzig (Insel-Verlag) 1909.

Die Armen. Leipzig (Kurt Wolff) 1917.

Der Untertan. Leipzig (Kurt Wolff) 1918.

Der Kopf. Berlin, Wien, Leipzig (Paul Zsolnay)
1925.

Mutter Marie. Berlin, Wien, Leipzig (Paul
Zsolnay) 1927.

Eugénie oder Die Bürgerzeit. Berlin, Wien,
Leipzig (Paul Zsolnay) 1928.

Die große Sache. Berlin (Gustav Kiepenheuer)
1930.

Ein ernstes Leben. Berlin, Wien, Leipzig (Paul
Zsolnay) 1932.

Die Jugend des Königs Henri Quatre. Amsterdam (Querido-Verlag) 1935.

Die Vollendung des Königs Henri Quatre. Amsterdam (Querido-Verlag) 1938.

Lidice. Mexiko (Editorial *El Libro Libre)* 1943.

Der Atem. Amsterdam (Querido-Verlag) 1949.

Empfang bei der Welt. Berlin (Aufbau-Verlag)
1956.

*Die traurige Geschichte von Friedrich dem Gro-
ßen. Fragment.* Berlin (Aufbau-Verlag) 1960.

b) *Novellen*

Das Wunderbare und andere Novellen. Paris,
Leipzig, München (Albert Langen) 1897.
[*Das Wunderbare.* — *Der Hund.* — *Die
Gemme.* — *Contessina.* — *Enttäuschung.* —
Geschichten aus Rocca de' Fichi.]

Ein Verbrechen und andere Geschichten. Leip-
zig-Reudnitz (Robert Baum) 1898.
[*Ein Verbrechen.* — *Doktor Biebers Versuchung.* — *Der Löwe.* — *Irrtum.* — *Ist sie's?* —
Das gestohlene Dokument. — *Das Stelldichein.*]

Flöten und Dolche. München (Albert Langen)
1905.
[*Pippo Spano.* — *Fulvia.* — *Drei-Minuten-
Roman.* — *Ein Gang vors Tor.*]

Mnais und Ginevra. München, Leipzig (R. Piper)
1906.
[*Mnais.* — *Ginevra degli Amieri.*]

Stürmische Morgen. München (Albert Langen)
1906.
[*Heldin.* — *Der Unbekannte.* — *Jungfrauen.*
— *Abdankung.*]

Schauspielerin. Wien, Leipzig (Wiener Verlag)
1906.

Die Bösen. Leipzig (Insel-Verlag) 1908.
[*Die Branzilla.* — *Der Tyrann.*]

Das Herz. Leipzig (Insel-Verlag) 1910.
[*Das Herz.* — *Die arme Tonietta.* — *Gret-
chen.* — *Liebesprobe.* — *Die Unschuldige.* —
Alt. — *Schauspielerin.*]

Die Rückkehr vom Hades. Leipzig (Insel-Verlag)
1911.
[*Die Rückkehr vom Hades.* — *Die Branzilla.*
— *Mnais.* — *Ginevra degli Amieri.* — *Der
Tyrann.* — *Auferstehung.*]

Auferstehung. Leipzig (Insel-Verlag) 1913.

Bunte Gesellschaft. München (Albert Langen)
1917.
[*Liebesspiele.* — *Der Hund.* — *Contessina.* —
Geschichten aus Rocca de' Fichi. — *Ver-
mischtes aus der Zeitung.* — *Ehrenhandel.*]

Der Sohn. Hannover (Paul Steegemann) 1919.

Die Ehrgeizige. München (Roland-Verlag A.
Mundt) 1920.

Die Tote und andere Novellen. München (O.
C. Recht) 1920.
[*Die Tote.* — *Der Bruder.* — *Die Verjagten.*]

Abrechnungen. Berlin (Propyläen-Verlag) 1924.
[*Der Gläubiger.* — *Szene.* — *Der Bruder.* —
Die Verjagten. — *Liebesspiele.* — *Ehren-
handel.* — *Die Tote.*]

Der Jüngling. München (Gunther Langes) 1924.
[*Der Jüngling.* — *Der Mörder.* — *Sterny.* —
Die Verräter.]

Kobes. Berlin (Propyläen-Verlag) 1925.

Liliane und Paul. Berlin, Wien, Leipzig (Paul
Zsolnay) 1926.

Sie sind jung. Berlin, Wien, Leipzig (Paul
Zsolnay) 1929.
[*Felicitas.* — *Der Jüngling.* — *Der Bruder.* —
Römische Chronik. — *Der Gläubiger.* —
Sterny. — *Bibi.* (Schauspiel.) — *Das Kind.*]

Klaus Schröter und Helmut Riege

Die Welt der Herzen. Berlin (Gustav Kiepenheuer) 1932.
[Schauspielerin. — Drei-Minuten-Roman. — Die Rückkehr vom Hades. — Das Herz. — Pippo Spano. — Gretchen. — Die arme Tonietta. — Der Unbekannte. — Der Tyrann. — Ein Gang vors Tor.]
Das Stelldichein. Die roten Schuhe. München (Dobbeck Verlag) 1960.

c) *Schauspiele*

Variété. Ein Akt. Berlin (Paul Cassirer) 1910.
Schauspielerin. Drama in drei Akten. Berlin (Paul Cassirer) 1911.
Die große Liebe. Drama in vier Akten. Berlin (Paul Cassirer) 1912.
Madame Legros. Drama in drei Akten. Berlin (Paul Cassirer) 1913.
Brabach. Drama in drei Akten. Leipzig (Kurt Wolff) 1917.
Drei Akte. Leipzig (Kurt Wolff) 1918.
[Der Tyrann. — Die Unschuldige. — Variété.]
Der Weg zur Macht. Drama in drei Akten. Leipzig (Kurt Wolff) 1919.
Das gastliche Haus. Komödie in drei Akten. München (Gunther Langes) 1924.
Bibi. Seine Jugend in drei Akten. In: *Sie sind jung.* Berlin, Wien, Leipzig (Paul Zsolnay) 1929.

d) *Essays*

Eine Freundschaft: Gustave Flaubert und George Sand. München-Schwabing (E. W. Bonsels) 1905.
Macht und Mensch. München (Kurt Wolff) 1919.
Diktatur der Vernunft. Berlin (Verlag Die Schmiede) 1923.
Sieben Jahre. Chronik der Gedanken und Vorgänge. Berlin, Wien, Leipzig (Paul Zsolnay) 1929.
Geist und Tat. Franzosen 1780—1930. Berlin (Gustav Kiepenheuer) 1931.
Das öffentliche Leben. Berlin, Wien, Leipzig (Paul Zsolnay) 1932.
Das Bekenntnis zum Übernationalen. Berlin, Wien, Leipzig (Paul Zsolnay) 1933.
Der Haß. Deutsche Zeitgeschichte. Amsterdam (Querido-Verlag) 1933.
Der Sinn dieser Emigration. Paris (Europa Verlag Merkur) 1934.
Es kommt der Tag. Deutsches Lesebuch. Zürich (Europa-Verlag) 1936.
Hilfe für die Opfer des Faschismus. Rede. Paris (Überparteilicher deutscher Hilfsausschuß) 1937.
Was will die deutsche Volksfront? Rede. Paris. (Imprimerie Coopérative Étoile) 1937.
Mut. Paris (Editions du 10. V.) 1939.
Der König von Preußen. In: *Die traurige Geschichte von Friedrich dem Großen. Ein Fragment. — Der König von Preußen. Ein Essay.* Hamburg (Claassen) 1962.

e) *Autobiographisches*

[Kurze Selbstbiographie.] In: *Albert Langens Verlagskatalog 1894—1904.* München (Albert Langen) 1904. S. 92.
Skizze meines Lebens. [1943.] In: Heinrich Mann: *Eine Liebesgeschichte.* Novelle. Aus: *Ein Zeitalter wird besichtigt.* München (Willi Weismann) 1953. S. 39—45.
Ein Zeitalter wird besichtigt. Stockholm (Neuer Verlag) 1945.

3. Faksimile-Drucke

Die kleine Stadt. Die ersten Munuskriptseiten. Hg. von der Deutschen Akademie der Künste zu Berlin zum 10. Jahrestag ihrer Gründung. Nachwort von Sigrid Anger. Berlin 1960.
Der Krawall (Februar 1892). [Aus: *Der Untertan;* Schluß des 1. Kap.] Nachwort von Klaus Schröter. Biberach 1965. (*Wege und Gestalten.* 1965/66.) [Vorabdruck in: *Simplicissimus* 17 (1912/13), Nr. 24.]
Vier Seiten aus dem Manuskript »Empfang bei der Welt«. In: *Neue Texte, Almanach für deutsche Literatur* 3 (1963), S. 403—406.
Kurze Selbstbiographie. In: Herbert Jhering: *Heinrich Mann.* Berlin 1951. S. 141—146. [Identisch mit: *Skizze meines Lebens.* Siehe unter II 2 e, Autobiographisches.]

4. Übersetzungen

Anatole France: *Der Prokurator von Judäa.* In: *Die Zukunft* 24 (1898), Nr. 45.
Alfred Capus: *Wer zuletzt lacht . . .* Roman. München (Albert Langen) 1901.
Anatole France: *Komödiantengeschichte.* Roman. München (Albert Langen) 1904.
Choderlos de Laclos: *Gefährliche Freundschaften.* Leipzig (Rothbarth) 1905.

5. Briefe

»Ein Ausweg: Der europäische Völkerbund«. Briefe Heinrich Manns aus der Emigration [1937 —1950]. Mitget. von Alfred Kantorowicz. In: *Frankfurter Allgemeine Zeitung,* 29. März 1958.
Briefe an Paul Wiegler [1926, 1927]. In: *Sinn und Form* 1 (1949), H. 5, S. 5—17. [Darin zwei Briefe von Heinrich Mann: S. 10—11.]
Briefe Heinrich Manns [an Erwin Gerzymisch, 1947—1949]. In: *Aufbau* 6, II (1950) S. 579—584.
Heinrich Mann an Arnold Zweig [1934—1937]. In: *Neue Deutsche Literatur* 11 (1963), H. 2, S. 86—92.
Heinrich Mann: Briefe an Karl Lemke 1917—1949. Hg. von der Deutschen Akademie der Künste zu Berlin. Berlin (Aufbau-Verlag) 1963.
Heinrich Mann: Briefe an Karl Lemke [1930—1949] *und Klaus Pinkus* [1935—1949]. Hamburg (Claassen) 1963.
Lieber Freund Heinrich Mann . . . [Briefwechsel Heinrich Mann — Eva und Julius Lips, 1934—

1950.] In: Eva Lips: *Zwischen Lehrstuhl und Indianerzelt. Aus dem Leben und Werk von Julius Lips.* Mit unveröffentlichten Briefen von Heinrich Mann und Martin Andersen Nexö. Berlin (Verlag Rütten & Loening) 1965. S. 93—151.

Thomas Mann — Heinrich Mann. Briefwechsel 1900—1949. Hg. von der Deutschen Akademie der Künste zu Berlin. Redaktion: Ulrich Dietzel. Berlin, Weimar (Aufbau-Verlag) 1965 — 2. erw. Aufl. 1969.

Thomas Mann — Heinrich Mann: Briefwechsel 1900—1949. (... hg. von Hans Wysling.) Frankfurt (S. Fischer) 1968. LXI, 371 S. — 6.—11. Tsd. 1969.

Briefwechsel Johannes R. Becher — Heinrich Mann [1936—1948]. In: *Sinn und Form* 18 (1966), S. 325—333.

Heinrich Mann und das Lateinamerikanische Komitee der Freien Deutschen. Ein bisher unbekannter Briefwechsel mit Alexander Abusch, Paul Merker und Ludwig Renn [1942—1946]. Mitget. von Wolfgang Kiessling. In: *Beiträge zur Geschichte der deutschen Arbeiterbewegung* 9 (1967), H. 1, S. 64—105.

Heinrich Manns Briefe an Maximilian Brantl [1907—1931]. Mitget. von Ulrich Dietzel. In: *Weimarer Beiträge* 14 (1968), S. 393—422.

Heinrich Mann: Sieben Briefe an Félix Bertaux [1923—1928]. In: *Akzente* 16 (1969), S. 386—399.

Vgl. hierzu: Pierre Bertraux: *Der Anfang eines Versuchs. Zu den Briefen an meinen Vater.* Ebd. S. 400—402.

III. ERINNERUNGEN, ZEUGNISSE

1. Allgemeines

Heinrich Mann. Fünf Reden und eine Entgegnung zum sechzigsten Geburtstag. Gesprochen von Max Liebermann, Adolf Grimme, Thomas Mann, Heinrich Mann, Gottfried Benn, Lion Feuchtwanger, Berlin 1931. 57 S.

Gedenkausstellung. Aus dem Lebenswerk des Dichters Heinrich Mann zu seinem 80. Geburtstag. Hg.: Deutsche Akademie der Künste, Berlin: Berlin 1951. 45 S.

Lemke, Karl: *Erinnerungen an Heinrich Mann* mit Beiträgen von Monika Mann, Max Brod, Kadidja Wedekind, Pierre Bertaux, Willi Geiger, Trude Hesterberg. Dachau 1965. 36 S.

2. Einzelne Personen

Feuchtwanger, Lion: *Heinrich Mann,* In: *Aufbau* 1 (1946), S. 325—327 — Wiederabdruck in: Feuchtwanger: *Centum opuscula. Eine Auswahl.* Zusammengestellt und hg. von Wolfgang Berndt. Rudolstadt 1956. S. 562—565.

Hiller, Kurt: *Hindenburg oder Heinrich Mann?* In: Hiller: *Köpfe und Tröpfe. Profile aus einem Vierteljahrhundert.* Hamburg, Stuttgart 1950. S. 17—51.

Magon, Leopold: *Heinrich Mann. Rede bei der Gedenkfeier der Universität Greifswald.* Greifswald 1950. 15 S.

Sieburg, Friedrich: *Flöten und Dolche. Zum Tode von Heinrich Mann.* In: *Die Gegenwart* 5 (1950), Nr. 7, S. 13—14.

Zweig, Arnold: *Heinrich Mann. Politischer Scharfblick und Meisterschaft.* (1950.) In: Zweig: *Essays.* Bd. 1. Berlin 1959. (Zweig: *Ausgewählte Werke in Einzelausgaben.* Bd. 15.) S. 309—313.

Marcuse, Ludwig: *Ich plädiere für Heinrich Mann.* In: *Die Zeit,* 30. Mai 1957.

Herzog, Wilhelm: *Heinrich Mann.* In: Herzog: *Menschen, denen ich begegnete.* Bern 1959. S. 227—267.

Kesten, Hermann: *Ein Wanderer zwischen zwei Welten. Erinnerungen an Heinrich Mann.* In: *Süddeutsche Zeitung,* 10./11. Oktober 1959.

Kantorowicz, Alfred: *Heinrich Mann. Das letzte Jahrzehnt des Dichters.* In: *Das Schönste* 1960, Nr. 3, S. 48—56.
Vgl. hierzu: Golo Mann, ebd. Nr. 5, S. 44; Kantorowicz, ebd. Nr. 5, S. 42; außerdem: Ludwig Marcuse: *Das sonderbare Ehepaar Nelly und Heinrich Mann.* In: *Die Zeit,* 25. März 1960.

Kantorowicz, Alfred: *Heinrich Manns Tod.* In: Kantorowicz: *Deutsche Schicksale. Intellektuelle unter Hitler und Stalin.* Ausgewählt von Günther Nenning. Wien, Köln, Stuttgart, Zürich 1964. S. 131—151.
[Auszug aus: Kantorowicz: *Deutsches Tagebuch,* Tl. 2. München 1961.]

3. Aus dem Kreis der Familie

Mann, Julia: *Aus Dodos Kindheit. Erinnerungen.* Konstanz 1958. 79 S., Abb., Faks.

Mann, Thomas: *Betrachtungen eines Unpolitischen.* Berlin 1918. XXXXIV, 611 S. In: Thomas Mann: *Gesammelte Werke in zwölf Bänden.* Bd. 12. *Reden und Aufsätze.* 4. Frankfurt a. M. 1960. S. 7—589.

Mann, Thomas: *Bericht über meinen Bruder.* In: *Freies Deutschland* (Mexiko) 1946 — In: Thomas Mann: *Gesammelte Werke in zwölf Bänden.* Bd. 11. *Reden und Aufsätze.* 3. Frankfurt a. M. 1960. S. 476—480.

Mann, Thomas: *Brief über das Hinscheiden meines Bruders Heinrich.* In: *Germanic review* 25 (1950), S. 243—244 — In: Thomas Mann: *Gesammelte Werke in zwölf Bänden.* Bd. 10. *Reden und Aufsätze.* 2. Frankfurt a. M. 1960. S. 521—523.

Mann, Viktor: *Wir waren fünf. Bildnis der Familie Mann.* Konstanz 1949. 612 S., 35 Taf.

Mann, Klaus: *In zweierlei Sprachen.* (1935.) — *Heinrich Mann im Exil.* (1938.) In: Mann: *Prüfungen. Schriften zur Literatur.* Hg. von Martin Gregor-Dellin. München 1968. S. 227—241.

Mann, Klaus: *Der Wendepunkt. Ein Lebensbericht.* Frankfurt a. M. 1952. 551 S.

IV. GESAMTDARSTELLUNGEN

Leonhard, Rudolf: *Das Werk Heinrich Manns.* In: *Der neue Roman. Ein Almanach.* Leipzig 1917. S. 79—108.

Sinsheimer, Hermann: *Heinrich Manns Werk.* München 1921. 61 S.

Bertaux, Félix: *Heinrich Mann.* In: Bertaux: *Panorama de la littérature allemande contemporaine.* Paris 1928. S. 151—163.

Schröder, Walter: *Heinrich Mann. Bildnis eines Meisters.* Monographie. Wien 1931. 300 Bll. [Hekt.]

Lemke, Karl: *Heinrich Mann zu seinem 75. Geburtstag.* Berlin 1946. 71 S.

Jhering, Herbert: *Heinrich Mann.* Berlin 1951. 146 S.

Kakabadse, N. M.: *Tvorčeskii puti Genricha Manna.* Diss. Tbilissi 1953.

Lohner, Edgar: *Heinrich Mann.* In: *Deutsche Literatur im 20. Jahrhundert. Strukturen und Gestalten.* Hg. von Hermann Friedmann und Otto Mann. 4. Aufl. Bd. 2. Heidelberg 1961. S. 80—100.

Nartov, K. M.: *Genrich Mann. Očerk tvorčestva.* Moskva 1961. 165 S.

Weisstein, Ulrich: *Heinrich Mann. Eine historisch-kritische Einführung in sein dichterisches Werk.* Mit einer Bibliographie der von ihm veröffentlichten Schriften. Tübingen 1962. VII, 280 S.
[Vorausgegangen waren einige Einzelstudien, die hier in überarbeiteter Fassung zusammengestellt wurden.]
Vgl. die Rez. von Edgar Kirsch in: *Weimarer Beiträge* 9 (1963), S. 801—807.

Yuill, W. E.: *Heinrich Mann.* In: *German Men of Letters.* Vol. 2. *Twelve Litterary Essays,* ed. by Alex Nathan. London 1963. S. 197—224.

Jegorov, Oleg: *Genrich Mann.* Diss. Moskva 1964.

Piana, Theo: *Heinrich Mann.* Leipzig 1964. 94 S., 75 Abb.

Serebrov, N. N.: *Genrich Mann. Očerk tvorčeskogo puti* Moskva 1964. 294 S.

Sudhof, Siegfried: *Heinrich Mann.* In: *Deutsche Dichter der Moderne. Ihr Leben und Werk.* Unter Mitarbeit zahlreicher Fachgelehrter hg. von Benno von Wiese. Berlin 1965. S. 92—111. — 2. Aufl. 1969. S. 94—114.

Banuls, André: *Heinrich Mann. Le poète et la politique.* Paris 1966. 710 S., 30 Taf.

Mádl, Antal: *Heinrich Mann.* Budapest 1966. 132 S. *(Irodalomtörténeti Kiskönyvtár. 28.)*

Şora, Mariana: *Heinrich Mann. Omul şi opera.* Bucureşti 1966. 413 S.

Sós, Endre: *Heinrich Mann.* In: *A német irodalom a XX. században. Szerkesztette és a bevezetöt irta Vajda György Mihály.* Budapest 1966. S. 97—117 mit 1 Taf.

Linn, Rolf N.: *Heinrich Mann.* New York 1967. 144 S. *(Twayne's World Authors Series. 27.)*

Schröter, Klaus: *Heinrich Mann in Selbstzeugnissen und Dokumenten dargestellt.* (Anhang unter Mitarbeit von Helmut Riege.) Reinbek b. Hamburg 1967. 187 S. *(rowohlts monographien. 125.)*

Lemke, Karl: *Heinrich Mann.* Berlin 1970. 86 S. *(Köpfe des XX. Jahrhunderts. 60.)*

V. UNTERSUCHUNGEN

1. Einzelfragen, Schaffensepochen

Untermann, Mally: *Das Groteske bei Wedekind, Thomas Mann, Heinrich Mann, Morgenstern und Wilhelm Busch.* Diss. Königsberg 1929. 60 S.

Rosenhaupt, Hans W.: *Heinrich Mann und die Gesellschaft.* In: *Germanic review* 12 (1937), S. 267—278.

Boonstra, Pieter Evert: *Heinrich Mann als politischer Schriftsteller.* Diss. Groningen 1945. VII, 143 S.

Gardner, Arthur P.: *The Individual and Society in the Works of Heinrich Mann. The Development of the Political Author.* Diss. Cambridge/Mass. 1950. III, 394 Bll [Masch.]

Kantorowicz, Alfred: *Das frühe Werk Heinrich Manns.* In: *Aufbau* 7, II (1951), S. 1087—1095.

Kantorowicz, Alfred: *Der Einfluß der Oktoberrevolution auf Heinrich Manns Entwicklung.* In: *Neue Deutsche Literatur* 1952, Sonderheft, S. 149—162.

Lutz, Gerhard: *Zur Problematik des Spielerischen. Eine Erörterung unter besonderer Berücksichtigung der Romane und Novellen des frühen Heinrich Mann.* Diss. Freiburg i. B. 1952. 148 Bll. [Masch.]

Kantorowicz, Alfred: *Das Vermächtnis Heinrich Manns.* Vortrag. Berlin 1953. 36 S. *(Vorträge zur Verbreitung wissenschaftlicher Kenntnisse. 16.)*

O'Bear, Elizabeth D.: *The Significance of France in the Writings of Heinrich Mann.* Diss. Columbus/Ohio 1953. [Masch.]

Kantorowicz, Alfred: *Heinrich Mann, Vorkämpfer der deutsch-französischen Verständigung.* In: *Aufbau* 10, I (1954), S. 215—226 — Einzelausg. Berlin 1954. 28 S.

Sears, Robert: *Syntactical Studies in the Work of Heinrich Mann.* Diss. Illinois 1954. 285 S.

Specht, Georg: *Das Problem der Macht bei Heinrich Mann.* Diss. Freiburg i. B. 1954. 247 Bll. [Masch.]

Kantorowicz, Alfred: *Heinrich Manns Beitrag zur deutsch-französischen Verständigung.* In: *Wissenschaftliche Zeitschrift der Humboldt-Universität zu Berlin, gesellschafts- und sprachwissenschaftliche Reihe* 6 (1956/57), S. 29—57.

Nicholls, Roger A.: *Heinrich Mann and Nietzsche.* In: *Modern Language Quaterly* 21 (1960), S. 165—178.

Schöpker, Heinz-Friedrich: *Heinrich Mann als Darsteller des Hysterischen und Grotesken.* Diss. Bonn 1960. 181 S.

Linn, Rolf N.: *Heinrich Mann and the German Inflation.* In: *Modern Language Quarterly* 23 (1962), S. 75—83.

Schmeisser, Marleen: *Friedrich der Große und die Brüder Mann.* In: *Neue deutsche Hefte* 9 (1962), H. 90, S. 97—106.

Şora Mariana: *Rolul teatrului în opera lui Heinrich Mann, creatorul epicei dramatice.*

In: *Revista de filologie romanica și germanica* 6 (1962), S. 57—84.
[Mit deutscher Zusammenfassung: *Heinrich Mann, Schöpfer des Romandramas, und das Theater.*]

Geissler, Klaus: *Die weltanschauliche und künstlerische Entwicklung Heinrich Manns während des Ersten Weltkrieges.* Diss. Jena 1963. III, 272 Bll. [Masch.]

Marx, Werner: *Das Bild des Renaissancemenschen im Frühwerk Heinrich Manns.* Diss. Philadelphia 1963. 267 Bll. [Masch.]

Weisstein, Ulrich: *Heinrich Mann und Gustave Flaubert. Ein Kapitel in der Geschichte der literarischen Wechselbeziehungen zwischen Frankreich und Deutschland.* In: *Euphorion* 57 (1963), S. 132—155.

Middelstaedt, Werner: *Heinrich Mann in der Zeit der Weimarer Republik — die politische Entwicklung des Schriftstellers und seine öffentliche Wirksamkeit.* Diss. Potsdam 1964. XXIII, 297 Bll. [Hekt.]

Hahn, Manfred: *Das Werk Heinrich Manns von den Anfängen bis zum »Untertan«.* Diss. Leipzig 1965. 560 Bll. [Hekt.]
Résumé von Kap. 1—9 und überarb. Fassung von Kap. 10 (»Im Schlaraffenland«) u. d. T.: *Zum frühen Schaffen Heinrich Manns.* In: *Weimarer Beiträge* 12 (1966), S. 363—406.

Holona, Marian: *Der Mittelstand als sozialpolitischer Leitbegriff bei Heinrich Mann.* In: *Kwartalnik neofilologiczny* 12 (1965), S. 157—161.

Kostka, Edmund: *Heinrich Mann und Fyodor Sologub.* In: *Rivista di letteratura moderne e comparata* 18 (1965), S. 245—258.

Ritter Santini, Lea: *L'italiano Heinrich Mann.* Bologna 1965. 344 S. (Saggi. 58.)

Schröter, Klaus: *Anfänge Heinrich Manns. Zu den Grundlagen seines Gesamtwerks.* Stuttgart 1965. X, 198 S. *(Germanistische Abhandlungen. 10.)*

Serebrow, N.: *Heinrich Mann und die Zukunft Deutschlands.* In: *Sowjetwissenschaft, Kunst und Literatur* 13, I (1965), S. 502—505.

Zeck, Jürgen: *Die Kulturkritik Heinrich Manns in den Jahren 1892 bis 1909.* Diss. Hamburg 1965. VII, 200, XI S.

Baumann, M. E.: *The Theme of »Geist und Tat« in the Creative Writings of Heinrich Mann.* Diss. Aberdeen 1966/67.

Abusch, Alexander: *Über Heinrich Mann.* In: Abusch: *Literatur im Zeitalter des Sozialismus. Beiträge zur Literaturgeschichte 1921 bis 1966.* Berlin, Weimar 1967. (Abusch: *Schriften.* Bd. 2.) S. 271—298.
[Enthält: *Repräsentant der Volksfront.* (1937.) — *Heinrich Mann — Geist und Tat.* (1946—1951.) — *Humanist der großen Zeitenwende.* (1961.) — *Heinrich Manns Tradition und die westdeutsche literarische Opposition.* (1961.)]

Geissler, Klaus: *Heinrich Mann und die Novemberrevolution in Deutschland.* In: *Wissenschaftliche Zeitschrift der Friedrich-Schiller-Universität Jena, gesellschafts- und sprachwissenschaftliche Reihe* 17 (1968), S. 469—474.

Gross, David Laverne: *Heinrich Mann: The Writer and Society 1890—1920. A Study of Literary Politics in Germany.* Diss. Madison 1969. V, 361 Bll. [Hekt.]

Nerlich, Michael: *Der Herrenmensch bei Jean-Paul Sartre und Heinrich Mann.* In: *Akzente* 16 (1969), S. 460—479.

2. Werkdeutung

a) Romane

Urbanowicz, Mieczyslaw: *Das Bürgertum und die Arbeiter in den Romanen von Heinrich Mann.* In: *Germanica Wratislaviensia* 6 (1960), S. 97—113.

Dirksen, Edgar: *Autobiographische Züge in Romanen Heinrich Manns.* In: *Orbis litterarum* 21 (1966), S. 321—332.

Kirchhoff, Ursula: *Die Darstellung des Festes im Roman um 1900. Ihre thematische und funktionale Bedeutung.* Münster 1969. VI, 162 S. *(Münster'sche Beiträge zur deutschen Literaturwissenschaft. 3.)*
[Darin: *Das Fest als Medium satirischer Gesellschaftskritik in Heinrich Manns Roman »Im Schlaraffenland«,* S. 52—65; *Das Fest als strukturbildendes Symbol der außergewöhnlichen Existenz in Heinrich Manns »Göttinnen«,* S. 66—87.]
Teilwiederabdruck: *Das Fest als Symbol der außergewöhnlichen Existenz in Heinrich Manns »Göttinnen«-Trilogie.* In: *Wirkendes Wort* 18 (1968), S. 395—415.

Vormweg, Heinrich: *Eine sterbende Welt. Heinrich Manns Altersromane.* In: *Akzente* 16 (1969), S. 408—415.

Picot, Roland: *Les trois romans de la Duchesse d'Assy.* Diss. Strasbourg 1937 [Masch.]

Bachmair, Heinrich F.: *Die Leidenschaften der Herzogin von Assy. Zur Entstehungsgeschichte von Heinrich Manns Roman »Die Göttinnen«.* In: *Philobiblon* 3 (1959), S. 142—148.

Kantorowicz, Alfred: *Heinrich Manns »Jagd nach Liebe«.* In: *Die Zeit,* 17. April 1958.

Linn, Rolf N.: *Democracy in Heinrich Mann's »Die kleine Stadt«.* In: *German Quarterly* 37 (1964), S. 131—145.

Kirsch, Edgar, und Hildegard Schmidt: *Zur Entstehung des Romans »Der Untertan«.* In: *Weimarer Beiträge* 6 (1960), S. 112—132.
Berichtigung: ebd. S. 432.

Séchaud, Monique: *Essai d'étude statistique de style. Heinrich Mann (Le Bon sujet, Les Pauvres).* Diss. Saarebruck 1962. 388 Bll. [Masch.]

Scheibe, Friedrich Carl: *Rolle und Wahrheit in Heinrich Manns Roman »Der Untertan«.* In: *Literaturwissenschaftliches Jahrbuch* N. F. 7 (1966), S. 209—227.

Serebrov, N. N.: *Heinrich Manns Antikriegsroman »Der Kopf«.* In: *Weimarer Beiträge* 8 (1962), S. 1—33.

Hardaway, R. Travis: *Heinrich Mann's »Kaiserreich«-Trilogy and his Democratic Spirit.* In: *Journal of English and Germanic Philology* 53 (1954), S. 319—333.

Zweig, Arnold: *Heinrich Manns Meisterwerk.* [»Die Jugend des Königs Henri Quatre.«] (1935.) In: Zweig: *Essays.* Bd. 1. Berlin 1959. (Zweig: *Ausgewählte Werke in Einzelausgaben.* Bd. 15.) S. 314—319.

Kesten, Hermann: *Heinrich Mann und sein Henri Quatre.* In: *Maß und Wert* 2 (1939), S. 552—560 — Wiederabdruck u. d. T.: *Heinrich Mann.* In: Kesten: *Meine Freunde die Poeten.* München 1953. S. 21—35.

Kirsch, Edgar: *Heinrich Manns historischer Roman »Die Jugend und Vollendung des Königs Henri Quatre«. Beiträge zur Analyse des Werkes.* In: *Wissenschaftliche Zeitschrift der Martin-Luther-Universität Halle-Wittenberg, gesellschafts- und sprachwissenschaftliche Reihe* 5 (1955/56), S. 623—636; 1161—1205.

Kirchner-Klemperer, Hadwig: *Heinrich Manns Roman »Die Jugend und die Vollendung des Königs Henri Quatre« im Verhältnis zu seinen Quellen und Vorlagen.* Diss. Berlin (Humboldt-Universität) 1957. V, 411 Bll. [Masch.]

Mayer, Hans: *Heinrich Manns »Henri Quatre«.* In: Mayer: *Deutsche Literatur und Weltliteratur. Reden und Aufsätze.* Berlin 1957. S. 682—689.

Weisstein, Ulrich: *Heinrich Mann, Montaigne and »Henri Quatre«.* In: *Revue de littérature comparée* 36 (1962), S. 71—83.

Nerlich, Michael: *Kunst, Politik und Schelmerei. Die Rückkehr des Künstlers und des Intellektuellen in die Gesellschaft des zwanzigsten Jahrhunderts, dargestellt an Werken von Charles de Coster, Romain Rolland, André Gide, Heinrich Mann und Thomas Mann.* Frankfurt a. M., Bonn 1969. 245 S. [Zu *Henri Quatre.*]

Kiewert, Walter: *Heinrich Mann's Romanphantasie »Lidice«.* In: *Weltbühne* 2 (1947), S. 392—394.

Mayer, Hans: *Über Heinrich Manns Roman »Der Atem«. Tägliche Rundschau,* 20. Dezember 1949.

Schröter, Klaus: *»Der Atem«. Anmerkungen zu Heinrich Manns letztem Roman.* In: *Grüße. Hans Wolffheim zum sechzigsten Geburtstag.* Hg. von Klaus Schröter. Frankfurt a. M. 1965. S. 133—144 — Sonderabdruck. Biberach 1964. 10 S. *(Wege und Gestalten. 1964/65, 2)* — Wiederabdruck in: Schröter: *Literatur und Zeitgeschichte. Fünf Aufsätze zur deutschen Literatur im 20. Jahrhundert.* Mainz 1970. *(Akademie der Wissenschaften und der Literatur, Klasse der Literatur, Mainz. 26.)* S. 141—152.

Uhse, Bodo: *Fragmentarische Bemerkungen zum »Friedrich«-Fragment Heinrich Manns.* In: *Sinn und Form* 10 (1958), S. 238—245. — Wiederabdruck als Vorwort in: Heinrich Mann: *Die traurige Geschichte von Friedrich dem Großen. Fragment.* Berlin 1960. S. 5—15.

b. Novellen

Ritter Santini, Lea: *Die weißen Winde. Heinrich Manns Novelle »Das Wunderbare«.* In: *Wissenschaft als Dialog. Studien zur Literatur und Kunst seit der Jahrhundertwende.* Hg.

von Renate von Heyderbrand und Klaus Günther Just. Stuttgart 1969. S. 134—173; 491—496.

Zimmermann, Werner: *Heinrich Mann, Abdankung (1906).* In: Zimmermann: *Deutsche Prosadichtungen unseres Jahrhunderts. Interpretationen für Lehrende und Lernende.* Bd. 1. Düsseldorf 1966. S. 135—142.

Linn, Rolf N.: *The Place of »Pippo Spano« in the Work of Heinrich Mann.* In: *Modern Language Forum* 37 (1952), S. 130—143.

Linn, Rolf N.: *Heinrich Mann's »Die Branzilla«.* In: *Monatshefte für deutschen Unterricht* 50 (1958), S. 75—85.

Henniger-Weidmann, Brigitte: *Stilkritische Betrachtungen zu Heinrich Manns artistischen Novellen »Pippo Spano« und »Die Branzilla«.* Zürich 1968. 79 S.

Linn, Rolf N.: *Portrait of Two Despots: »Auferstehung« and »Der Tyrann«.* In: *Germanic Review* 30 (1955), S. 125—134.

c) Schauspiele

Rankewitz, Gisela: *Die Dramen Heinrich Manns — Untersuchungen zur Problematik der dramatischen Gestaltung gesellschaftlicher Widersprüche.* Diss. Potsdam 1966. 328, VI Bll. [Masch.]

Brust, William Z.: *Art and the Activist: Social Themes in the Dramas of Heinrich Mann.* Diss. Minneapolis 1968. 283 Bll. [Masch.]

d) Essays

Exner, Richard: *Die Essayistik Heinrich Manns:* [1.] *Autor und Thematik.* [2.] *Triebkräfte und Sprache.* In: *Symposium* 13 (1959), S. 216—237; 14 (1960), S. 26—41.

Holona, Marian: *Die Essayistik Heinrich Manns und die Kulturproblematik F. Nietzsches.* In: *Kwartalnik neofilologiczny* 13 (1966), S. 301—310.

Hahn, Manfred: *Heinrich Manns Beiträge in der Zeitschrift »Das Zwanzigste Jahrhundert«.* In: *Weimarer Beiträge* 13 (1967), S. 996—1019.

Kamnitzer, Heinz: *Essays im Exil.* In: *Neue deutsche Literatur* 8 (1960), H. 3, S. 91—103.

Herden, Werner: *Der Weg Heinrich Manns an die Seite der deutschen Arbeiterklasse im Spiegel seiner essayistischen Bemühungen von 1933—1939.* Diss. Berlin *(Institut für Gesellschaftswissenschaften beim ZK der SED)* 1965. III, 304, XLV Bll. [Hekt.]

Herden, Werner: *Aufruf und Bekenntnis. Zu den essayistischen Bemühungen Heinrich Manns im französischen Exil.* In: *Weimarer Beiträge* 11 (1965), S. 323—349.

Kantorowicz, Alfred: *Der Zola-Essay als Brennpunkt der weltanschaulichen Beziehungen zwischen Heinrich und Thomas Mann.* In: *Wissenschaftliche Zeitschrift der Humboldt-Universität zu Berlin, gesellschafts- und sprachwissenschaftliche Reihe* 3 (1953/54), S. 127—138.

Kantorowicz, Alfred: *Zola-Essay — Betrachtungen eines Unpolitischen. Die paradigmatische*

Auseinandersetzung zwischen Heinrich und Thomas Mann. In: Geschichte in Wissenschaft und Unterricht 11 (1960), S. 257—272.

Hahn, Manfred: Nachwort. In: Heinrich Mann: Zola. Leipzig 1962. (Reclams Universal-Bibliothek. 9041/9042.) S. 135—149.

Vanhelleputte, Michel: L'essai de Heinrich Mann sur Emile Zola. In: Revue des langues vivantes 29 (1963), S. 510—520.

Rohner, Ludwig: Heinrich Mann: Zola: In: Rohner: Der deutsche Essay. Materialien zur Geschichte und Ästhetik einer literarischen Gattung. Neuwied, Berlin 1966. S. 240—258.

Brecht, Bertolt: Notizen zu Heinrich Manns »Mut«. (1939.) In: Neue Texte, Almanach für deutsche Literatur 5 (1965), S. 44—53.

Sieburg, Friedrich: Noch nicht das Ende. Heinrich Mann: Ein Zeitalter wird besichtigt. In: Die Gegenwart 3 (1948), Nr. 23, S. 18—19.

Mayer, Hans: Heinrich Mann und Stefan Zweig. (Die Welt von gestern — zweimal besichtigt.) In: Mayer: Literatur der Übergangszeit. Berlin bzw. Wiesbaden 1949. S. 182—187.

Schröter, Klaus: Ein Zeitalter wird besichtigt. Zu Heinrich Manns Memoiren. In: Akzente 16 (1969), S. 416—433.

Fischer, Andreas: Heinrich Mann: »Der König von Preußen«. In: Fischer: Studien zum historischen Essay und zur historischen Porträtkunst an ausgewählten Beispielen. Berlin 1968. (Quellen und Forschungen zur Sprach- und Kulturgeschichte der germanischen Völker. N. F. 27.) S. 155—173.

bar im Westen und die deutsche Kultur. Hg. von Horst Lehner. Herrenalb 1963. (Schriftenreihe des Instituts für Auslandsbeziehungen Stuttgart. Reihe: Deutsch-ausländische Beziehungen. 5.) S. 141—158.

Saueressig, Heinz: Die gegenseitigen Buchwidmungen von Heinrich und Thomas Mann. Eine Dokumentation. In: Betrachtungen und Überblicke. Zum Werk Thomas Manns. Hg. von Georg Wenzel. Berlin, Weimar 1966. S. 483—490.

Banuls, André: Thomas Mann und sein Bruder Heinrich — »eine repräsentative Gegensätzlichkeit«. Stuttgart, Berlin, Köln, Mainz 1968. 176 S. (Sprache und Literatur.)

Blöcker, Günter: Brüderliches Welterlebnis. In: Merkur 23 (1969), S. 190—193.

Süskind, W. E.: Heinrich Mann und Thomas Mann. In: Universitas 24 (1969), S. 1077—1080.

Thomas Mann im Urteil seiner Zeit. Dokumente 1891—1955. Hg. mit einem Nachwort und Erläuterungen von Klaus Schröter. Das Register bearb. Hartmut Hitzer. Hamburg 1969. 556 S.

Vgl. auch Klaus Schröter: Thomas Mann in Selbstzeugnissen und Bilddokumenten. Reinbek b. Hamburg 1964. (rowohlts monographien. 93.) S. 47 ff.; 82 ff. und passim. — 80. Tsd. 1970.

Vgl. ferner Ulrich Dietzel und Hans Wyssling in ihren Editionen des Briefwechsels zwischen Thomas und Heinrich Mann (unter II 5, Briefe).

3. Verhältnis zu Thomas Mann

Kantorowicz, Alfred: Heinrich und Thomas Mann. Die persönlichen, literarischen und weltanschaulichen Beziehungen der Brüder. Berlin 1956. 135 S.

Kesten, Hermann: Heinrich und Thomas Mann. In: Der Monat 11 (1959), H. 125, S. 59—69.

Sós, Endre und Magda Vámos: Thomas és Heinrich Mann. A két író-testvér szenvedése, küzdelme és nagysága. [Leiden, Ringen und Größe der beiden Brüder und Schriftsteller.] Budapest 1960. 245 S.

Plessner, Monika: Identifikation und Utopie. Versuch über Heinrich und Thomas Mann als politische Schriftsteller. In: Frankfurter Hefte 16 (1961), S. 812—826.

Sontheimer, Kurt: Heinrich und Thomas Mann. In: Auf der Suche nach Frankreich. Der Nach-

4. Wirkung

Sussbach, Herbert H.: Kritik am Jugendwerke Heinrich Manns. Diss. Los Angeles 1959. IX, I, 222 Bll. [Masch.]
Mit unvollständiger Bibliographie der herangezogenen Kritiken 1899—1920, Bl. 213—222.

Winter, Lorenz: Heinrich Mann und sein Publikum. Eine literatur-soziologische Studie zum Verhältnis von Autor und Öffentlichkeit. Köln 1965. 108 S. (Kunst und Kommunikation. 10.)

Linn, Rolf N.: Heinrich Mann — heinrich mann. In: Neue Deutsche Hefte 14 (1967), H. 1, S. 17—29.

Bis zu mir reichende Wirkungen. [Eine Umfrage von Hans Bender.] In: Akzente 16 (1969), S. 403—407.
[Mit Beiträgen von Heinrich Böll, Horst Bienek, Peter Härtling, Fritz Rudolf Fries, Helga M. Novak, Peter O. Chotjewitz.]

Notizen

Heinrich Manns Brief bekamen wir von *Paul Hirsch*, der sich als Autor *Paul Hatvani* nennt; Hirsch, 1892 in Wien geboren, ist in Ungarn aufgewachsen, nahm kurz am ersten Weltkriege teil, arbeitete aber während dieser Zeit meist als Chemiker im Kohlenrevier der nachmaligen Tschechoslowakei; nach 1930 hat er so gut wie nicht mehr publiziert, heute lebt er in Melbourne, Australien.

Alfred Kantorowicz, geb. 1899 in Berlin; Soldat im ersten Weltkrieg, studierte in Berlin, Freiburg i. B., München und Erlangen; Literaturkritiker und Pariser Kulturkorrespondent der Vossischen Zeitung; 1931 Eintritt in die KPD, 1933 Emigration nach Frankreich; Sekretär des Schutzverbandes Deutscher Schriftsteller in Paris; Teilnahme am spanischen Bürgerkrieg; 1941—1946 in den USA; 1947 Begründer und Leiter der Monatsschrift »Ost und West« in Berlin; seit 1950 Professor für neue deutsche Literatur an der Humboldt-Universität und Leiter des Heinrich Mann-Archivs in Ostberlin; 1957 Flucht in die Bundesrepublik; lebt seither als freier Schriftsteller in Hamburg; Publikationen u. a.: »In unserem Lager ist Deutschland« (eingeführt von Romain Rolland), Paris 1936; »Madrid Diary«, London, New York 1938; »Verboten und verbrannt« (zusammen mit Richard Drews), Berlin 1947; »Vom moralischen Gewinn der Niederlage«, Berlin 1948; »Heinrich und Thomas Mann«, Berlin 1956; »Deutsches Tagebuch« I und II, München 1959/1961; »Deutsche Schicksale«, Wien 1964; »Spanisches Kriegstagebuch«, Köln 1966; »Im 2. Drittel unseres Jahrhunderts«, Köln 1967.

Karl Riha, geb. 1935 in Krummau/Moldau, 1963—1967 Feuilletonredakteur der Frankfurter Studentenzeitung »Diskus«, ab 1965 wissenschaftlicher Assistent am Deutschen Seminar der Universität Frankfurt/Main, seit Herbst 1969 am Lehrstuhl für Literaturwissenschaft der Technischen Universität Berlin; Publikationen: »Moritat, Song, Bänkelgesang. Zur Geschichte der Modernen Ballade«, 1965; »Die Beschreibung der großen Stadt. Zur Entstehung des Großstadtmotivs in der deutschen Literatur, ca. 1750 — ca. 1850«, 1969/70; »Zoak Roarr Wumm. Zur Geschichte der Comics-Literatur«, 1970; Herausgeber von: Ferdinand Kürnberger: »Feuilletons«, 1967; Editionsreihe Deutsche Satiren, 1970 f.; »Galerie Patio Magazin«, 1967 ff; Mitarbeit an Sammelwerken (»Trivialliteratur«, 1967; »Wege zum Gedicht« II, 1968; »Literatur und Geistesgeschichte«, Festschrift für H. O. Burger, 1968; »Annalen der deutschen Literatur«, 2. Aufl. 1970; »Tendenzen der deutschen Literatur seit 1945«, 1971) und verschiedenen Zeitschriften (»Sprache im technischen Zeitalter«, »Neue deutsche Hefte«, »Streit-Zeit-Schrift«, »Das Kunstwerk«, »Replik«).

Jochen Vogt, geb. 1943, lehrt Literaturdidaktik an der Pädagogischen Hochschule in Essen; promovierte mit einer Dissertation über »Zeit, Erinnerung und Identität in Hans Henny Jahns Romantrilogie ›Fluß ohne Ufer‹«; vgl. auch seinen Beitrag über Hans Henny Jahnn in TEXT + KRITIK 2/3, dem neuen Heft über Jahnn; Mitherausgeber der Buchreihe »Literatur in der Gesellschaft« (Bertelsmann Universitätsverlag); arbeitet über hochschulpolitische Fragen.

David Roberts, geb. 1937 in Sussex/England, studierte Germanistik und Romanistik von 1959—1963 in Oxford und Köln; 1963/1964 im Foreign Office in London; seit 1964 Dozent für Neuere deutsche Literatur an der Monash University in Melbourne; 1969 Stipendiat der Humboldt-Stiftung an der Universität Regensburg. 1971 erscheint im Berner Lang-Verlag Roberts Buch »Artistic Consciousness and Political Conscience. The Novels of Heinrich Mann« (Reihe: »Australische und Neuseeländische Studien zur deutschen Sprache und Literatur«).

Wolfram Schütte, geb. 1939 in Frankfurt/Main, studierte in Frankfurt Germanistik, Philosophie und Soziologie und ist seit 1967 Mitglied der Feuilletonredaktion der »Frankfurter Rundschau«; Mitherausgeber der Zeitschrift »Filmstudio«, Mitarbeit an den Bänden »Kritik/ von wem/ für wen/ wie« (München 1968) und »Visuelle Kommunikation. Beiträge zur Kritik der Bewußtseinsindustrie« (1971), Mitarbeit bei Rundfunkanstalten und der »Neuen Zürcher Zeitung«.

Ernst Hinrichs, geb. 1937, studierte in Hamburg, Freiburg i. Br. und Göttingen Geschichte und Germanistik, promovierte 1966 in Göttingen mit einer Arbeit über »Fürstenlehre und politisches Handeln im Frankreich Heinrichs IV« (die Arbeit erschien 1969 bei Vandenhoek & Ruprecht, Göttingen); seit 1966 Mitarbeiter im Max-Planck-Institut für Geschichte in Göttingen.

Hans-Albert Walter, geb. 1935, lebt als freier Schriftsteller und Kritiker in Hofheim/Taunus; arbeitet an einer zweibändigen Geschichte der deutschen Exilliteratur 1933—1945.

Klaus Schröter, geb. 1931 in Königsberg, schloß sein Studium der Literaturwissenschaft und deutschen und englischen Literaturgeschichte 1960 in Hamburg mit der Promotion ab; er war seit 1957 Redaktionsassistent der von Hans Pyritz herausgegebenen Goethe-Bibliographie; seit 1969 Associate Professor für deutsche Literatur an der Columbia-University in New York.

Die Vorlage der Zeichnung auf der Titelseite — eines Selbstporträts Heinrich Manns — verdanken wir der »Deutschen Akademie der Künste Berlin«, Abteilung Literaturarchiv.

Der nächste Sonderband der Reihe TEXT + KRITIK beschäftigt sich mit Bertolt Brecht.